V&R

Claus Westermann

Wurzeln der Weisheit

Die ältesten Sprüche Israels
und anderer Völker

Vandenhoeck & Ruprecht
in Göttingen

Dem Gedächtnis meines Vaters gewidmet,
Professor für Afrikanistik an der Berliner Universität,
der mich schon als Schüler auf die Werte
der »mündlichen Literatur« der Afrikaner
aufmerksam machte.

CIP-Titelaufnahme der Deutschen Bibliothek

Westermann, Claus:
Wurzeln der Weisheit: die ältesten Sprüche Israels und anderer Völker /
Claus Westermann. — Göttingen: Vandenhoeck u. Ruprecht, 1990
ISBN 3-525-51673-8

Gesetzt aus Garamond auf MCS Compugraphic
Satz: Schriftsatz-Studio Grohs, Landolfshausen
Druck und Bindearbeit: Hubert & Co., Göttingen

Inhalt

Einleitung

I. Die frühe Spruchweisheit Israels

Weisheit ist eine Möglichkeit, die den Menschen als solchen eignet, sie ist ein Humanum, ein Element der Geschöpflichkeit. Zwar ist der Mensch nicht weise geschaffen, wohl aber mit der Möglichkeit, weise zu denken, zu reden und zu handeln. Diese Möglichkeit kann man keinem Menschen absprechen; es kann sogar einmal von Tieren gesagt werden, daß sie weise handeln können (Proverbia 30,24-28).

Weisheit ist ein ausgesprochen profaner Begriff. Er oder ein ähnlicher begegnet in allen Völkern. Weisheit ist etwas, was die Menschen eher verbindet als trennt. Es gibt bis heute Religionskriege; um die Weisheit sind niemals Kriege geführt worden und werden niemals geführt werden. Wo überhaupt von ihr geredet wird, da wird ihr Wert anerkannt.

Deswegen ist die Weisheit auch etwas, was das Alte und das Neue Testament verbindet. Es hat seine Bedeutung, wenn am Ende der Erzählung vom zwölfjährigen Jesus im Tempel gesagt wird: Der junge Mann Jesus „nahm zu an Alter und Weisheit vor Gott und den Menschen". Daß am Reden Jesu, an seiner Verkündigung, die Weisheit Anteil hat, erhält seinen Ausdruck darin, daß viele der von ihm überlieferten Worte Weisheitssprüche sind (s.u. S. 123).

Daß die Weisheit überhaupt — obwohl sie ein profaner Begriff ist — ein Bestandteil der Bibel, des Alten und des Neuen Testaments wurde, hat seinen Grund darin, daß sie zur Schöpfung, genauer zur Erschaffung des Menschen gehört. Der Schöpfer hat dem Menschen die Fähigkeit verliehen, seinen Weg durch das Leben selbst zu finden und selbst zu verstehen (so W. Zimmerli), zu erkennen, was gut und böse, was fördernd und was schädigend ist.[1] Weil diese Fähigkeit allen Menschen verliehen ist, gehört sie zusammen mit dem universalen Reden vom Menschen in der Urgeschichte Gen 1-11 als ganzer, aber auch in den Psalmen, im Hiobbuch, Deuterojesaja und an vielen anderen Stellen, an denen es um den Menschen auf seinem Weg von der Geburt zum Tod geht. Dem segnenden Wirken Gottes ist die Weisheit darin zugeordnet, daß sie mit dem Menschen und in ihm wachsen kann. Darum wird sie insbesondere alten, „gereiften" Menschen zuerkannt. Das heißt aber niemals, daß ein alter Mensch als solcher schon weise ist, weise sein muß.

Wenn dieses Buch insbesondere von der frühen Weisheit Israels handeln soll, so geschieht das mit einer bestimmten Absicht. Es ist üblich geworden, den Begriff Weisheit sehr stark auszuweiten. Man bezeichnet als Weisheit, sofern damit nicht die Befähigung des Menschen, sondern Weisheitsschriften gemeint sind, die beiden Teile des Buches der Proverbien, 1-9 und 10-31, die

doch sehr verschieden sind, dazu unter sich sehr verschiedene Weisheitsschriften wie Hiob, Prediger, Jesus Sirach und Weisheit Salomos, ebenso wie
die vorderorientalischen Weisheitsschriften. Außerdem bezeichnet man
noch weitere Teile des Alten Testaments als weisheitlich. Eine genaue
Bestimmung, was Weisheit in all diesen verschiedenen Schriften sei, kann
dann nicht gelingen.[2]

Einen sicheren Ausgangspunkt für das Gewinnen fester Kriterien, die hier
weiterhelfen, bildet die Tatsache, daß die Sammlungen Prov 10-21 und 25-29
allgemein als die frühesten Sammlungen anerkannt werden und daß in diesen
die kurzen Sprüche eine beherrschende Bedeutung haben. Hiervon kann
man ausgehen: die frühe Weisheit Israels hat die Form kurzer Sprüche. Diese
Form kurzer, ein- oder zweizeiliger Sprüche gibt es nicht nur hier, sie hat
eine weltweite Verbreitung in den Sprichwörtern vieler Völker. Diese hatten
und haben ihre größte Bedeutung bei schriftlosen Völkern und Stämmen
über die ganze Erde hin. Bei ihnen haben sie die Bedeutung einer noch vorschriftlichen „Literatur" in einem Frühstadium. Das ist einleuchtend, sofern
diese kleinsten Einheiten für die Überlieferung denkbar geeignet waren. Sie
können leicht aufgenommen, bewahrt und weitergegeben werden.

Diese Sprüche sind mündlich entstanden aus einer Situation, in die hinein
sie gesprochen wurden; ein kluger (weiser) Mensch fand den treffenden
sprachlichen Ausdruck, der von den ihn Hörenden akzeptiert wurde.[3] Sie
lebten dadurch weiter, daß sie in einer entsprechenden Situation angewandt
wurden; es entwickelte sich eine Kunst, mit einem überlieferten (daher allen
bekannten) Spruch eine neue Situation zu treffen. Die Anwendung konnte
vielfältig sein, daher hatten die Sprüche von Anfang an eine große Bedeu-
tungsbreite. Sie blieben darin lebendig, daß sie vielfältig angewendet wurden.

Die Sprüche hatten überall auf der Welt ihre Blütezeit in der Epoche der
noch schriftlosen Überlieferung; in ihr hatten sie ihre bestimmten, für das
gemeinsame Leben notwendigen im wesentlichen sozialen Funktionen, sie
waren außerdem die Träger der wichtigsten Überlieferungen.

Von diesen kurzen Sprüchen sind die längeren Texte in diskursiver
Sprache zu unterscheiden, die Weisheitsgedichte oder Lehrgedichte, die in
sich einen gedanklichen Zusammenhang bilden und die von vornherein
schriftlich entstanden sind und schriftlich tradiert wurden.

Erst damit, daß die in einem früheren Stadium mündlich entstandenen
und mündlich tradierten Sprüche gesammelt und aufgeschrieben wurden
(Prov 25,1), sind die beiden wurzelverschiedenen Sprachformen zusammen-
gekommen, miteinander verbunden worden: der Sammlung der Sprüche
10-31 wurde eine Sammlung von Lehrgedichten 1-9 vorgefügt. Mit diesen
beiden Vorgängen, dem Sammeln und Aufschreiben der vorher mündlich
tradierten Sprüche und deren Zusammenfügen mit den Lehrgedichten, entstand die Weisheitsliteratur. Sie bedeutet weithin das Ende der mündlichen
Tradition der Sprüche, auch diese werden jetzt zu schriftlicher Literatur.
Man kann das so entstandene Buch der Proverbien nicht verstehen und nicht
erklären, ohne diese Entstehung zu berücksichtigen, man muß beide Teile in

ihrer je besonderen Art und aus ihrer je besonderen Entstehung und Traditionsgeschichte erklären.

Es trifft nicht zu, daß sich die Texte in 10-31 und 1-9 nur dadurch unterscheiden, daß die einen kurze, die anderen längere Sprüche oder Weisheitsworte sind, es handelt sich um zwei verschiedene Arten von Texten. Es trifft nicht zu, daß „die Weisheit Israels" eine besondere Ausprägung der vorderorientalischen Weisheit sei (so J. Fichtner), das trifft vielmehr nur für Prov 1-9 zu.

Es ist deswegen von grundlegender Bedeutung, die frühe Weisheit Israels, deren Form der kurze Spruch war, von der späteren, schriftlich entstandenen Weisheit der längeren Lehrgedichte zu unterscheiden. Zwischen ihnen liegt die Erfindung der Schrift.[4]

II. Zur Forschungsgeschichte

Eine neue, ausführliche Forschungsgeschichte bietet E. Murphy, Wisdom Theses and Hypotheses, 1981. Ihm verdanke ich viele hilfreiche Hinweise. Ich ergänze seine Ausführung nur für die letzten Jahre.[5]

Eine der Hauptfragen in der vorangehenden Forschung war die nach der Herkunft der Weisheit: Ist sie aus der mündlichen Volksweisheit erwachsen oder das Werk von weisen Lehrern an Schulen? Das erstere nahm man zu Anfang des Jahrhunderts an, das zweite in der jüngeren Forschung (z.B. auch G. von Rad und H.J. Hermisson). Gegen die einseitige Herleitung der Sprüche aus der Schulweisheit wenden sich H.W. Wolff, E. Gerstenberger, C. Westermann, J.M. Thompson, der auch den universalen Charakter der Sprüche betont.

Gegen H.J. Hermisson (ein Schüler G. von Rads) und dessen einseitige Herleitung der Sprüche aus Weisheitsschulen, verbunden mit der Ablehnung eines Zusammenhanges mit der Volksweisheit, weist C.R. Fontaine (Traditional Sayings in the Old Testament, 1982) auf den Gebrauch von Sprichwörtern in geschichtlichen Texten des Alten Testaments und zeigt, daß sie schon früh (etwa von der Richterzeit an) im Volk lebten und bekannt waren, daß sie ihre Funktion in ihnen entsprechenden Situationen im Gespräch hatten und mündlich tradiert wurden. Sie stimmt damit der Arbeit von O. Eissfeldt, Der Maschal im Alten Testament, von 1913 zu.

Dieser Rückwendung zur Erklärung der Spruchweisheit des Alten Testaments im Zusammenhang mit der mündlich tradierten Volksweisheit stimmen einige neue Arbeiten zu. C. Westermann, Weisheit im Sprichwort, 1971, vertritt die These, daß das Genus des Sprichwortes seine Blütezeit in den noch schriftlosen Kulturen hat. F. Golka stimmt dem zu (1983) unter Hinweis auf das hohe Alter der vorderorientalischen Schriftkulturen und den fehlenden Nachweis von eindeutigen Belegen für Weisheitsschulen im vorexilischen Israel. Aus den ähnlichen afrikanischen Königssprüchen weist er nach, daß die Königssprüche im Alten Testament im Volk entstanden seien. P. Doll (Menschenschöpfung und Weltschöpfung ..., 1985) fand, daß die Weltschöpfung in den Sprüchen nur in der späteren Weisheit (1-9) vorkommt, die Menschenschöpfung nur in der frühen Spruchweisheit, in der sie eine nachweisbare soziale Funktion hat. J.G. Williams (Those who ponder proverbs, 1981) geht auch vom mündlich tradierten Spruchwort aus. Dagegen bleibt H.D. Preuss, Einführung in die alttestamentliche Weisheitsliteratur, 1987 bei der Position von Rads und H.J. Hermissons.

Aus der Forschungsgeschichte ergibt sich zunächst ein Unterschied im Ansatz der Frage nach den Wurzeln der Weisheit; die eine Forschungsrichtung ging davon aus, daß die Weisheitstexte des Alten Testaments eine Sonderform der vorderorientalischen Weisheit seien, wie sie in den ägyptischen und mesopotanischen Weisheitsschriften vorliegen. Die andere geht von dem Bestehen einer Spruchweisheit (oder Weisheit in Sprüchen) aus, wie sie nicht nur im Vorderen Orient und hier in einer späteren Entwicklungsform begegnet, sondern weltweit, besonders in den noch schriftlosen Kulturen.

Ein anderer Unterschied hängt damit nahe zusammen: Die eine Forschungsrichtung geht von der schriftlichen Gestalt der Weisheit aus, für sie ist sie von vornherein Literatur; die andere geht von einer mündlichen Frühphase der Entstehung und Überlieferung der Sprüche aus und daher von der Notwendigkeit, nach der Funktion jeweils des einzelnen Spruches in der mündlichen Phase der Überlieferung, also seiner Anwendung im Leben der Gemeinschaft zu fragen (so wie besonders C.R. Fontaine).

In den vielerlei Versuchen, in der Überlieferung der Weisheit feste Punkte zu finden, die die Richtung ihres Weges zeigen, sind zwei solcher Richtpunkte als sicher hervorgetreten: Der erste ist die schriftliche Fixierung der vorher mündlich überlieferten Sprüche unter Hiskia (Prov 25,1), der zweite der Übergang zum schriftlich verfaßten Lehrgedicht, wie es in Prov 1-9 vorliegt.

Ein Unterschied im Ansatz liegt auch darin, daß die von den vorderorientalischen Weisheitsschriften ausgehenden Forscher bei ihrer Erklärung dekuktiv von abstrakten Allgemeinbegriffen ausgehen, besonders denen der Ordnung, aus den ägyptischen Weisheitsschriften entnommen *(maat)*[5a], aber auch Weisheit im abstrakten Sinn oder Lehre. Für die Forscher, die eine mündliche Frühphase bei den Sprüchen annehmen, setzt die Erklärung beim Einzelspruch (induktiv) ein; es wird nach seiner Funktion in der Gemeinschaft gefragt und von da aus nach Spruchgruppen.

Bei dieser Frage nach der Funktion der einzelnen Sprüche in der Gemeinschaft erhält der universale Aspekt der Sprüche seine Bedeutung; hier können die Sprüche der noch schriftlosen Kulturen eine wichtige Hilfe zum Verständnis werden, während diese Hilfe nicht in den Blick kommt, wo die Sprüche als Literatur angesehen werden.

Schließlich kann auch nur da, wo der universale Aspekt der Sprüche anerkannt wird, die nahe Beziehung dessen, was die Sprüche von Gott und Mensch sagen, zum Reden vom Urgeschehen in Genesis 1-11 gesehen werden, dem der gleiche universale Aspekt eignet.

Die in den vorangehenden Sätzen aufgezeigten Unterschiede haben zur Voraussetzung, daß allein in den Sprüchen, die einmal in einer frühen Phase mündlich überliefert wurden, die Wurzeln der Weisheit des alten Israel zu finden sind, die Lehrgedichte der Schulweisheit in Prov 1-9 aber ein späteres Stadium zeigen, in dem die vorderorientalischen Weisheitsschriften einen bestimmenden Einfluß erhalten haben.

Die Sprüche in ihren Gruppen

Die Aussagesprüche

I. Beobachtung und Erfahrung

1. Beobachtungen am Menschen

Eine der beiden Grundintentionen dieser etwa dreißig Sprüche ist der Wille zu Erkenntnis, das Bemühen des Menschen, sich in seiner Welt zu verstehen. „Welt" ist hier nicht als abstrakter Allgemeinbegriff für das All gemeint, sondern strikt als Welt des Menschen, soweit sie seinem Wahrnehmen zugänglich ist. In beidem: seinem Menschsein und in der Welt, in der er lebt, ist ihm vieles rätselhaft, in beidem gibt es für ihn viel zu beobachten, zu erkennen, zu verstehen. Das aber vollzieht sich nicht summarisch, nicht umgreifend, nicht verallgemeinernd; es vollzieht sich tastend, Schritt für Schritt, denn der Mensch ist auf einem Weg des Erkennens, auf einem Weg des Beobachtens und des Fragens.[6] Hat er etwas beobachtet, so faßt er es in einen Satz, der die Form eines geprägten Spruches hat, in der es bewahrt und weitergegeben werden kann. So entstehen die Sprüche, die je eine Beobachtung am Menschen zum Gegenstand haben. Dann weitet sich der Raum der Beobachtungen aus auf seine Welt und seine Mitgeschöpfe. Von denen kann mancherlei in Sprüchen gesagt werden; es bleibt aber dabei immer das Beobachten und Entdecken, so daß bei den weiteren Bereichen und Gegenständen der Sprüche immer wieder solche sind, die als Niederschlag einer Beobachtung oder Entdeckung zu verstehen und auch so entstanden sind; so daß bei den Aussagesprüchen im ganzen, wovon immer sie auch handeln, dieser Grundvorgang des Beobachtens sich durchhält, einmal mehr, einmal weniger. Sie zeigen etwas, was wir sonst im Alten Testament nicht antreffen, ein kontemplatives Nachdenken über den Menschen und die den Menschen umgebende Wirklichkeit, eine Art Vorform von Philosophie, bei der – wie bei Sokrates – weniger die Ergebnisse wichtig sind als das Fragen selbst, das nicht bei dem Bekannten stehen bleibt, sondern dahinter weiterfragt, Neues, bisher nicht Bewußtes entdeckt und staunend wahrnimmt, was sich dem tastenden Fragen erschließt:

> 20,27 Der Atem des Menschen ist eine Leuchte des Herrn,
> sie durchglüht alle Kammern des Leibes.

27,19 Wie Angesicht neben Angesicht
      so sind die Herzen der Menschen verschieden.

Diese beiden Worte sind deutlich erkennbar als Beobachtungen eines, für
den der Atem des Menschen nichts Selbstverständliches ist: er nimmt ihn
wahr und denkt darüber nach: Was ist das eigentlich, der Atem? Bei diesem
Nachdenken hilft ihm ein Vergleich, so wie er auch Kindern bei ihren Wahr-
nehmungen hilft: „. . . das ist ja wie . . . !" Er vergleicht den Atem mit einem
Licht, das in einer dunklen Kammer leuchtet. Dieser Vergleich ermöglicht
es ihm, dem Ausdruck zu geben, was er bei der Beobachtung des Atems entdeckt hat: daß er in seinem Rhythmus den ganzen Körper, das unbekannte,
dunkle Innere des Körpers durchströmt. Der Vergleich deutet die Entdeckung des Kreislaufs des Atems an. Dieser Ausspruch, der zuerst in einem
Gespräch fiel, erschien denen, die ihn hörten, als treffend: er sprach im Vergleich aus, was auch sie so empfanden; so bewahrten sie ihn und gaben ihn
weiter.
    Der Spruch 27,19 steht dem in 20,27 nahe: auch dies eine Entdeckung, die
sich jemandem aus einer Beobachtung ergab, es könnte eine einmalige plötzliche, es könnte ebenso das Ergebnis einer langen Reihe von Beobachtungen
gewesen sein. Es ging ihm auf, daß nicht ein Gesicht eines Menschen dem
eines anderen völlig gleich war, selbst nicht bei Zwillingen. Aus dieser Beobachtung zieht er einen Schluß: Das kann ja dann nicht nur für die Gesichter,
es muß für den ganzen Menschen gelten: „So sind die Herzen der Menschen
verschieden." Es ist die Entdeckung der Einzigkeit, die jedem Menschen eignet, die jeden Menschen auszeichnet; Einzigkeit, die ihm niemand nehmen
kann, weil Gott ihn ja so geschaffen hat, wie das die Gesichter in ihrer Verschiedenheit zeigen!
    Wir treffen in diesen beiden Sprüchen ein durchaus anderes Reden vom
Geschöpfsein an, als wir es aus der christlichen Überlieferung gewohnt sind.
Die Frage, wie Gott die Menschen geschaffen hat, wie die Menschenschöpfung vor sich ging, ist hier ganz fern; es ist der gegenwärtige Mensch, der sich
als Geschöpf zu verstehen beginnt, der wahrnimmt, wie wunderbar manches
ist, was zum Menschen gehört. Gibt nicht schon dies dem Menschen eine
eigenartige Würde, daß ein Einzelner sich entdeckt in seiner Einzigkeit?
Diese Entdeckung muß ja ganz von selbst weiterführen: Auch der, der mir
begegnet, mit dem ich rede, mit dem ich es im Alltag zu tun habe, ist ein
Einziger! Muß ich ihn dann nicht auch als solchen sehen? Das Reden von der
Menschenwürde, das Achten der Menschenwürde ist ernsthaft, wenn diese
zu einer eigenen Entdeckung wird, wenn es nicht mehr ein abgegriffenes
Wort ist, das andere im Mund führen. Ebenso muß die Beziehung zum eigenen Körper sich wandeln, wenn so vom Atem des Menschen gesprochen, so
über ihn nachgedacht wird, wie es hier geschieht.
    Die Sprüche sind nicht Worte, die ich zur Kenntnis nehme und dann in
eine Schublade als Wissensbesitz verstauen kann. Wenn man nicht lange über
einen einzigen nachdenkt, gewinnt man keinen Zugang zu ihm.

Zu diesen kommen weitere Beobachtungen am Menschen; aber an diesen beiden läßt sich besonders gut zeigen, warum die Sprüche in den Kanon aufgenommen worden sind.

Der Schöpfer hat seinem Geschöpf, dem Menschen, diese Begabung anvertraut, weil er ihm zutraut, selbst mit der ihm eigenen Begabung seinen Weg in der Welt zu finden, sich selbst in seinem Menschsein zu verstehen. Die Sprüche geben dem gesunden Menschenverstand das Gewicht, das ihm gebührt, sie bringen eine Autonomie zum Ausdruck, die in der Geschöpflichkeit begründet ist,[7] gegen eine Auffassung, die ein zu großes Gewicht auf die Erziehung und die Belehrung legt. Schon in diesen Sprüchen zeigt sich, daß sie eine andere Auffassung von der Weisheit haben als die spätere Weisheitslehre, bei der das ganze Gewicht auf der Belehrung liegt. Die Identifizierung von Weisheit und Lehre wäre hier grundverkehrt.

Wie sich in diesen Worten der Mensch als Geschöpf versteht, obwohl es nicht ausgesprochen ist (es klingt aber an in der Bezeichnung des Atems als „Leuchte des Herrn"), das ist ähnlich wie im 139. Psalm, obwohl er ein Gebet ist, im Gegenüber zu Gott gesprochen.[8] Wenn der Beter hier sagt „Ich danke dir, daß ich so herrlich bereitet bin" (14); „da ich im Dunkeln gebildet wurde, kunstvoll gewirkt in Erdentiefen" (15), so setzt dies das gleiche beobachtende Nachdenken voraus, wie es in den Sprüchen zum Ausdruck kommt: „Zu wunderbar ist es für mich und unbegreiflich . . ." (8). Das fragende und staunende Bewußtsein der Geschöpflichkeit verbindet den Psalm mit den Sprüchen der Beobachtung. (Vgl. auch Ps 94,9.)

Es kommen eine Reihe von Sprüchen hinzu, die ebenso aus Beobachtungen am Menschen erwachsen sind:

> 27,20 Wie Totenreich und Abgrund unersättlich,
>   so werden der Menschen Augen nicht satt.

Eine Beobachtung am Menschen, die uns ohne Schwierigkeit sofort verständlich ist. Man wundert sich eher, daß ein solches, uns so „weltlich" erscheinendes Wort in der Bibel steht, d.h. daß es einmal so von einem Israeliten in der Frühzeit gedacht wurde und daß es dann von einem Tradenten in den Kanon aufgenommen wurde. Man muß daraus entnehmen, daß diese Menschen viel „weltlicher" gedacht und geredet haben als es den Auslegern und den Lesern des Alten Testaments erscheint. Ein kühner Vergleich ist es, der hier gewagt wird: „Unterwelt und Abgrund" – wahrhaftig unersättlich, wenn man an die Unzahl Verstorbener denkt! Hart wirkt es, wenn man damit die Unersättlichkeit der Augen des Menschen vergleicht, die nie genug bekommen! In diesem Fall zeigt uns die Übereinstimmung mit einem der Zahlensprüche: „Drei Dinge sind es, die nicht satt werden, ja vier, die nie sprechen: genug. . ." (30,15–16), daß das Nachdenken über die Unersättlichkeit an mehreren Stellen begegnet, also mehrere beschäftigt haben muß. Damit tritt noch stärker der Zug heraus, daß sie hier wie dort mit keinem Wort und keiner Andeutung verurteilt wird, wie das wohl in mancher christlichen Ethik geschehen mag; sie wird vielmehr als etwas Menschliches gesehen, als etwas, das auch zum Menschsein gehört, ob man es nun gut findet oder nicht. Und das gilt für die Aussagesprüche, insbesondere die Aussagen über den Menschen überhaupt. Sie wollen nicht urteilen, sie wollen sagen, wie der Mensch ist.

> 20,5   Ein tiefes Wasser ist das Vorhaben im Herzen eines Mannes,
> ein kluger Mann weiß es zu schöpfen.

Dies ist eines der Worte, bei denen es unsicher ist, ob das zweite Glied ursprünglich zu dem Spruch gehörte oder nachträglich angefügt ist, um einen Parallelismus zu bilden. Die Auslegung kann dabei verschieden verfahren; in diesem Fall kann 5a ein selbständiger Spruch sein, weil er beide Seiten des Vergleichs enthält. Auch dieses Wort bringt eine Beobachtung zum Ausdruck. Der diesen Spruch Sprechende hat beobachtet, wie ein anderer ein Vorhaben, eine Absicht, einen Plan lange streng für sich behielt; keiner merkte, was er vorhatte. Wenn dann das Vorhaben ausgeführt wird, kommt es ans Licht, daß es auf lange Sicht geplant war. Der Spruch weist ohne erklärende Worte, allein durch den Vergleich mit den tiefen Wassern auf den Unterschied zwischen einem Menschen, der von der Hand in den Mund lebt und alles nimmt, wie es kommt, und einem, der imstande ist, ein Vorhaben in den Blick zu fassen und unbeirrt, aber schweigend auf sein Ziel zugeht. Was der Zusatz meint, ist nicht sicher; vielleicht ist der kluge Mann einer, der das Vorhaben geahnt und sich darauf eingestellt hat. Stärker aber wirkt der Spruch ohne diesen Zusatz. Wieder ist es ein durchaus „weltlicher" Vorgang, der dem Dichter des Spruches der Weitergabe wert ist, wieder ist es ein Geheimnis des Geschöpfes Mensch, das ihm so wichtig ist. Ein afrikanischer Spruch ist diesem ähnlich: „Das Herz eines Mannes ist ein See" (s. S. 156 im Anhang). Diese Parallele spricht dafür, daß 20,5a einmal ein selbständiger Spruch war.

> 28,8   Wie ein Vogel, der fern irrt von seinem Nest,
> so ein Mann, der fern ist von seiner Heimat.

Das ist wieder so ein Wort, das man in den Schriften des Alten Testaments nicht vermutet. Das Wort klingt vielmehr an Lieder vieler Völker mit dem Motiv ‚Sehnsucht nach der Heimat' an, sowie 27,20 (s.o.) „... so werden des Menschen Augen nicht satt" an Gottfried Kellers ‚Abendlied' anklingt: „Augen, meine lieben Fensterlein ... Trinkt ihr Augen, was die Wimper hält von dem goldenen Überfluß der Welt!" So stoßen wir hier wieder auf die rein profame Weltzugewandtheit der Sprüche, wie sie in Liedern und Gedichten auch noch unserer Zeit begegnen. In beiden Beispielen haben die Sprüche einen dichterischen oder der Dichtung nahen Charakter, und in beiden ist es die Schöpfung, die in den Vergleichen mitspielt: Das Beobachten eines Vogels führt hinüber in das Nachdenken über den Menschen.[9]

Nachdenken über den Menschen, das die Beobachtungen sammelt, verrät auch ein Spruch, der im Jeremiabuch steht, aber dieser Gruppe der Sprüche entspricht:

Jer 17,9 Es ist das Herz ein trotzig und verzagt Ding,
wer kann es ergründen?[10]

Auch hier das staunende Wahrnehmen des Unergründbaren im Menschen.

27,21 Für das Silber der Schmelztiegel und für das Gold der Ofen;
über den Mann aber entscheidet der Ruf.

Ofen und Schmelztiegel bewirken das Herstellen der Echtheit und der
Reinheit des Metalles. Die Läuterung wird durch das Feuer erreicht. Dies ist
in der zweiten Zeile des Spruches gemeint, aber nicht ausgesprochen; der
Vergleich zeigt es deutlich genug, daß hinter dem guten Ruf das Feuer der
Läuterung steht.

Der Spruch erlaubt einen Blick auf dessen Funktion oder Sitz im Leben.
Er ist in einer relativ kleinen Wohnnachbarschaft gesprochen, in der jeder
jeden kennt. In ihr erlangt man einen guten Ruf nicht durch Reichtum, nicht
durch Beziehungen, aber auch nicht durch einzelne auffällige Leistungen.
Einen guten Ruf hat der, der etwas durchgemacht und sich darin bewährt
hat, so daß er besteht vor den Menschen, mit denen er zusammenlebt. So
wird z.B. Hiob geschildert. Auf so einen Mann könnte der Spruch gemünzt
sein.

27,17 Eisen wird durch Eisen geschärft;
so schärft ein Mann den anderen.

Auch bei diesem Wort ist die Beobachtung und Erfahrung, aus der er
erwuchs, offenkundig. Nur darf man keinen Allgemeinplatz, keine allgemeine Wahrheit aus ihm lesen. Als Situation, in der er gesprochen sein kann,
ist vielmehr die Erfahrung des Sprechenden anzunehmen, daß durch Weich-
heit, Nachgiebigkeit und Mangel an Schärfe Unheil angerichtet und das
Zusammenleben einer Gemeinschaft gefährdet wird. Der Spruch will den zu
Weichen und den zu Nachgiebigen zum Nachdenken bringen; es ist ein ausgesprochen kritischer Spruch, aber nicht in der Form einer Mahnung, sondern eines Hinweises auf die Wirklichkeit, die beachtet werden soll.

Es soll hier schon angemerkt werden: Zum Sich-Verstehen des Menschen
als Geschöpf gehört in vielen Sprüchen ein von seinem Schöpfer ihm verlie-
henes kritisches Denken, das sich von der Oberfläche des Verhaltens nicht
täuschen läßt, sondern harte, scharfe Kritik übt, wo es notwendig ist, wie wir
es bei den Gerichtspropheten gegenüber den Heilspropheten antreffen. Eine
bloß gütige, immer freundliche Einstellung zu den Mitmenschen kann unter
Umständen schweren Schaden anrichten: „Eisen wird durch Eisen geschärft".

Zu den Beobachtungen am Menschen gehören noch viele andere Sprüche,
deren Zuordnung zu anderen Gruppen nach anderen Aspekten erfolgt ist,
denen aber auch Beobachtungen am Menschen zugrundeliegen. Dazu gehört
eine kleine Gruppe von Paradoxen:[11]

14,13   Auch beim Lachen kann das Herz voll Gram sein.
14,10   Das Herz allein kennt seinen Kummer
        und seine Freude kann kein Fremder teilen.
22,16   Wenn man den Armen bedrückt, so hilft's ihm zum Reichtum,
        wenn man dem Reichen gibt, so hilft's ihm nur zur Verarmung.
27,9   Salböl und Räucherwerk erfreuen das Herz;
        doch zerrissen wird die Seele vom Kummer.

Es gehören dazu viele einzelne Sprüche in anderen Gruppen, so wie z.B.

20,14   Schlecht! schlecht! sagt der Käufer;
        ist er aber weg, so rühmt er sich,   oder
16,26   Der Hunger hilft dem Arbeiter bei der Arbeit;
        denn sein Mund treibt ihn an.

Ähnlich 12,18; 13,12; 15,30; 17,22 und viele andere. Vielleicht auch 20,9: „Wer darf sagen, Ich habe mein Herz geläutert, bin rein gewaschen von meinen Sünden?" Aber dieser Spruch klingt doch fremd zwischen den sonstigen Beobachtungen am Menschen; es ist auch streng genommen keine Beobachtung, sondern eine kritische Frage. Möglich ist, daß es sich um eine korrigierende Glosse zu 20,7 handelt: „Der Fromme geht unsträflich seinen Weg; wohl seinen Kindern, die nach ihm kommen!"
Auch einige Sprüche zur Erziehung gehören hierher: 17,10; 20,11; 22,6; 18,19) s.S. 39)

27,4   Grimmig mag die Wut sein, überschwellen der Zorn,
        aber wer besteht vor der Eifersucht?[12]

Dieser Spruch ist kein Vergleich, stattdessen enthält er in sich eine Steigerung, ähnlich den Sprüchen der Wertung. Auch dieser Spruch gibt einer Beobachtung Ausdruck, die in bestimmten Fällen für eine Gemeinschaft lebenswichtig werden kann. Zorn und Wut sind Ausbrüche, deren Anlaß – jedenfalls meist – auf der Hand liegt. Die Eifersucht aber muß sich verbergen. Und dann kann der Ausbruch viel verheerender sein.
Wir würden dies eine psychologische Beobachtung – ob richtig oder nicht – nennen. Hier aber haben wir es nicht mit Psychologie als Lehre zu tun, nicht mit einem Lehrsatz, sondern mit einer lebendigen Beobachtung, die keineswegs allgemeingültig sein soll, sondern die in einer Menschengemeinschaft, etwa in einer kleinen Stadt auf eine besondere Konstellation aufmerksam machen will, um Schlimmes zu verhüten. Der diesen Satz ausspricht, beabsichtigt nicht, daß ihm die anderen, die ihn hören, recht geben; er will aber, daß sie durch seinen Spruch zum Nachdenken gebracht werden und dann selber mithelfen, daß der Gefährdung entgegengetreten wird.
Eine Beobachtung am Menschen (ohne Vergleich) ist auch 20,11:

Schon an des Knaben Tun läßt sich erkennen,
ob sein Charakter rein und gerade sei (Hierzu S. 39)

Diese Gruppe von Sprüchen kann in besonderem Maß deutlich machen, daß jedes einzelne Sprichwort ein je besonderes Nachdenken erfordert, was J.G. Williams im Titel seines Buches zum Ausdruck bringt: „Those who ponder proverbs" (1981).

2. Gegenüberstellungen

Freude und Leid

Von den zehn Sprüchen, die von Freude und Leid sprechen, ist einer, der nur von der Freude spricht; bei allen anderen stehen Freude und Leid in polarer Entsprechung zueinander. Es ist zu beachten, daß auch hier die Form mit dem Gegenstand übereinstimmt.[13] Dazu kommen noch eine Reihe anderer polarer Entsprechungen. Es ist ein besonders wichtiger Zug an den Sprüchen, der sich hier zeigt; er ist für das Menschenverständnis des Alten Testaments charakteristisch. Der Mensch wird hier nie auf eine gleichbleibende Seinsweise festgelegt; er bewegt sich immer in einem Kraftfeld zwischen zwei Polen. Das hat seinen Grund im Geschaffensein des Menschen: Daß er Geschöpf ist, bedeutet, daß sich sein Dasein von der Geburt her zum Tod hin bewegt. Von der Geburt her wirkt die Kraft des Segens, die Lebenskraft in ihm und weckt die Freude; vom Tod her wirkt eine das Leben hemmende Kraft in sein Dasein hinein. Wie sich aber die das Leid und die die Freude bewirkende Kraft auswirken, das kann man in keiner Weise festlegen; deswegen gibt es zahllose Möglichkeiten oder Situationen des Verhältnisses von Freude und Leid zueinander. Diese Fülle von Möglichkeiten werden in den Sprüchen beobachtet und beschrieben.

12,25   Gram im Herzen eines Menschen beugt ihn nieder,
           ein freundliches Wort macht ihn wieder froh.
15,13   Ein frohes Herz macht das Angesicht heiter;
           bei Kummer im Herzen ist der Geist gedrückt.
17,22   Ein fröhliches Herz ist die beste Arznei;
           gedrücktes Gemüt dörrt das Gebein aus.
15,15   Der Gebeugte hat lauter böse Tage;
           der Wohlgemute hat allezeit Fest.

Man mag diese Sprüche für simpel, ja, für banal halten; um sie zu verstehen, muß man nach ihrer Intention fragen. Es sind Beobachtungen, die aufmerksam machen wollen; einmal darauf, daß Freude und Leid den ganzen Menschen betreffen mit Leib und Seele, ebenso aber darauf, daß Freude und Leid im Wechsel das menschliche Leben bestimmen, so wie es auch das Weisheitsgedicht Prediger 3 sagt: „Lachen hat seine Zeit und Weinen hat seine Zeit"; daß dieser Wechsel dem Dasein des Menschen gemäß ist, nicht aber ein Dauerzustand von Freude oder Leid. Denen, die solche Worte sagten und

hörten, wäre es sinnlos und töricht erschienen, wenn man zu ständiger
Freude mahnt, oder die Freude so idealisiert („Freude, schöner Götterfunken
...“), daß der polare Rhythmus von Freude und Leid übertönt wird. Das
polare Reden von Freude und Leid, arm und reich, Hunger und Sattsein usw.
ist in Prediger 3 zu einem Gedicht gestaltet. Hierbei zeigt sich sehr schön das
Verhältnis der Gedichte zu den Sprüchen. Die Sprüche sagen jeweils eines in
jeweils einer Situation, allein auf diese Situation bezogen, z.B. 12,25: „Gram
im Herzen – ein freundliches Wort“; in Prediger 3 ist die Polarität als solche
zum Thema gemacht: die Vielfalt wird zu einem Ganzen gestaltet. Dabei tritt
beides deutlich heraus: das Herkommen des Gedichts aus den Sprüchen und
der Übergang vom Einzelspruch zur reflektierenden Dichtung, dem Weisheitsgedicht. Das Gedicht ist in einer anderen Weise Weisheit als der Spruch,
aus dem er herkommt. Zum Spruch paßt nur das mündliche, zum Gedicht
nur das schriftliche Entstehen.[14]

Auch bei dieser Gruppe von Sprüchen ist eine Übereinstimmung mit dem
Menschenverständnis der Psalmen festzustellen: der Polarität von Freude
und Leid in den Sprüchen entspricht das Zusammengehören von Klage- und
Lobpsalmen im Psalter; denn Lobpsalmen sind Sprache der Freude, Klagepsalmen Sprache des Leides.[15]

In einer Gruppe von Sprüchen ist angedeutet, daß Freude und Leid nicht
nur im zeitlichen Wechsel aufeinander folgen, sondern im Konflikt miteinander stehen können:

14,13   Auch beim Lachen kann das Herz voll Gram sein
        und die Freude kann enden im Leid.
18,14   Ein mutiger Mann erträgt sein Leiden;
        aber gedrücktes Gemüt, wer richtet es auf?
14,10   Das Herz allein kennt seinen Kummer,
        und seine Freude kann kein Fremder teilen.
27,9   Salböl und Räucherwerk erfreuen das Herz;
        doch zerrissen wird die Seele vom Leiden.

Hier sind zwei Beobachtungen bewahrt, die auf Tiefenschichten weisen,
unter der Oberfläche einer zur Schau getragenen Freude. In beiden sind tragi-
sche Konflikte angedeutet, in denen das Leid wie auch die Freude tief verborgen bleiben: „Auch beim Lachen kann das Herz voll Gram sein“; „das Herz
allein kennt seinen Kummer...“ Denkt man über diese Worte je für sich
nach, fragt man unwillkürlich nach Situationen, in denen solche Worte
gesprochen sein und gehört werden konnten, so stößt man ganz von selbst
auf die Nähe solcher und ähnlicher Sprüche zu Erzählungen: eine Erzählung
ist in ihnen zum Spruch verdichtet, in einem Spruch konzentriert. Man kann
zwar diese Erzählungen nicht rekonstruieren; aber das in den Spruch gefaßte
Motiv reicht aus, sie sich vorzustellen.[16]

Wenn wir in einer anderen Gruppe von Sprüchen Anklänge an Volkslie-
der fanden (s.o. S. 18) und hier Erzählungen anklingen, so ist damit eine

Nähe zwischen manchen Aussagesprüchen und dem, was wir Dichtung nennen, festgestellt oder zumindest wahrscheinlich gemacht. Zum Leben der Menschen im alten Israel gehörten wie zum Leben der Menschen anderer Völker wie auch zu unserem Leben Lieder oder Erzählungen, und zwar profane Lieder und profane Erzählungen. Nur daß es bei den schriftlosen Völkern mündlich tradierte Erzählungen und mündlich tradierte Lieder (wie die uns erhaltenen Liebeslieder im Hohenlied) waren. Daß es sie gab, wird uns in manchen Sprüchen bestätigt, in denen solche Erzählungen und Lieder anklingen.[17] Auch dies zeigt die Weltzugewandtheit der Sprüche.

> 15,30   Fröhlicher Blick erfreut das Herz,
>   gute Botschaft erquickt das Gebein.

Nur in diesem Spruch stehen einander Freude und Leid nicht polar gegenüber, aber dieses Gegenüber steht doch im Hintergrund und erklärt seinen Sinn. Auch dieser Spruch ist aus einer Beobachtung erwachsen, wahrscheinlich aus einer sehr oft gemachten Beobachtung, bis sie in diesem Spruch Gestalt erhielt. Dem, der ihn bildete, war aufgefallen, wie plötzlich und wie erstaunlich bei einem traurigen, einem leidenden Menschen ein Wandel eintrat, bewirkt allein durch einen fröhlichen Blick oder eine gute Nachricht. Damit aber ist der Spruch noch nicht wirklich verstanden; es wäre für die Bildung des Spruches zu wenig. Die Beobachtung des hier Redenden umfaßte auch die andere Seite: er beobachtete oft, daß der fröhliche Blick und das gute Wort unterblieb, wo einem Leidenden ein Lichtblick hätte gegeben werden können. Deshalb ist anzunehmen, daß der Spruch an die gerichtet ist, die daran denken sollen, was allein ein fröhlicher Blick, allein ein gutes Wort bei einem Traurigen ausrichten können. Eine besondere Feinheit liegt in dem zweifachen Parallelismus: Herz – Leib; Blick – Wort. Er zeigt an, daß 15,30 zweigliedrig entstanden ist, während das bei 15,13 fraglich ist. Man muß diesen Spruch zusammen mit der Gruppe von Sprüchen hören, in denen die Barmherzigkeit mit den Geringen empfohlen wird. Zum Wohltun gehört Menschenkenntnis.[18]

> 13,12   Hingehaltene Hoffnung bringt Herzeleid,
>   erfülltes Verlangen aber ist ein Baum des Lebens.
> 17,22   Ein fröhliches Herz ist die beste Arznei,
>   ein gedrücktes Gemüt dörrt das Gebein aus.

Diese beiden Sprüche sind Beispiele dafür, wie das Nachdenken über Freude und Leid in die Tiefe reichen konnte und wie intensiv das Beobachten nach Möglichkeiten der Wechselwirkung beider fragte. Die positive Möglichkeit, wie wichtig dabei die Einheit von Körper und Seele ist: ein fröhliches Herz hat Heilkraft. Und die negative: Wenn man sich zu sehr auf etwas freut, dann kann die „hingehaltene Hoffnung" darauf in Leid umschlagen. Für die beiden Sprüche gilt auch, was vorher über die Nähe von Spruch und Erzählung gesagt war: beide Sprüche können sehr gut Motive von Erzählungen sein.

Hunger und Sattsein

> 27,7   Wer gesättigt ist, der zertritt Honigwaben;
>   wer hungert, dem schmeckt alles Bittere süß.

Vgl. Aḥiqar 188, ANET S. 430: „Hunger makes bitterness sweet".

Wie von Freude und Leid reden auch die von Hunger und Durst in der polaren Gegenüberstellung. Der Spruch 27,7 ist ein schönes Beispiel, wie die Einstellung zum Essen und Trinken abhängig ist von dem, was ein Mensch erlebt; sie sind Teil seiner Geschichte. Hungrig sein und satt sein sind nicht nur Zustände, die man festlegen oder feststellen kann; als Ereignisse eines Menschenlebens sind sie von dessen Höhen und Tiefen bestimmt.

> 20,14   Süß schmeckt dem Menschen erschlichenes Brot,
>   ·hinterher aber hat er den Mund voll Kiesel.

Das klingt wie die Szene aus einem Schwank, die das Lachen der Hörer hervorruft: ein Gaunerstreich, der danebengeht. Der Humor ist ein wichtiges Element in diesen Gegenüberstellungen.

Auch all diese Gegenüberstellungen können zu den Beobachtungen am Menschen gezählt werden.

Das gute und das böse Wort

Die Sprüche vom Reden können in besonderem Maß zeigen, daß im Alten Testament Wort primär etwas Geschehendes ist, nicht primär das Gesagte, der Inhalt des Wortes, sondern ein Vorgang zwischen Redenden und Hörenden,[19] zu dem die Situation gehört, in der es gesprochen wird: „geredet zu rechter Zeit" (25,11), ebenso 12,15; 25,12–20 (zur Unzeit); 26,2,27,14. In all den Sprüchen ist das Wort als an einem Menschen ergehendes, also mündliches Wort gemeint. In diesen Sprüchen ist weise das in der Situation notwendige, gute und hilfreiche Wort (12,25), nicht aber ein von einem Individuum ausgedachtes und dann schriftlich niedergelegtes Wort, das seine Bedeutung „an sich" hat. Dieses Verständnis vom Wort steht in einem fundamentalen Gegensatz zu der Auffassung, daß es in erster Linie Ausdruck eines Gedankens oder einer Idee sei. Diese griechische Auffasung von Wort ist den Proverbien fremd.[20]

In all diesen Sprüchen geht es ohne Ausnahme um Vorgänge zwischen Personen, Personen die zusammenleben. Die Weisheit, die hier gemeint ist, ist die Befähigung, die dem Sprechenden ermöglicht, das richtige Wort zur richtigen Stunde zu sagen oder aber, wo es notwendig war, zu schweigen. Das Sprichwort ist nie ein banales, immer ein treffendes Wort. Es besteht dann ein Zusammenhang zwischen dieser Gruppe von Sprüchen zum guten Wort zu rechter Zeit und der Funktion der Sprüche insgesamt. Allein schon diese Gruppe von Sprüchen spricht dafür, daß die Mehrzahl der Sprüche mündlich entstanden ist.[21] Man beachte auch die Häufigkeit des Vorkom-

mens der Metaphern Mund, Lippen und Zunge: diese Metaphern meinen ja
nicht das Wort als etwas Gesagtes, sondern den Vorgang des Sprechens! Deswegen kann auch die ganze Gruppe der Sprüche vom Reden indirekt zu den
Beobachtungen am Menschen gerechnet werden. Auf das geschehende Wort
sind auch die Vergleiche gerichtet, die der alltäglichen Wirklichkeit entnommen sind. Sie demonstrieren die Echtheit oder das Gelingen des Wortes, das
wie ein goldener Apfel auf silberner Schale ist, und die Unechtheit eines
Wortes, das ist „wie eine Scherbe, mit Silberschaum überzogen":

25,11   Wie ein goldener Apfel auf silberner Schale
        ist ein Wort geredet zu rechter Zeit
12   Ein goldener Ring, ein kostbares Kleinod
        ist ein weiser Mahner dem hörenden Ohr.
15,23   Freude erfährt der Mann, der zu antworten weiß,
        und wie gut ist ein Wort zur rechten Zeit!
15,30   Ein fröhlicher Blick erfreut das Herz,
        gute Botschaft erquickt das Gebein.
24,26   Eine richtige Antwort ist ein Kuß auf die Lippen.
10,20   Köstliches Silber ist die Rede des Frommen...
18,4   Tiefe Wasser sind die Worte aus manches Munde
25,15   Mit Langmut kann man Fürsten bereden
        und eine gelinde Zunge zerbricht Knochen.

Wenn das richtige Wort zur rechten Zeit in den Sprüchen in so vielen
Varianten begegnet, zeigt das, wie wichtig dies den Sprechenden und den
Hörenden war; der Wert des Wortes wird nach dem bemessen, was es im
gemeinsamen Leben ausrichtet.[22] Es kommt dabei ein weiterer Gesichtspunkt hinzu: das richtige, das treffende ist zugleich das schöne Wort; das zeigen die Vergleiche 25,11; 25,12; 10,20 (etwas Kostbares); 24,26 (ein Kuß auf
die Lippen); 16,24 (Honigwaben) deutlich genug; ein solches Wort bereitet
Freude (12,25; 15,23). Daß das gute Wort zugleich das schöne Wort ist, entspricht dem griechischen *kalós k'agathós*, aber ebenso dem hebräischen *tób*,
das sowohl *gut* wie *schön* bedeuten kann. In diesen Sprüchen ist das Gute dem
Schönen sehr nahe; das Ästhetische ist noch kein Sonderbereich, man freut
sich am Schönen wie am Guten; es ist schön, wenn einem eine gute Antwort
gelingt und man freut sich darüber wie über ein kostbares Gefäß
(25,11.12.23).[23]

Auch alle diese Worte sind Momente einer Geschehensfolge, man kann
sich ohne Mühe die Situation, in der sie gesprochen wurden, vorstellen; in
manchen Sprüchen ist sie sogar angedeutet, z.B. 25,12: „ein weisender War-
ner dem hörenden Ohr" – ein Wort, das als eine notwendige Warnung
Schlimmes verhütete. In 25,15 werden die Hörer daran denken, daß sie so
etwas schon erlebt haben.

Bei diesem Spruch ist offenkundig, daß er nachträglich zusammengesetzt
ist, 15a und 15b können selbständige Sprüche gewesen sein.

16,24   Liebliche Reden sind Honigwaben,
        süß für die Seele und eine Arznei für das Gebein.
10,11   Eine Quelle des Lebens ist der Mund des Frommen.
15,4   Gelassene Zunge ist ein Baum des Lebens.

Diese Sprüche sagen alle etwas vom guten Wort, z.T. abgewandelt im Sinn der frommen Weisheit (besonders 18,4b).

Zu 16,4: „Liebliche Reden sind Honigwaben ..." ist anzumerken, daß in ihm die besondere Wahrnehmung festgehalten ist, daß das gute Wort eine heilende Kraft am ganzen Menschen mit Leib und Seele hat.

Die meisten Sprüche vom guten Wort haben die Form eines Vergleichs wie bei den Sprüchen von Beobachtungen am Menschen, denen sie nahe stehen. Wie bei diesen ist ihm die Form des Vergleichs, das Analogie-Denken gemäß.

Das verkehrte, schädigende Wort

Auch diese Sprüche stehen den Beobachtungen am Menschen nahe:

12,18   Manches Mannes Geschwätz verwundet wie Schwertstreich
        (18b ist sekundär)
        Vgl. Your mouth will turn into a knife (afrikan. S. 157)
25,23   Der Nordwind bringt Regen,
        heimliches Geschwätz verdrießliche Gesichter.
20,25   Es ist für die Menschen ein Fallstrick, unbedacht zu geloben.
26,2   wie der Sperling wegflattert, wie die Schwalbe entfliegt,
        so ein unverdienter Fluch: er trifft nicht ein.

Auch hier kommt ein witziges Wort vor, wie es ist, wenn ein Wort nicht zur rechten Zeit gesprochen wird.

25,20   Wie Essig auf eine Wunde gegossen,
        so wirkt, wer Lieder singt einem mißmutigen Herzen
18,21   Tod und Leben steht in der Gewalt der Zunge
        (vgl. Jak. 3,1–12)
30,14   Ein Geschlecht, dessen Zähne Schwerter
        und dessen Gebisse Messer.
        Ein ähnliches Wort enthält die Lehre des Merikare: „Die Zunge ist wie ein Schwert, und Reden ist mächtiger als Kämpfen."

Auch diese Sprüche zum verkehrten, schädigenden Wort, die den Beobachtungen am Menschen nahestehen, haben die Form des Vergleichs. Weitere Sprüche zum Reden (dem fördernden wie dem schädigenden) werden bei der Funktion des Charakterisierens genannt. Gehäuft gehört das böse, abwegige Reden zu den Gegensatzsprüchen über den Tor und den Weisen. Alle diese Sprüche haben die Gemeinschaft im Auge; ihr schadet das verletzende und schandbare Wort. Hinter den beiden Sprüchen 12,18 und 30,14 steht die

Erkenntnis, daß und wie sehr ein Mensch durch ein Wort verwundet werden kann, eine Erkenntnis, der die Achtung vor der Menschenwürde zugrundeliegt.

An den Sprüchen zum fördernden und zum schädigenden Wort wird ein Wandel im Verständnis von Kultur deutlich. In deren polarem Verhältnis zueinander verstehen die Sprüche Kultur als Pflege des Redens im Miteinanderleben; sie heben das gute, treffende und schöne Wort hervor und warnen vor dem schädigenden und verletzenden Wort. Nach neuzeitlichem Empfinden ist dies alles eher belanglos, denn dieses hat die Kultur des Wortes radikal und total objektiviert. Sie hat sich verlagert auf die Stätten, an denen die Kultur des Wortes gepflegt wird in der Literatur, in den Künsten, in den Bildungsstätten, wo die Redenden aktiv, die Hörenden passiv sind. Kultur des Redens ist nicht dort, wo miteinander geredet wird (da wird eher barbarisch mit dem Wort umgegangen), sondern wo einer dem anderen etwas vorredet: die Gesellschaft ist geschieden in Kulturschaffende und Kulturkonsumierende, durch die Medien noch gewaltig gesteigert. Vergessen ist dabei, was wirklich Kultur des Wortes ist. Es ist das *colere*, das Pflegen des Wortes, der Rede im Miteinanderleben der Menschen, im Achten auf das fördernde und treffende, im Abweisen des schädigenden und des verletzenden Wortes, so wie hier in den Sprüchen.

3. Der Mensch in seinem Stand, Arbeit und Habe

Die Arbeit des Bauern

Die Menschen, unter denen diese Sprüche entstanden, lebten von ihrer Hände Arbeit. Sie waren Bauern und Ackerbürger, Handwerker, Hausfrauen, Sklaven.

Dagegen sind Priester und Leviten, Schreiber und Beamte in diesen Sprüchen nie erwähnt. Es ist eine nüchterne, solide, bürgerliche Welt, in die uns die Sprüche führen. Von der Arbeit, und zwar der Handarbeit wird nur achtungsvoll gesprochen. Keine Andeutung, daß eine Art von Arbeit unterbewertet oder gar verachtet wird oder daß eine Berufsklasse auf eine andere herabsieht.[24] So wird denn auch die Härte und Schwere der Arbeit nüchtern zugegeben, niemals wird Arbeit idealisiert, sie ist harte Lebensnotwendigkeit.

16,26 Der Hunger hilft dem Arbeiter bei der Arbeit,
    denn sein Mund treibt ihn an.

Eine bäuerliche Regel wie „Erst die Arbeit, dann die Feste" findet sich auch hier:

24,27 Verrichte erst deine Arbeit draußen und bestelle für dich
                                       dein Feld;
    danach magst du deinen Hausstand gründen.

Wo von Arbeit ohne nähere Bestimmung geredet wird, ist fast immer die Feldbestellung gemeint; sie ist die Arbeit schlechthin. Als solche ist sie auch sonst vorausgesetzt: 28,19; 10,5; 12,11. Die Viehzucht gehört dazu, so das kleine Gedicht 27,23–27. Die Einstellung dabei zeigt

12,10   Der Gerechte hat Verständnis für das Verlangen seines Viehs.

Andere Arbeiten begegnen nur gelegentlich (22,29 ein Handwerker). Aber niemals wird etwas Bestimmtes zu einem bestimmten Handwerk gesagt wie in unserem „Schuster, bleib bei deinen Leisten" (wohl aber in sumerischen Sprüchen, s.S. 164).

Auffällig ist, daß von anderen Arbeiten nur die des Boten mehrmals, und zwar immer anerkennend, genannt wird, das wird z.T. in der Hochschätzung des Wortes begründet sein.

25,13   Wie kühlender Schnee am Erntetag
        ist ein zuverlässiger Bote dem, der ihn sendet.

Der gute und der schlechte Bote werden gegenübergestellt:

13,17   Ein schurkischer Bote führt ins Unglück,
        aber ein treuer Gesandter bringt Heilung.

Freude löst die gute Botschaft aus:

15,30   Fröhlicher Blick erfreut das Herz,
        gute Botschaft erquickt den Gebein.
25,25   Kühler Trunk für eine lechzende Kehle
        ist gute Kunde aus fernem Land.

Der schlechte Bote wird getadelt:

10,26   Was Essig für die Zähne und Rauch für die Augen,
        das ist der Faule für den, der ihn ausschickt.
26,6   Die Füße haut sich ab, Unbill muß schlucken,
        wer Botschaft sendet durch einen Toren.

Bei dieser mehrfachen Erwähnung des Boten in den Sprüchen ist vorauszusetzen die hohe Bedeutung des Boten in der ganzen Antike. Vgl. C. Westermann, 1964.

Der Faule und der Fleißige

Von den siebzehn Texten stellen zehn den Faulen und den Fleißigen gegenüber; d.h. auch Faulheit und Fleiß werden polar gesehen, sie werden in ihrem Gegenüber oder in ihrem Gegensatz begriffen und bedacht:

10,4	Lässige Hand bringt Armut, fleißige Hand schafft Reichtum
11,16b	Die Faulen ermangeln der Güter,
	die Fleißigen aber gewinnen Reichtum
12,11	Wer sein Feld bebaut, der hat Brot genug;
	wer nichtigen Dingen nachjagt, hat Mangel
12,27	Der Lässige holt sein Wild nicht ein;
	aber kostbares Gut wird dem fleißigen Mann
14,23	Bei aller sauren Arbeit stellt sich Gewinn ein;
	leeres Geschwätz bringt nur Verlust
10,5	Wer im Sommer einsammelt, handelt klug;
	wer aber schläft in der Ernte, handelt schändlich
15,19	Der Weg des Faulen ist wie eine Dornenhecke,
	der Pfad des Fleißigen ist gebahnt
20,4	Der Faule mag zur Herbstzeit nicht pflügen,
	sucht er dann in der Ernte, so ist nichts da
12,24	Die Hand des Fleißigen kommt zur Herrschaft,
	die lässige aber muß Frohndienst tun
13,4	Der Faule ist voller Gier und hat doch nichts;
	das Verlangen des Fleißigen wird reichlich gestillt.

Bei dieser Gegenüberstellung ist zu beachten, daß der Fleiß nur in einem der Sprüche zu sozialem Aufstieg führen soll oder kann. 12,24: „Die Hand des Fleißigen kommt zu Herrschaft...“; auch wenn gesagt wird „fleißige Hand schafft Reichtum“ (10,4) ist nicht ein andere überragender Reichtum gemeint, sondern ein gutes Auskommen: „... der hat Brot genug“ (12,11). Es findet sich in diesen Sprüchen kein erbitterter Tadel über die Faulen, sie werden nicht ernsthaft verurteilt. Vielmehr werden sie in den Sprüchen nüchtern auf die Folgen ihrer Faulheit aufmerksam gemacht. Im übrigen werden sie von der Gemeinschaft geduldet; sie gehören dazu, Faulheit ist etwas Menschliches, den Gegensatz von Faulen und Fleißigen wird es immer geben. Die freundliche Duldung der Faulen und der Faulheit spricht besonders aus den Spottworten, die reichlich auf sie gemünzt wurden 16,15: „Der Träge steckt seine Hand in die Schüssel, doch ist er zu faul, sie zum Mund zu führen“, dazu 26,14. Auch 15,19: „Der Weg des Faulen ist wie eine Dornenhecke“ ist ein solches Spottwort; die zweite Hälfte „Der Pfad des Fleißigen ist gebahnt“ ist eine nachträgliche Ergänzung zum Parallelismus. 22,13: „Der Faule sagt: Ein Löwe ist draußen!“ Die eben genannten Spottworte 26,15; 26,14; 15,19a; 22,13 unterscheiden sich von den Sprüchen, die den Faulen und den Fleißigen einander gegenüberstellen dadurch, daß sie nur etwas vom Faulen sagen, sie gehören also zu der Form der Charakterisierung (s.a.); dazu gehören außerdem:

19,15	Faulheit versenkt in tiefen Schlaf,
	und ein lässiger Mann muß Hunger leiden
23,21	Säufer und Prasser geraten in Armut,
	und Schläfrigkeit kleidet in Lumpen

18,9   Schon wer nachlässig ist bei seinem Geschäft,
        der ist ein Bruder des Verderbens (wahrscheinlich ein Zusatz)
16,26   Was Essig für die Zähne und Rauch für die Augen,
        das ist der Faule für den, der ihn ausschickt.

Dazu eine Warnung vor der Faulheit:

20,13   Liebe den Schlaf nicht, daß du nicht verarmst,
        tu die Augen auf, so hast du genug zu essen!

Die Sprüche vom Faulen und Fleißigen bringen die noch ungebrochene Überzeugung zum Ausdruck, daß die stetige, fleißige Arbeit an dem Platz, an den ein jeder gestellt ist, das Richtige, Gute und Erfolgverheißende ist. Wenn ein Mensch durch Schlauheit oder Unverfrorenheit oder Brutalität schnell reich wird, so ist das immer verdächtig und wird nicht geschätzt (s.S. 33), ein so erworbener Reichtum kann keinen Segen bringen.

Für das Verständnis der Proverbien im ganzen sind die Sprüche vom Faulen und Fleißigen deswegen wichtig, weil sie so deutlich den Charakter von Volkssprichworten zeigen. Diese Sprüche wirken – insbesondere mit ihrem Humor – unbedingt echt, d.h. nicht ausgedacht, sondern aus der Situation entstanden, von der sie reden. Sie setzen Hörer voraus, die in ihrem Lebenskreis das Gegenüber von Faulen und Fleißigen so erlebten, wie es hier beschrieben wird und die solche Sprüche zum Lachen brachten. Das Echo dieses Lachens ist in ihnen so aufbewahrt, daß wir es noch heute nachempfinden können. Solche witzigen Worte sind ein sicheres Anzeichen für mündliche Entstehung dieser Sprüche. Witze wirken nur, wenn sie erzählt werden; wenn geschriebene oder gedruckte Witze wirklich gut sind, werden sie weitererzählt, wie sich etwa an politischen Witzen zeigt.

Ein Reden vom Faulen und Fleißigen gehört sei Jahrtausenden auf der ganzen Welt dem Volkssprichwort an, es erhielt dessen Form, weil sie ihm gemäß ist. Dem entgegen zu behaupten, im Alten Testament seien es keine Volkssprichwörter, sondern didaktische Literatur oder Maximen, die sich ein Stand der Weisen ausgedacht habe, ist schwer verständlich. Kein Kenner der Volkssprichwörter anderer Zeiten und anderer Räume würde dem zustimmen. Es kommt hinzu: Sollten die Sprüche vom Faulen und Fleißigen in einer Schule (von Weisen) und zum Gebrauch in der Schule entstanden sein, müßte man doch wohl erwarten, daß in ihm Faulheit und Fleiß in der Schule beim Lernen vorkommen würde. Das ist nicht der Fall.

Vom Faulen und vom Fleißigen redet man in dem kleinen Kreis der an einem Ort zusammen Wohnenden, an dem alle von ihrer Hände Arbeit leben. Das ist noch heute so; man denke an Nachbarn, deren Felder oder Gärten aneinander grenzen. Man redet davon im Alltag; dieser Gegensatz gehört der Alltagssprache an und ist auf sie begrenzt. Man sieht das auch daran, daß Faulheit in Geboten und Gesetzen nicht vorkommt.[25]

Wenn sie alle Sprüche, den Faulen und den Fleißigen betreffend, auf den Ackerbau beziehen, obwohl der Gegensatz auch für viele andere Arbeiten gilt, liegt das wahrscheinlich daran, daß in einem noch ganz vom Ackerbau (und der Viehzucht) bestimmten Stadium die Arbeit des Landwirts als die Arbeit schlechthin galt, weil sie für die Erhaltung des Lebens unentbehrlich war; wahrscheinlich betrieben auch die Handwerker daneben Ackerbau, oder auch umgekehrt.

In 26,13–16 ist eine kleine Sammlung von Sprüchen über den Faulen erhalten:

13 Der Faule sagt: Ein Löwe ist auf der Straße,
    ein Leu ist auf der Gasse!
14 Wie die Tür in der Angel sich dreht,
    so der Faulenzer auf seinem Lager.
15 Der Träge steckt die Hand in die Schüssel,
    doch ist er zu faul, sie zum Mund zu führen.

In 13–15 wird der Faule in witzigen Sätzen oder Spottworten charakterisiert. Das Charakterisieren besteht in einem oder zwei Hauptsätzen; 13b „ein Leu ist auf der Gasse" ist nur wegen des Paralellismus hinzugefügt. Einseitige Sprüche sind auch 18,9; 19,15; 20,4. Nun machen aber auch einige der Gegensatzsprüche vom Faulen und Fleißigen den Eindruck, daß ein Halbvers nachträglich hinzugefügt wurde. So bei 28,19: „Wer sein Feld bebaut, hat Brot die Fülle, doch Armut die Fülle hat wer nichtigen Dingen nachjagt"; die Gegensatzbildung ist künstlich und klappt nur nach. Für solche künstliche Bildung von Gegensatzsprüchen gibt es viele Beispiele, die meist wegen der blossen Wortwiederholung prosaisch klingen. Manchmal passen die beiden Hälften auch nicht zueinander, so in 21,5: „Die Pläne des Fleißigen bringen lauter Gewinn, wer sich übereilt, hat nur Verlust". Möglich ist eine sekundäre Verbindung auch bei 10,5; 12,17; 19,15; 13,4.

Der Arme und der Reiche

Die Sprüche, die vom Armen und Reichen handeln, machen keinen Versuch, das Verhältnis zwischen beiden prinzipiell zu fassen, es auf eine Linie zu bringen; es gibt Arme und Reiche, und damit muß man leben. Deshalb wird die Vielfalt der Möglichkeiten des Verhaltens zu dieser Realität offengehalten, auch die Verschiedenheit der Standpunkte und Gesichtspunkte dazu, die nicht auf einen Nenner zu bringen sind. Für den Gebrauch einer Schule wären diese Sprüche ganz ungeeignet, weil überhaupt nicht lehrhaft zu diesem Gegensatz geredet wird.[26]

Die Realität des Gegenübers von arm und reich:

14,4 Wo keine Rinder sind, da ist kein Korn,
      aber reicher Ertrag durch des Stieres Kraft
22,2 Reicher und Ärmer begegnen einander;
      Jahwe hat alle beide geschaffen

15,14   Des Bedürftigen Tage sind alle böse,
        doch der Wohlgemute hat ständig ein Fest.

13,8   Für eines Mannes Leben ist sein Reichtum das Lösegeld;
        aber der Arme hört keine Warnung

18,23   Der Arme braucht Worte des Flehens,
        mit Härte aber antwortet der Reiche

13,7   Mancher tut reich und hat überhaupt nichts;
        ein anderer gibt sich arm und hat ein großes Vermögen.

28,11   Der Reiche dünkt sich selbst weise zu sein;
        aber ein Geringer, der einsichtig ist, ergründet ihn.

Diese Sprüche gehören zu den Beobachtungen am Menschen, oder stehen ihnen nahe, besonders 22,2 – ein Spruch, der mit dem Hinweis auf den Schöpfer die Realität, daß es beide gibt, bestätigt. Ein Spruch von größter Dichte, der bei den Hörenden ein Nachdenken bewirkt, die Schlüsse daraus aber ganz offen läßt. Es wäre ein Mißverständnis, wenn ein Ausleger heute festlegen wollte, wie er verstanden werden muß oder eine Lehre daraus ziehen wollte. Dem bewußten Offenhalten des Nachdenkens über arm und reich dient auch das Nebeneinander der beiden Sprüche 15,14 und 13,8, in der der positive und der negative Aspekt einer Gegenüberstellung zum Ausdruck kommt. Nach 15,14 sieht es so aus, als bestehe das Leben der Reichen nur aus einer Kette von guten Tagen; aber 13,8 zeigt: Der Reiche ist erpreßbar, und daraus kann schweres Leid entstehen; der Arme aber „hört keine Drohung".

Der soziale Gesichtspunkt:

14,20   Selbst seinem Nächsten ist der Arme verhaßt,
        doch der Reiche hat zahllose Freunde.

19,4   Besitz schafft Freunde, immer mehr,
        aber der Arme wird von seinen Freunden getrennt.

19,7   Alle Brüder eines Armen hassen ihn,
        um wieviel mehr bleiben seine Freunde ihm fern!

22,7   Der Reiche beherrscht den Armen,
        wer borgt, wird des Mannes Knecht, der ihm leiht.

19,6   Viele umschmeicheln den Freigebigen
        und jeder ist des Schenkenden Freund.

Auch diese Sätze von den Reichen und den Armen sind aus Beobachtungen erwachsen. Sie wären nicht geprägt worden, hätte nicht der, der sie aussprach, dies erlebt. Daß die Armen keine Freunde haben und sogar die Verwandten von ihm abrücken, sagt zunächst nichts weiter als: so ist das wirklich, so haben wir es doch schon erlebt! Aber gerade als nüchterne Mitteilung fordern solche Sätze zum Nachdenken heraus: Muß denn das so sein? Erhält hier das Gefälle zwischen reich und arm nicht ein zu schweres Gewicht? Auf diesem Hintergrund muß man die Worte zu den Reichen und über die Reichen hören, die von Jesus in den Evangelien überliefert sind.

Der Gegensatz, der im Gegenüber von 18,23 und 22,7 angesprochen wird, kann zur Folge haben, daß der Arme so wie ein Sklave vor dem Reichen steht.

Es kommt eine Gruppe von Sprüchen hinzu, in denen zwar anerkannt wird, daß der Reichtum Sicherheit verleihen kann, daß aber gerade die durch Reichtum ermöglichte Sicherheit keine Garantie bietet.

10,15 Des Reichen Vermögen ist seine feste Stadt,
       das Verderben des Armen seine Armut
18,11 Des Reichen Vermögen ist eine feste Stadt
       und wie eine hohe Mauer in seiner Einbildung.

Aber das ist schon anders, wenn der Reichtum keine feste Grundlage hat:

13,11 Erhastetes Vermögen schwindet dahin,
       doch wer allmählich sammelt, wird reich.
20,21 Wurde Besitz am Anfang erhastet,
       so wird auch sein Ende nicht gesegnet sein.
       Vgl. sumerisch: Besitztümer sind Sperlinge im Flug (S. 163)
28,20 Ein Mann von Treu und Glauben wird vielfach gesegnet,
       wer aber schnell reich werden will, bleibt nicht ungestraft.
28,22 Nach Reichtum hastet einer mit scheelem Blick,
       er bedenkt nicht, daß Mangel über ihn kommen wird.
       Vgl. „Reichtum ist wie Tau" (afrikan S. 157)
28,25 Der Habgierige erregt Streit,
       wer aber auf den Herrn vertraut, wird reichlich gelabt.
21,4   Wer Schätze erwirbt mit falscher Zunge,
       jagt Nichtigem nach, hinein in die Fallen des Todes.

Doch dem Reichtum als Sicherheit sind auch andere Grenzen gesetzt:

11,4   Am Tage des Zorns nützt Reichtum nichts,
       doch Gerechtigkeit rettet vom Tod.
11,14 Mit eines bösen Mannes Tod geht die Erwartung dahin,
       auch Hoffen auf seine Stärke.
22,1   Ein guter Name ist begehrenswerter als Reichtum,
       besser als Silber und Gold ist Beliebtheit.

Das Verhalten des Reichen zu den Armen beobachten folgende Sprüche:

19,17 Wer sich des Hilfsbedürftigen erbarmt, leiht Jahwe aus,
       er wird ihm seine Guttat vergelten.[27]
28,27 Wer den Armen gibt, muß nicht Mangel leiden,
       wer aber seine Augen verhüllt, wird viel verflucht.
28,8   Wer sein Vermögen durch Zins und Zuschlag vermehrt,
       sammelt für den, der sich der Armen erbarmt.
19,22 Ein Gewinn für den Menschen ist seine Güte
       und ein Armer ist besser als ein Lügner.

11,25   Wer anderen hilft, wird wohlgenährt,
         wer andere sättigt, wird auch selbst gesättigt.
26   Wer Getreide zurückhält, den verfluchen die Leute,
         doch wer es hergibt, Segen auf dessen Haupt!
12,1   Die Frucht aus eines Mannes Munde sättigt ihn reichlich
         und gute Tat aus eines Mannes Händen kommt ihm wieder zu.
11,24   Mancher teilt reichlich aus und wird dabei reicher,
         ein anderer hält zurück und wird ärmer.
17,5   Wer den Armen verspottet, verschmäht dessen Schöpfer,
         wer sich freut am Unglück bleibt nicht ungestraft.
22,16   Wenn man den Armen bedrückt,
         so hilft's dem zum Reichtum, ...

Während die Sprüche beim Blick auf die Realität, daß es Arme und Reiche gibt und was das bedeutet, nüchtern und unparteiisch reden, werden sie ausgesprochen parteiisch, wo es um das Verhalten der Reichen zu den Armen geht. Die hier reden, stehen auf der Seite der Armen und setzen sich dafür ein, daß Bedürftigen geholfen wird. Es ist nicht zufällig, daß gerade hier an ein Wirken Jahwes erinnert wird: Er wird den strafen, der den Armen verspottet und er gibt dem zurück, der den Armen hilft. Dieses Sich-Einsetzen für die Armen ist manchen Worten in den Evangelien ganz ähnlich. Hier ist zu beobachten, wie manchmal kleine Gruppen von Sprüchen einander ergänzen. Die beobachtenden Worte stellten fest, daß die Armen ihre Freunde verlieren, daß ihre Menschenwürde verletzt wird. Gerade dem entsprechen die Sprüche, die indirekt dazu auffordern, sich den Bedürftigen zuzuwenden. Das geschieht absichtlich nicht direkt; die eigene Einsicht soll solches Helfen motivieren.

An die Einsicht der Angeredeten richten sich besonders einige paradoxe Sprüche, die als solche zum Nachdenken auffordern, wie 11,24: „Mancher teilt reichlich aus und wird dabei reicher...", auch 11,25 und 22,16. Diese paradoxen Sprüche bringen zum Ausdruck, daß den Armen zu helfen seinen Wert in sich hat. Es kann nicht nach materiellen Maßen berechnet werden. Denn das zunehmende Gefälle zwischen reich und arm gefährdet die Gemeinschaft als ganze; so muß auch das Lindern des Gegensatzes dem Ganzen dienen. Auch das sagen Worte Jesu in den Evangelien, daß das Lindern von Not dem nicht schadet, der es wagt: „Ein Gewinn für den Menschen ist seine Güte".

Formal ist zu unterscheiden zwischen solchen Sprüchen vom Armen und vom Reichen, bei denen der Gegensatz zum Verständnis des Spruches notwendig ist, und solchen, bei denen dies nicht der Fall ist.

In den zweigliedrigen Gegensatzsprüchen ist der Gegensatz zum Verständnis nötig:

18,23   Der Arme braucht Worte des Flehens,
          mit Härte aber antwortet der Reiche.

22,2	Reicher und Armer begegnen einander; Jahwe hat alle beide geschaffen.
15,14	Des Bedürftigen Tage sind alle böse; doch der Reiche hat ständig ein Fest.
13,8	Für eines Mannes Leben ist sein Reichtum das Lösegeld; aber der Arme hört keine Drohung.
13,7	Mancher tut reich und hat überhaupt nichts; ein anderer gibt sich arm und hat ein großes Vermögen.

Diese Sprüche beweisen, daß zweigliedrige Gegensatzsprüche von Armen und Reichen schon mündlich entstanden und mündlich im Gebrauch waren.

Aber ein Wortpaar wie arm – reich fordert die Bildung von Gegensatzsprüchen geradezu heraus, also dazu einen eingliedrigen Spruch von Armen oder Reichen zu einem Parallelismus zu erweitern.[28] Auch wenn das nicht in jedem Fall mit Sicherheit zu entscheiden ist, werden eine Reihe von Gegensatzsprüchen zu arm und reich ursprünglich eingliedrig gewesen sein, z.B.:

19,4a	Des Reichen Vermögen ist eine feste Stadt (= 18,11a)
11,4a	Am Tage des Zorns hilft Reichtum nichts.
19,17a	Wer sich des Hilfsbedürftigen erbarmt, leiht an Jahwe aus.
28,27a	Wer dem Armen gibt, muß nicht Mangel leiden.
19,22b	Ein Armer ist besser als ein Lügner.

Man wird bemerken, daß diese eingliedrigen Sprüche in ihrer konzentrierten Aussage oft stärker wirken, als so manche konstruierten Zusammensetzungen. Sie weisen auf mündliche Entstehung und mündlichen Gebrauch.[29]

4. Der Mensch in der Gemeinschaft, die Familie

H. W. Wolff und E. Gerstenberger haben im Blick auf die Proverbien von einem „Sippenethos" gesprochen, das in ihnen vorliege. Ich stimme dem darin zu, daß sie damit die Sprüche schon in der Frühzeit Israels ansetzen, etwa von der Richterzeit an (so auch C. R. Fontaine), und daß sie eine Frühphase der mündlichen Tradition der Sprichworte voraussetzen. Aber die Bezeichnung „Sippenethos" erscheint mir aus zwei Gründen fraglich. Eine über die Familie (Vater – Mutter – Kind) hinausreichende größere familiäre Gemeinschaftsform „Sippe" kommt in der Proverbien niemals, in keinem Spruch vor; niemals wird das Denken oder das Handeln auf eine größere Gemeinschaftsform, niemals auf weitere Verwandte bezogen. Dann ist es problematisch, von einem „Sippenethos" zu reden.

Der andere Grund: Mit „Sippe" kann nur eine familiär strukturierte Gemeinschaftsform gemeint sein. Von der Familie aber, von Vorgängen in der Familie, von Verhältnissen zwischen Familiengliedern oder von familiären Problemen handeln die Sprüche nur äußerst wenig, sie spielen eine größere Rolle fast nur im Bereich der Erziehung. Die wenigen Sprüche, die sonst vorkommen, geben wenig anlaß, hier von Familienethos zu sprechen, im Gegensatz zu Lev 18, das ganz von Familienverhältnissen bestimmt ist. Klar und eindeutig dagegen ist die Szene der Sprüche die eines Zusammenlebens und Zusammenwohnens in einer kleinen Ackerbürgersiedlung.[30]

Im Reden vom Bereich der Familie treten vier Kreise heraus:

Die Alten und die Jungen

> 20,29 Der Jünglinge Zier ist ihre Kraft,
> der Schmuck der Greise das graue Haar.
>
> 16,31 Graues Haar ist eine herrliche Krone,
> auf dem Weg der Gerechten wird sie gefunden.
>
> 17,6 Die Krone der Alten sind Kindeskinder,
> der Stolz der Kinder sind ihre Väter.

Die drei Sprüche sind allgemeiner Art; sie sagen alle dasselbe: sie begründen durch die Gegenüberstellung von alt und jung das Gebot, die Eltern zu ehren, indem sie die Bedeutung des Alters würdigen. Sie haben einen lehrhaften Charakter und stehen unverkennbar im Zusammenhang der Erziehung. In beiden zeigen sie eine Nähe zu den Erziehungssprüchen in 22–24. Vgl. äg. Onchsheshonky: „Verachte nicht einen alten Mann in deinem Herzen." (S. 174).

Brüder

Von Brüdern (und Schwestern) und ihrem Verhältnis zueinander wird in den Sprüchen nur sehr selten geredet:

Ps 133: Siehe, wie fein und lieblich ist es, wenn Brüder einträchtig beieinander wohnen! . . . (dies ist ein erweiterter Spruch, s.S. 119). Auch dies ist ein lehrhafter Spruch, der einen mahnenden Klang hat. Ein Komparativspruch sagt: „Ein Freund in der Nähe ist besser als ein Bruder in der Ferne". Zu 18,19 s.u. Dieses fast völlige Fehlen des Bruderverhältnisses in den Sprüchen fällt noch mehr auf, wenn man damit dessen hohe Bedeutung in den Vätergeschichten vergleicht.

Mann und Frau

> 12,4 Eine tüchtige Frau ist des Gatten Krone,
> eine schandbare wie Fraß in seinem Gebein.
>
> 10,22 Wie ein goldener Ring am Rüssel des Schweines,
> so eine schöne Frau ohne Sitte.
>
> 27,15 Beständiger Tropfen am Regentag
> und eine zänkische Frau sind einander gleich.

21,13 Besser in der Einöde hausen
als bei einer schändlichen, grämlichen Frau!
25,24 Besser auf der Zinne des Daches wohnen
als mit einer zänkischen Frau im Haus!
19,13 ... und das Zanken der Frau ein beständiges Tropfen

12,4a ist ein ausdrückliches, rückhaltloses Lob einer Frau, in 31,10–31 ist es zu dem Gedicht von der tüchtigen Frau erweitert. 12,4b macht dieses Lob zu einem Gegensatzspruch, der der tüchtigen die schandbare Frau entgegensetzt. Alle anderen Sprüche sind Spottworte auf die zänkische oder schandbare oder sittenlose Frau (Die Formen dieser Sprüche sind verschieden: 21,13 und 25,24 Sprüche der Wertung, 10,22 und 27,15 Vergleiche). Solche Spott- oder Witzworte über zänkische (o.ä.) Frauen gibt es in vielen Völkern, z.B. ein afrikanisches Sprichwort: „Zwei Frauen sind zwei Töpfe voll Gift" (s.u. S. 157). Sie sind hier wie auch sonst aufgekommen und weitergetragen worden im Kreis der Männer unter sich. Als Bestandteil eines Sippenethos wären sie äußerst fragwürdig. Daß sie im Kreis einer Großfamilie entstanden und in ihr weitergetragen wurden, ist schon deswegen schwer denkbar, weil hier die Frauen bei der Erziehung der Kinder erheblich mitzureden hatten. Sie setzen vielmehr einen Ort voraus, an dem die Männer allein zusammenkamen wie beim *sōd* (Kreis von Vertrauten) (L. Köhler, 1953). Undenkbar ist aber auch, daß sie Wissensstoff der Weisheitslehrer waren. Wenn diese wirklich weise waren, werden sie sich gehütet haben, sie ihren Schülern vorzusprechen und sie von ihnen lernen zu lassen. Als musterhaft für eine Schulweisheit sind sie ungeeignet. Dagegen läßt es sich gut denken, daß das schöne Gedicht von der tüchtigen Hausfrau (31,10–31) ein Protest gegen solche Lästerworte war. Vgl. äg. Onchsheshonqy: Eine gute Frau von edlem Charakter ist wie ein Brot, das zur Zeit des Hungers kommt (S. 174).
Angesichts dieser isolierten Gruppe von Spottworten über die zänkische Frau kann man nur feststellen, daß eine wirkliche Gegenüberstellung von Mann und Frau in ihrem Verhältnis zueinander fehlt. Die negative Charakterisierung der Frau hat ihren Grund auch nicht darin, daß hier eine Männergesellschaft spricht. Das Gegengewicht hierzu bilden vielmehr die Gegensatzsprüche Tor – Weiser, bei denen die negative Charakterisierung von Männern eine sehr viel schärfere und vielseitigere Kritik an dem die Gemeinschaft schädigenden Mann bietet. Das Fehlverhalten der Männer (der Toren) erhält hier eine sehr viel bedrohlichere Bedeutung für die Gesellschaft.
Es ist auffällig, daß das Verhältnis der Geschlechter zueinander und die Sexualität als solche in den Sprüchen fast ganz fehlt. Sie spielt dagegen eine erhebliche Rolle in den Lehrgedichten der jüngeren Weisheit Prov 1–9 in dem Motiv der Warnung vor der fremden Frau, das städtisches Zusammenleben vorausgesetzt. Das Fehlen der Sexualität als Gefährdung der Gemeinschaft in der frühen Spruchweisheit steht im Gegensatz zur christlichen Ethik der Frühzeit und des Mittelalters, in der sie eine die ganze Ethik bestimmende Bedeutung hatte.

Eltern und Kinder Erziehung

In einer erheblichen Gruppe von Stellen stimmen alle Sprüche darin überein, daß sie vom Verhältnis der Kinder zu ihren Eltern reden, wobei aber das
Interesse auf einen einzigen Gegenstand konzentriert ist: die Erziehung:

10,1   Ein weiser Sohn erfreut den Vater,
        aber ein törichter Sohn ist der Mutter Gram.

15,20   Ein weiser Sohn macht dem Vater Freude,
        aber ein törichter Mann (Sohn) verachtet seine Mutter.

17,25   Ein törichter Sohn ist ein Verdruß für den Vater
        und für die Mutter ein bitterer Gram.

19,13   Ein törichter Sohn ist ein Unglück für seinen Vater,
        (und das Gezänk des Weibes ein beständiges Tropfen).

17,21   Wer einen Narren zeugt, dem gereicht es zum Kummer,
        keine Freude erlebt der Vater eines Toren.

23,24f   Frohlocken kann der Vater eines Gerechten,
        wer einen weisen Sohn hat, darf seiner sich freuen;
        möge der Vater sich freuen und die Mutter, die dich geboren,
        möge frohlocken!

29,3   Wer die Weisheit lieb hat, der macht seinem Vater Freude,
        wer aber an Dirnen sich hängt ...

28,7   Wer die Belehrung bewahrt, ist ein verständiger Sohn,
        wer aber mit Schlemmern umgeht, macht seinem Vater
        Schande.

Dazu gehören auch 15,5 und 13,1.

Es geht in allen darum, ob die Kinder weise oder töricht sind; entsprechend ihren Eltern Freude machen oder Kummer. Allein diese Monotonie
spricht eine deutliche Sprache. Sie sind alle eine unausgesprochene Mahnung
an die in ihm angeredeten Schüler, sich so zu verhalten, daß sie mit ihrer
Bemühung um die Weisheit ihren Eltern keinen Kummer, sondern Freude
bereiten. In ihm sprechen Lehrer, die die Jungen Leute im Auftrag ihrer
Eltern lehren und darin die Erziehung der Eltern weiterführen.

Mehrfach wird dabei das Strafen mit dem Stock gerechtfertigt:

22,15   Die Torheit steckt dem Knaben im Herzen,
        aber die Rute vertreibt sie daraus.

19,25   Schlägst du den Spötter, so wird der Unverständige gewitzt,
        weist man den Verständigen zurecht, so gewinnt er Einsicht.

13,24   Wer seine Rute zurückhält, der haßt seinen Sohn,
        wer ihn liebt, züchtigt ihn beizeiten.

29,15   Rute und Rüge vermitteln Weisheit ...

17   Züchtige deinen Sohn, so befriedigt er dich;
        und er schenkt deiner Seele Wonne.

Die übliche Erklärung dieser nicht wenigen Sprüche, daß nämlich in ihnen die Eltern zu strenger Erziehung ihrer Kinder und zum Gebrauch des Stockes dabei ermahnt werden sollen, will mir nicht einleuchten. Man kann kaum annehmen, daß die Eltern erst dazu motiviert werden mußten, den Stock zu gebrauchen. Dazu bedurften sie keiner Ermahnung! Ich nehme vielmehr an, daß diese Sätze von der vorigen Gruppe her verstanden werden müssen. Die Lehrer rechtfertigen sich darin gegenüber den Eltern, daß sie gelegentlich von der Prügelstrafe Gebrauch machten. Die „Väter" in diesen Sprüchen sind also eigentlich die Lehrer.

Die beiden bisher auf die Erziehung bezogenen Spruchgruppen sind keine mündlich entstandenen, sondern schriftlich nachgeahmte Sprüche, beide im Zusammenhang der Schule, die ja für die späte nachexilische Zeit in Israel belegt ist durch Jesus Sirach. Für die späte Entstehung spricht auch die lehrhafte, abstrakte Sprache, die keine Situationen erkennen läßt.

Von ihnen unterscheiden sich einige wenige Sprüche zur Erziehung, deren Abstand von den vorher genannten offenkundig ist:

17,10 Beim Verständigen wirkt der Tadel tiefer
      als hundert Stockschläge beim Toren.

20,11 Schon an des Knaben Tun läßt sich erkennen,
      ob sein Charakter rein und gerade sei.

22,6 Gewöhne den Knaben nach dem, was sein Weg erheischt,
      so wird er auch im Alter nicht davon abgehen.

18,19 Ein verratener Bruder widersteht mehr als eine Festung,
      und sein Hader ist wie der Riegel eines Palastes.

Aus dem Spruch 17,10 spricht eine gewisse kritische Aversion gegen die Prügelstrafe; sie wird zwar nicht ausgeschlossen oder verdammt, es klingt aber doch deutlich an, daß ein Zurechtweisen mit Worten (Tadel) mehr erreichen kann als die Rute. Man darf sie nicht wahllos gebrauchen.

Der Spruch 20,11 gibt eine für die damalige Zeit erstaunlich hellsichtige Beobachtung wieder, die für die Erziehung eine entscheidende Bedeutung hat: daß sich Charakteranlagen schon bei einem Kind erkennen lassen und daß solche Beobachtungen bei der Erziehung berücksichtigt werden müssen.

22,6 gehört, wie die beiden vorangehenden Sprüche zu den Beobachtungen am Menschen. Er ist zwar als Mahnung oder Rat formuliert, der Imperativ am Anfang kann aber im Sinn des Vordersatzes im Bedingungssatz verstanden werden. Hier hat einer den Unterschied beobachtet zwischen einer Erziehung, die den späteren Anforderungen des Lebens entsprach, und einer verfehlten, die sich um diese Anforderungen nicht kümmerte. Nur die eine hielt im Leben durch. Eine erstaunlich weitblickende Beobachtung, der wir noch heute zustimmen.

Dasselbe gilt für 18,19. Die Enttäuschungen, die einer in der Jugend erlebt hat („ein verratener Bruder"), wirken sich später noch lange in seinem Verhalten aus; man muß das wissen, um dem gerecht zu werden.

Der Gegensatz zwischen den beiden Gruppen von Sprüchen, die von Erziehung sprechen, ist eklatant. Die vier Ausnahmen sind konkret, auf betimmte Situationen bezogen und sind aus Beobachtungen am Menschen erwachsen. Die Mehrzahl der Sprüche über die Erziehung dagegen ist abstrakt, allgemein, prinzipiell und ohne jede Beziehung zu konkreten Situationen. Weil beide von dem gleichen Gegenstand in so gegensätzlicher Weise handeln, können sie nicht die gleiche Herkunft haben. Sie sind beispielhaft für eine hier notwendige Unterscheidung zweier Überlieferungsschichten. Aber dieser Unterschied kann nur auf induktivem Weg erkannt werden.

5. Der Mensch im öffentlichen Leben

Der Handel

Vom Handel ist in den Sprüchen selten die Rede. Das alte Israel war ein reines Bauernvolk; erst nach dem Exil beginnt der Beruf des Händlers eine größere Bedeutung zu bekommen.

Von Anfang an wird das Übervorteilen beim Handel streng verurteilt, ganz in Übereinstimmung mit den Gerichtspropheten.

20,10   Zweierlei Maß und zweierlei Gewicht,
        beides ist Jahwe ein Greuel.

11,1   Falsche Waage ist Jahwe ein Greuel,
        aber volles Gewicht gefällt ihm wohl.

16,11   Waage und Waagschalen sind Sache Jahwes,
        sein Werk sind alle Gewichte im Beutel.

In diesen drei Worten stehen die Nomina („Zweierlei Maß", „falsche Waage"...) für einen Vorgang: den Betrug beim Handel; und bei allen dreien ist es Jahwe, der darüber wacht: es ist ihm ein Greuel. Die betrügerisch Handelnden werden als solche charakterisiert die diesen Greuel verüben. Die Sprüche gehören der Form nach zum Charakterisieren eines Verhaltens.

Die drei Sprüche sind ein gutes Beispiel für die Freiheit der Formulierung bei der Bildung von Sprüchen. Es ist der gleiche Spruch in drei verschiedenen Formulierungen; alle drei gab es nebeneinander. Zugrunde liegt wahrscheinlich eine Formulierung als einfacher, eingliedriger Aussagesatz:
Falsche Waage und falsches Gewicht sind Jahwe ein Greuel.

In 20,10 ist dieser Satz zum Parallelismus durch die Einfügung von „beides" erweitert. In 11,1 ist diese Charakterisierung eines falschen Verhaltens umgestaltet zu einem Gegensatzspruch: was Jahwe gefällt und was Jahwe ein Greuel ist. In 16,11 schließlich ist der Satz noch weiter abgewandelt zu einer Formulierung, die Jahwes Wirken stärker betont. Die drei Sprüche zeigen, daß in den Sprüchen die gleiche Aussage durchaus eine verschiedene Form erhalten kann.

Streng verworfen wird auch die Spekulation mit Getreide:

11,26   Wer Getreide zurückhält, dem fluchen die Leute,
         wer es aber auf den Markt bringt, dessen Haupt wird
         gesegnet.

Auch das ist ein Spruch, der ein Verhalten charakterisiert; hier verbunden mit der Reaktion der von diesem Verhalten Betroffenen: Fluch oder Segen. Ein solcher Spruch zeigt die regulierende Funktion dieser Sprüche, die dem Wohl der Gemeinschaft dienen.

Ganz anders eine einfache Beobachtung, mit Schmunzeln vorgetragen:

20,14   Schlecht! Schlecht! sagt der Käufer,
         ist er aber weg, so rühmt er sich.

Dieser Spruch gehört zu den Beobachtungen am Menschen, die Beobachtung ist einfach das Zitat eines gerissenen Käufers; über das man lachen kann.

Das Rechtswesen

Bei den Sprüchen zum Rechtswesen läßt sich die volle Übereinstimmung der Proverbien mit den Gerichtspropheten feststellen.

17,15   Wer den Schuldigen freispricht und den Unschuldigen
         verdammt,
         ein Greuel sind sie für Jahwe alle beide
17,26   Unschuldige büßen zu lassen, schon das ist nicht gut ...
24,23–25 Es ist nicht gut, die Person anzusehen im Gericht.
24   Wer zum Schuldigen sagt: du bist im Recht!
         den verfluchen die Menschen ...
25   doch denen, die das Unrecht strafen, ergeht es wohl ...

Ebenso wird die Parteilichkeit, das Ansehen der Person, verurteilt:

18,5   Es ist nicht gut, die Person des Schuldigen anzusehen
                                   (= 24,23)
         und die Sache des Schuldlosen im Gericht zu beugen
25,18   Hammer und Schwert und scharfer Pfeil
         so ist der Mann, der den Nächsten falsch anklagt.

In beiden Worten wird ein Urteil gefällt, in 25,18 durch einen Vergleich.

Mahnungen zum rechten Verhalten beim Gericht:

22,22   Beraube nicht den Geringen, weil er gering ist
         und zertritt nicht den Elenden vor Gericht!
         denn Jahwe wird ihre Sache führen ...[31]
24,28   Sei nicht grundlos Ankläger gegen den Nächsten,
         so daß du irreführst mit den Lippen.

25,7f   Wenn deine Augen etwas gesehen haben,
             bringe es nicht allsobald vor das Gericht;
             denn was willst du zuletzt machen, wenn dich ein ande-
             rer beschämt?

Diese drei auf das Gerichtswesen bezogenen Mahnungen zeigen, daß das
Rechtswesen Sache der Allgemeinheit war und alle dafür verantworlich
waren, daß keine Korruption darin aufkam. Die Anklage der Propheten
konnte sich hier auf das Rechtsempfinden im Volk stützen, wie es in solchen
Sprüchen tradiert wurde. Andererseits zeigen die Texte, daß diese Sprüche
offenbar einen erheblichen Einfluß auf das Gerichtswesen hatten.

Der falsche Zeuge wird angeprangert:

19,28   Ein nichtswürdiger Zeuge spottet des Rechts ...
12,17   ... der falsche Zeuge aber bringt Lügen vor (= 14,5)
14,5   Ein wahrhaftiger Zeuge lügt nicht,
             aber ein falscher Zeuge bringt Lügen vor.
25   Ein wahrhaftiger Zeuge errettet Leben,
             wer aber Lügen vorbringt, ist ein Verräter.
= 19,9; 19,5 Der falsche Zeuge bleibt nicht ungestraft
             und wer Lügen vorbringt, entrinnt nicht.
21,28   Der falsche Zeuge soll umkommen,
             wer Ohrenzeuge war ... mag reden.
6,19   Wer Lügen vorbringt als falscher Zeuge ...

Die vielen Sprüche, die alle den falschen Zeugen verurteilen, weisen auf
die hohe Bedeutung des Zeugen im Rechtswesen ebenso wie auf die große
Gefahr, die mit ihm verbunden war. Auch hier dient die Charakterisierung
in Sprüchen deren regulativer Bedeutung: wo sie laut werden, kommt die
einmütige Verurteilung des falschen Zeugen durch die ganze Gemeinschaft
zu Wort.

Bestechung

15,27   Wer sich bestechen läßt, zerrüttet sein Haus,
             wer Geschenke haßt, dem wird Gedeihin.
17,23   Verstohlene Geschenke nimmt der Gottlose an,
             den Gang des Rechts zu beugen.

Bei all diesen Sprüchen zum Gerichtswesen ist nicht zu verkennen, daß sie
alle eine – und zwar wichtige und notwendige – Funktion im Leben der
Gemeinschaft haben. Man braucht hier nach einer Situation, nach einem Sitz
im Leben nicht erst zu fragen oder gar zu suchen, er ist von vornherein klar.
Eigentlich kann man alle diese Sprüche nicht als Weisheit, nicht als Weisheitssprüche bezeichnen; es sind vielmehr Sprüche, die einen Bereich des
öffentlichen Lebens regulieren, die dem Aufrechterhalten eines funktionie-

renden Rechtswesens dienen. Sie haben also hier eine rein soziale, d.h. auf die Gemeinschaft und ihr Leben bezogene Bedeutung,[32] sind aber nicht Ausdruck einer von diesen gesondert bestehenden objektiven Weisheit; es geht in ihnen einfach um ein die Gemeinschaft schädigendes Verhalten. Sie stehen insofern den Sprüchen der schriftlosen Völker nahe, bei denen Sprüche zu allen Bereichen des Gemeinschaftslebens gehören.

Politik und Krieg, der Kult

Etwas wie Politik kommt in den Sprüchen nicht vor, wenn man vom König und vom Königtum absieht. Niemals wird ein Krieg oder eine Schlacht genannt, was schon deshalb beachtenswert ist, weil das in den Prophetenbüchern ganz anders ist. Niemals begegnen Kriegsfolgen, Ruinen, zerstörte Städte, Flüchtlinge, Kriegsinvaliden oder irgendetwas Diesbezügliches. Aber es kommt etwas ebenso Erstaunliches hinzu: Niemals begegnet man in den Sprüchen einem Geschichtsbewußtsein, niemals der Zugehörigkeit zu einem Stamm oder zum Volk Israel, niemals dem Nebeneinander von Juda und Israel. Auch für so etwas wie Patriotismus oder Nationalgefühl gibt es keinerlei Spuren.

Wem in den Proverbien niemals die Stammeszugehörigkeit, niemals der Name eines Stammes vorkommt (anders in den Psalmen!) so ist das ein Zeichen dafür, daß im Alltagsleben eines Dorfes oder einer kleinen Stadt von Stammeszugehörigkeit wenig geredet wurde. Wenn in vielen Untersuchungen der letzten Jahrzehnte große Mühe darauf verwandt wurde, herauszufinden, ob diese oder jene Überlieferung im Norden oder Süden, in diesem oder jenem Stamm entstand und überliefert wurde, so zeigen wenigstens die Proverbien, daß es Bereiche gab, in denen nach Stammesüberlieferungen überhaupt nicht gefragt wurde und wir infolgedessen auch nicht die Möglichkeit haben, herauszubekommen, wo im Lande eine Überlieferung entstanden ist.

Der einzig erkennbare Grund dafür ist, daß die Sprüche allein in den kleinen Orten, Dörfern und kleinen Städten entstanden und tradiert wurden, sie also ganz auf das „private" Leben der Leute dort beschränkt waren. Die Sprüche waren eine Form mündlicher Tradition, die ausschließlich für dieses Leben geprägt wurden.

Die gleiche Begründung kann auch erklären, daß der Kult in den Sprüchen so gut wie keine Rolle spielt. Auch das ist einigermaßen erstaunlich, da doch die Menschen, unter denen die Sprüche entstanden und weitergegeben wurden, alle mit dem Kult in Berührung kamen, beim Darbringen von Opfern, bei den großen Festen, den Prozessionen. Aber auch hier ist es so: der Kult hatte seine eigene Sprache und seine eigenen Sprachformen wie vor allem die Psalmen. Bis zum Exil berührten sich die Sprachformen der Sprüche und des Kultes gar nicht, erst im und nach dem Exil gab es da keine festen Grenzen mehr: Weisheitssprüche drangen in die Sammlungen des Psalters ein und es entstand eine fromme Weisheit, Sprüche, die Ausdruck von Frömmigkeit waren. Jedoch, daß es bis zum Exil für die Sprüche diese beiden festen Abgrenzungen gab, bleibt erstaunlich. Man müßte dem näher nachgehen im Vergleich mit Sprüchen anderer Völker.

6. Der König

Das Wirken des Königs

25,2	Gottes Ehre ist es, eine Sache zu verbergen, der Könige Ehre ist es, eine Sache zu ergründen.
3	Wie die Höhe des Himmels und die Tiefe der Erde, so ist auch das Herz der Könige unergründlich.
4–5	Werden die Schlacken vom Silber geschieden, so gelingt dem Goldschmied ein Gerät; wird der Frevler beseitigt durch königlichen Spruch, so gewinnt der Thron Bestand durch Gerechtigkeit.
20,26	Ein weiser König worfelt die Gottlosen und läßt das Rad über sie hingehen.
16,10	Entscheidung ist auf den Lippen des Königs, sein Mund spricht nicht fehl in Gerechtigkeit.
12	Dem König ist Unrecht tun ein Greuel; denn durch Gerechtigkeit wird der Thron befestigt.
28,2	Um der Schuld des Landes willen wechseln seine Herrscher; aber durch einen Mann von Vernunft und Einsicht gewinnt Ordnung Bestand.
29,2	Wenn der Gerechten viel sind, freut sich der König; wenn der Gottlose herrscht, seufzt das Volk (29,26)
14	Ein König, der in Treuen den Armen Recht schafft, dessen Thron hat ewig Bestand.
11,14	Wo nicht weiser Rat ist, da geht das Volk unter; wo aber viele Ratgeber sind, findet sich Hilfe.

Zur Form: Vergleiche sind 25,3; 25,4f.; 20,26; Gegensatzsprüche 25,2, 28,2; 29,2; 11,14.
Zur Charakterisierung: 16,10; 20,26; 29,14.

Alle Sprüche dieser Gruppe sprechen anerkennend vom König, direkt oder indirekt. Es wird dem König zugetraut, eine Sache zu ergründen (wie bei dem weisen Urteil Salomos); hierzu gehört eine besondere Befähigung, die diesem einen Mann, dem König, eignet (25,3); so kann der königliche Spruch (25,4f.) mit dem Gelingen eines Kunstwerkes verglichen werden. Zu seinem richtenden Wirken gehört auch das Beseitigen der Frevler (25,5; 20,26); damit gewinnt der Thron Bestand (25,5; dazu 16,12; 28,2; 29,14). Das Amt des Königs ist ein stetiges Amt; so zeigen die Sprüche ein besonderes Interesse für den Bestand des Königtums. Genau so ist es bei den afrikanischen Sprüchen (s.u.). Der Bestand wird gesichert durch ein gerechtes Wirken des Königs; davon reden ebensoviele Sprüche wie vom Bestand: „so gewinnt der Thron Bestand durch Gerechtigkeit" (25,5). Er fällt gerechtes Urteil (16,10); Unrecht ist ihm ein Greuel 16,12; 25,3; 28,2). Zum Fällen eines gerechten Urteils gehört Weisheit (11,14; 25,3; 28,2).[33]

Des Königs Gunst – des Königs Groll

Die Hoheit des Königs ist in den Möglichkeiten seines Wirkens begründet; er ist mächtig in seiner Gnade und in seinem Zorn.

14,35 Ein kluger Knecht gefällt dem König;
       aber ein schädlicher trifft seinen Zorn.

16,13 Rechte Worte gefallen dem König
       und wer aufrichtig redet, wird geliebt.

14 Des Königs Grimmen bedeutet Todesboten,
       aber ein weiser Mensch wird ihn versöhnen.

15 Das heitere Antlitz des Königs bedeutet Leben
       und sein Wohlgefallen ist wie Spätregen.

19,12 Wie Knurren des Löwen ist des Königs Groll,
       und seine Gunst ist wie Tau auf dem Grase.

20,2 Wie Knurren des Löwen ist des Königs Groll,
       wer ihn reizt, sündigt gegen das eigene Leben.

Zur Form: 16,13 ist eine Charakterisierung, alle anderen sind Gegensatzsprüche. Man kann aber fragen, ob einige Gegensatzsprüche erst nachträglich, um den Parallelismus herzustellen, ergänzt wurden. Das liegt nahe für 19,12 und 20,2 die im ersten Halbvers übereinstimmen. Jedenfalls war 19,12 = 20,2a einmal eine eingliedrige Charakterisierung des Königs ebenso 16,14a (14b ist ein Lob des Weisen). Möglich ist es auch für 16,15.

Alle diese Sätze, ob als einzelne Aussagesätze oder als Gegensätze, charakterisieren den König. Sie sind weder Lob noch Tadel, weder Anerkennung noch Kritik, sie bringen nur das Besondere des Königs zum Ausdruck, den Eindruck, den das Wirken des Königs auf die einfachen Leute machte. Es ist wahrscheinlich eine Gruppe von Sprüchen, die bald nach dem Entstehen des Königtums aufkamen, als die Erfahrung der Königsherrschaft noch etwas Neues war. Sie bezeugen ein Nachdenken; sie können auch eine mahnende oder warnende Anwendung finden. Deutlich spricht aus diesen Worten das eingreifend Neue: daß in die Hand dieses einen Mannes Leben und Tod gegeben war 16,14: „Des Königs Grimm bedeutet Todesboten"; 19,20; 20,2.

Was den König fördert

14,28 Wenn ein König viel Volk hat, das ist seine Herrlichkeit;
       wenn aber wenig Volk da ist, so bringt das einem Fürsten
                              Verderben.

11,14 Wo nicht weiser Rat ist, da geht das Volk unter.
       Ähnliche 14,35 und 16,13

Diese Worte lassen ein Nachdeken nicht über die Person, sondern über
das Herrschen des Königs erkennen: zu ihm gehört einmal die Größe des
Volkes (das gleiche Motiv begegnet in afrikanischen Sprüchen, s.u.), außerdem, daß sein Wirken von gutem Rat bzw. guten Ratgebern in seiner Umgebung begleitet wird (vgl. Gen 37–50). Ein solches Nachdenken darüber, was
die Königsherrschaft fördert, entspricht ganz dem, was wir aus den
Geschichtsbüchern über die Frühzeit des Königstums wissen. Hierzu F. Crü-
semann, Der Widerstand gegen das Königtum 1978; auch er führt hierzu
Parallelen in afrikanischen Sprüchen an.

Kritik am König

28,15 Ein knurrender Löwe, ein junger Bär
       ist ein gottloser Herrscher für ein armes Volk.
16   Je ärmer ein Fürst an Verstand ist,
       desto reicher ist er an Bedrückung
29,12 Wenn ein Herrscher auf Lügen hört,
       so werden alle seine Diener zu Schurken
29,4b ... wer aber viel Steuern erhebt,
       der richtet es (das Land) zugrunde.

Zur Form: Alle Sprüche dienen einer kritischen Charakterisierung des Königs:
28,15 und 16 als charakterisierende Aussagen, 19,12 als ein Folgesatz und 29,4b als
die eine Seite eines Gegensatzspruches.

Alle vier Sprüche sind unmöglich von Weisen am Hof oder für den Unterricht verfaßt. Sie alle sind offene Kritik zwar nicht am Königtum als solchem, wohl aber konkret an einem König, der sein Amt verfehlt und damit
dem Volk schadet. Sie können nur im Volk entstanden sein, geprägt von Einzelnen, die bestimmte Erfahrungen mit einzelnen Königen Ausdruck geben:
ein König, der in frevelhafter Weise sein armes Volk (oder: die Armen in seinem Volk) beraubt; ein König, dem Weisheit fehlt und der nur in seiner
Beschränktheit sein Volk unterdrückt, ein König, der die Geister nicht
unterscheiden kann und auf Lügen hört und damit den ganzen Hof verdirbt,
und ein König, der sein Land durch zu hohe Steuern zugrunderichtet.
In der Kritik dieser vier Sprüche steckt ein hohes Maß an Mut und politi-
scher Weisheit, und zwar von solchen geäußert, die das Königtum als solches
bejahen und Schäden abwehren wollen. Es ist höchst bezeichnend, daß es bei
den afrikanischen Sprüchen auch hierzu deutliche Entsprechungen gibt
(s.u.).

Mahnung an den König

31, 1–9: Worte an Lemuel. Ein Weisheitsgedicht aus später Zeit, das die Kenntnis der ägyptischen Instruktionen voraussetzt, in dem aber doch manches aus den Königssprüchen der frühen Zeit nachklingt. Die Königin von Massa ermahnt ihren Sohn: 2–5 für sein persönliches Verhalten (Trinken und fremde Frauen wie in Prov 1–9) und für sein Königsamt 5–9: das Richten der Armen 5b.9; der Witwen und Waisen 8–9.

Der König und Jahwe

> 21,1 Wasserbächen gleicht das Herz des Königs in der Hand Jahwes,
> er leitet es, wohin er will
> 2 Gottes Ehre ist es, eine Sache zu verbergen;
> die Ehre der Könige, eine Sache zu ergründen

21,1 ist eine Charakterisierung des Königs, die ihn ehrt, aber doch mit einem leisen kritischen Vorbehalt: er weist auf die Grenze der Königsmacht, wie ja in den Prov mehrfach im Wirken Jahwes die Grenze des Menschen gesehen wird. Von Gott und dem König wird in den Proverbien an mehreren Stellen nebeneinander geredet.

25,1 ist eine Würdigung des Wirkens eines Königs; es ist eine Ehre der Könige, „eine Sache zu ergründen". Wird das einem anderen Wirken Jahwes gegenübergestellt, heißt dies, daß es dem Wirken Gottes nicht gleichgestellt, wohl aber mit ihm verglichen werden kann.

Bei der Frage nach dem Ort der Entstehung der Königssprüche schien bisher festzustehen, daß sie am Königshof entstanden sind. So sagt H. J. Hermisson (a.a.O. S. 71): „Bei den Königssprüchen können wir uns kurz fassen, denn als Volksgut kommen sie durchweg nicht in Betracht ..." Dem entgegen weist F. W. Golka, Die Königs- und Hofsprüche und der Ursprung der israelitischen Weisheit, VT 36,1 1966, S. 13–36 nach, daß es Königs-(Häuptlings-)sprüche auch unter afrikanischen Volkssprichwörtern gibt und daß diese sogar manchmal denen in den Proverbien recht ähnlich sind. Bei diesen Königssprüchen der afrikanischen Völker (einige sind auch bei R. Finnegan aufgeführt) hat noch niemand geäußert, sie wären etwas anderes als Volkssprichwörter. Auch bei ihm begegnen die Motive Gerechtigkeit des Königs, Stärke des Königs durch Menge des Volkes, besondere Begabung des Königs, aber auch kräftige Kritik am König und Hinweis auf die Grenzen seiner Macht; das sind alles Motive, die auch in den Königssprüchen der Proverbien begegnen.

Ich führe nur wenige Beispiele an (genaue Quellen bei F. Golka; die Zahlen geben die Seitenzahlen an.

> 23 If the headmen are wise, the people are also wise
> 23 When the chief's breast has plenty of milk,
> it is for all the world to drink (der König als Segensmittler)
> 24 The chief has no relatives (er behandelt alle gleich)
> 24 The king is the lake (er ist für alle da)

Der König ist auf seine Untertanen angewiesen

15   The centiped's legs are strengthened by a hundred rings
15   If Otsibo says he can do something, he does-it with his followers

Gott ist auf der Seite des Königs

23   God is generally on the side of the chief

Kritik am König, Begrenzung der Königsmacht

15   A canoe ist not partial to a prince, whoever it upsets, gets wet
16   Better to be hated by the prince than hated by the people
16   Authority (power) is the tail of the water-rat (kann leicht abgehen)
16   Dew soon does dry up, so will chieftaincy
17   When the chief limps all his subjects limp also

Wenn die Motive bei den afrikanischen Sprichwörtern so ähnlich sind wie die Königssprüche in den Proverbien, wenn andererseits etwas Entsprechendes in den vorderorientalischen Weisheitsschriften in der Form von Sprichworten sich nicht findet, kann man nicht bestreiten, daß sie Volksgut sind. Es würde aber schon ausreichen, daß die scharfen königskritischen Äußerungen in den Sprüchen nicht am Hof und in der Hofschule entstanden sein können.

Ein anderer Aspekt kommt noch hinzu. In den Königssprüchen der Proverbien fehlt jeder Hinweis auf Glanz und Macht, die von einem Königshof entfaltet werden, auf Repräsentation, auf Kostbares. Vergleicht man die Sprache dieser Sprüche mit der des 45. Psalms, so drängt sich dieser Gegensatz geradezu auf. Ps 45 kann nur am Königshof oder in dessen Umgebung entstanden sein; die Königssprüche in den Proverbien enthalten keine Spur der Sprache des Hofes.[34]

Ein weiterer Gesichtspunkt, der einem erst bei dem Zusammensehen der Königssprüche in den Proverbien mit den afrikanischen aufgeht: In den Königssprüchen hier und da läßt sich eine mäßigende Kraft erkennen, eine Weisheit, die jede zu weit gehende Macht und Verherrlichung des Königs abwehrt. Heute würde man sagen, sie ließen eine ausgesprochen demokratische Einstellung erkennen: unkontrollierte Macht des Königs ist immer gefährlich. Eine übermäßige Verehrung des Herrschers kann hier gar nicht aufkommen. Die Sprüche dienen einer kritischen Wachsamkeit dagegen.[35]

7. Der Bote

25,13   Wie kühlender Schnee am Erntetag
        ist ein zuverlässiger Bote dem, der ihn sendet.
25,25   Kühlender Trunk für lechzende Kehle
        ist gute Kunde aus fernem Land.

26,4   Die Füße haut sich ab, Unbill muß schmecken,
        wer Botschaft sendet durch einen Toren.

In 25,15 und 25 wird ein zuverlässiger Bote durch den Vergleich gelobt; das Gegenteil: Tadel eines Boten, ist mehr ein Spruch über den Toren (s.S. 67) 26,6. Die ersten beiden Sprüche setzen eine Verbindung zwischen Bewohnern Judäas und Menschen in fernen Ländern voraus. Ob es sich um familiäre oder um Handelsverbindungen handelt, können wir nicht sagen, nur daß eine Verbindung mit Personen in fernen Ländern vorhanden und wichtig war für die, unter denen diese Sprüche entstanden.

Zur Form: Alle drei Texte haben die Form eines reinen Vergleichsspruches. Alle drei Texte stehen in der Sammlung 25–31. Die Worte vom Boten sind eine Untergruppe des fördernden Redens (= Botschaft).[36]

8. Zusammenfassung

In einer Gruppe von Sprüchen werden in Vergleichen oder Aussagesätzen Beobachtungen und Entdeckungen am Menschen wiedergegeben wie das rätselhafte Phänomen des Atems oder der Einzigkeit des einzelnen Menschen, so wie auch kein Menschengesicht dem anderen ganz gleich ist. Es ist ein Entdecken durch Analogie, die sich vom Bekannten zum Unbekannten vorwärtstastet: Weil dies je einzelne Beobachtungen und Entdeckungen waren, die je ihre besondere Stunde hatten, erhalten sie die Sprachform des Spruches, in dem sie für sich allein stehen, für sich allein bewahrt und weitergegeben wurden, der oft wegen eines Vergleichs leicht zu behalten war. Sie wurden nicht mit anderen zusammen zu einem größeren sprachlichen Zusammenhang gebracht, weil die besondere Form des Einzelspruches den besonderen Ursprung der je einzelnen Beobachtung und Entdeckung bewahrte und damit auch das wahrnehmende Staunen, das einst die Entdeckung begleitete. In ihm kam die Begabung des Geschöpfes zum Ausdruck, die es als Geschöpf von seinem Schöpfer erhalten hatte, sich selbst als Mensch zu verstehen und sich in seiner Welt zurechtzufinden. Es ist dasselbe Bewußtsein des Geschöpfes, das sich als Geschöpf entdeckt wie im 139. Psalm. Es bedarf nicht der Belehrung über sein Menschsein und über die Welt, in die es hineingeboren ist, es will und kann selber beobachten, selber entdecken, selbst nachdenken und verstehen. Das bringen diese Sprüche zum Ausdruck, das wollen sie weitergeben. So ist der Mensch![37]
Dieser Grundzug des Beobachtens und Entdeckens begleitet durchgehend die weiteren Bereiche und Gegenstände der Sprüche; es kommen auch erweiternde Züge hinzu, die sich aus ihm ergeben: daß dieses Erkennen im Beobachten und Entdecken unter Umständen ein kritisches sein muß, daß es kompliziert wird, so wie sich das in paradoxen Sprüchen ausspricht und daß es seine Grenzen erkennen muß.

In Gegenüberstellungen wie Freude und Leid, Hunger und Sattsein, dem guten und dem schädlichen Wort, bei dem Menschen in seinem Stand in Arbeit und Habe, der Faule und der Fleißige, der Arme und der Reiche kommt zum Ausdruck, daß der Mensch immer in einem Kraftfeld zwischen zwei Polen lebt; er läßt sich nicht festlegen auf eine gleichbleibende Seinsweise, das ist begründet in seinem Geschaffensein zwischen Geburt und Tod. Die Polarität zwischen Freude und Leid z.B. entspricht der in den Psalmen zwischen Klage und Lob. Es ist das gleiche Menschenverständnis. Zu ihm gehört auch ein Verständnis des Redens (auch dieses polar als gutes und böses), in dem etwas geschieht zwischen Redendem und Angeredeten: es ist mündliches Wort (wie die Sprüche ursprünglich mündliches Wort sind), zu dem eine Situation gehört; der Wert eines Wortes wird bemessen nach dem, was es im gemeinsamen Leben ausrichtet. Wie die Vergleiche zeigen, geht es dabei auch um die Freude am Schönen.

Was den Stand, die Arbeit und Habe betrifft, spielen bei der Arbeit der Bauern und Handwerker die polaren Gegenüberstellungen auch eine wichtige Rolle. Dabei zeigt sich besonders drastisch der Charakter von Volkssprichwörtern in dem Humor, der sich etwa beim Spott über den Faulen zeigt, aber auch das ernstere und manchmal tiefsinnige Nachdenken über den Gegensatz von arm und reich. Dabei begegnen manche Sprüche, die unmittelbar die Beobachtungen spiegeln, aus denen sie erwachsen sind. Wo es einfach um die Realität des Gegensatzes von arm und reich geht, haben die Sprüche oft die Form von Vergleichen; sie fehlen, wo es um den sozialen Aspekt dieses Gegensatzes und um die Grenzen des Reichtums geht und um das Verhalten der Reichen zu den Armen.

Auch wo der Mensch in der Gemeinschaft gesehen wird, trifft man auf die Gegenüberstellung von jung und alt, von Mann und Frau, Eltern und Kindern. Dabei sind jeweils nur wenige Sprüche genannt, eine Ausnahme die über die zänkische Frau. Besonders auffällig ist in dieser Gruppe der Gegensatz einer großen Zahl von Sprüchen zur Erziehung und zur Weisheit, die den Sprüchen zur Erziehung in 22–24 nahe stehen und ganz wenigen Sprüchen zur Erziehung, die den Beobachtungen zum Menschen entsprechen. Hier zeichnet sich ein zeitlicher Abstand ab (17,16; 20,11; 22,6). Ebenso auch ein Spruch über den Bruder, der verraten wurde (18,19). Der tüchtigen Frau (12,4) wird die sittenlose Frau entgegengestellt. Es ist auffällig, daß bei den Sprüchen zu Mann und Frau der ganze große Komplex der Sexualität so gut wie ganz fehlt.

Über den Menschen im öffentlichen Leben haben die Sprüche nur wenig zu sagen: Scharf wird der Betrug beim Handel (zweierlei Maß oder Gewicht) abgewiesen. Eine Reihe verschiedener Sprüche handeln vom Boten, der damals eine hohe Bedeutung hatte.

Der große Bereich der Politik kommt in den Sprüchen nicht vor, auch nicht der Krieg, auch nicht der Kult. Dagegen spricht eine besondere Gruppe von Sprüchen vom König.

II. Der menschliche Charakter

1. Die Form

Ein besonders wichtiger Gegenstand der Sprüche ist der menschliche Charakter (78 Texte), bezogen auf das Miteinanderleben der Menschen. Von ihm kann in Aussagesprüchen, in Gegensatzsprüchen und in Vergleichen geredet werden. Die ursprüngliche Form des Charakterisierens ist ein einfacher Aussagesatz, eine soziale Funktion in der grammatischen Form eines Aussagesatzes. Die Charakterisierung ist als solche nicht leicht zu erkennen, weil sie ursprünglich eingliedrig ist, in den Spruchsammlungen aber nur in der Form des Parallelismus begegnet. Sie kann die Erweiterung zum Parallelismus in Gegensatzsprüchen und in Vergleichen erhalten, aber auch darin, daß der eine Satz der Charakterisierung zum Parallelismus erweitert wird.

Die ursprüngliche Eingliedrigkeit der Charakterisierung läßt sich z.B. in 16,27–30 erkennen, Gegensatzsprüche zum Thema Frevler – Gerechte in vier Elementen. In 16,27–30 sind vier Texte zum Tun des Frevlers zu einer Reihe zusammengestellt, der Redaktor muß sie als zusammengehörig gesehen haben. In diesen Versen beschreibt je ein Vers ein Tun des Frevlers. Dieser eine Satz wird jeweils dadurch dem Parallelismus angepaßt, daß dem einen ein zweites frevelhaftes Tun zugefügt wird.

16,27 Ein Bösewicht gräbt Gruben des Unheils –
und auf seinen Lippen ist's wie brennendes Feuer.

28 Ein ränkesüchtiger Mann stiftet Hader –
und ein Verleumder vertreibt den Freund.

29 Der Gewalttätige beschwatzt seinen Nächsten –
und führt ihn auf einen Weg, der nicht gut ist.

30 Wer die Augen zukneift, sinnt auf Ränke –
wer die Lippen verzieht, ... Böses vollbracht.

Hier ist deutlich zu erkennen, daß die Charakterisierung ursprünglich eingliedrig war und das zweite Glied den Parallelismus herstellte.

Dasselbe zeigt sich bei den Gegensatzsprüchen zum Thema der Tor – der Weise, bei denen ein Spruch nur den Toren charakterisiert und dann sekundär erweitert ist (s.S. 64). Die Ergänzung ist hier anderer Art; dem Tun des Toren wird ein Lob des Weisen entgegengesetzt:

28,26 Wer sich auf seinen Verstand verläßt, ist ein Tor –
aber wer in Weisheit wandelt, wird gerettet

10,33 Schädliches Tun ist dem Toren ein Vergnügen –
doch Weises für den Mann von Einsicht.

Was hier offenkundig ist, findet sich sehr häufig; oft sind in Gegensatz-sprüchen die beiden Vershälften nachträglich aneinander gefügt, oft stehen beide Sätze ganz für sich, haben keinen lebendigen Zusammenhang miteinander oder sie passen gar nicht zueinander. Auch wenn das nicht in jedem Fall mit Sicherheit feststellbar ist; sicher ist, daß die Vershälften in vielen Fällen nachträglich aneinander gefügt worden sind.

Auch den Charakterisierungen liegen Beobachtung und Erfahrung zugrunde. Es wäre eine besondere Aufgabe, dem nachzugehen, auf welche Weise in den verschiedenen Arten von Charakterisierung das hier ausgesprochene Urteil durch Beobachtung und Erfahrung zustandekam, welche Faktoren dabei mitwirkten und welche Absichten mit dieser Auswahl der Charakterisierung verbunden waren.

Feste Wendungen bei der Charakterisierung

Daß es sich bei solcher Charakterisierung um eine eigene Form handelt, die, bevor sie in die Kunstform des Parallelimus gebracht wurde, selbständig war, zeigen einige feste Wendungen die für sie typisch sind:

Die partizipiale Formulierung „wer ... der"

24,8   Wer darauf sinnt, Böses zu tun, den nennt man einen Ränkeschmied.
17,5   Wer den Armen verspottet, der schmäht dessen Schöpfer
10,10   Wer mit den Augen hämisch zwinkert, verursacht Leid
16,30   Wer die Augen zukneift, sinnt auf Ränke ...
10,11   Wer als Schwätzer einhergeht, plaudert Geheimnisse aus ...
16,22   Wer Verstand hat, dem ist es eine Quelle des Lebens.
        Auch 11,26

Zur Charakterisierung wird ein Kasus angegeben

19,26   Wer den Vater mißhandelt und die Mutter verstößt,
        ist ein schändlicher, verworfener Sohn
28,24   Wer Vater oder Mutter beraubt und ...
        der ist ein Geselle des Bösewichtes
27,14   Wer Glück wünscht am frühen Morgen,
        dem wird es als Verwünschen angerechnet
17,18   Ein Mann ohne Verstand ist ... wer Bürgschaft leistet
18,4   Nach einem Vorwand sucht, wer sich absondert ...

Die Charakterisierung kommt einer Definition nahe:

21,24   Spötter wird genannt, wer übermütig ... ist,
        wer in ... Übermut handelt

Siehst du einen, der ...

22,29   Siehst du einen Mann, geschickt in seinem Beruf,
        in Königsdienst darf er treten ...

26,12   Siehst du einen Mann, der sich selbst weise dünkt,
        ein Tor ...
29,30   Siehst du einen Mann, der hastig ist in seinen Reden,
        ein Tor ...

Ein (schlechter Mensch) tut ... (s.o. 16,27,28,29,30 S. 55)

17,4   Der Böse achtet auf heillose Lippe
        und Falschheit horcht auf verderbliche Zunge.
19,28   Ein nichtswürdiger Zeuge spottet des Rechts
        und der Mund der Gottlosen läßt Unrecht sprudeln,
21,7   Die Frevler reißt ihre Gewalttätigkeit fort,
        denn sie wollen nicht tun, was recht ist.
10   Die Gier des Gottlosen trachtet nach Bösem,
        und sein Nächster findet ... kein Erbarmen.
26,24   Mit seinen Lippen verstellt sich der Hassende,
        aber in seinem Herzen hegt er Trug.
28,5   Böse Menschen verstehen nicht, was recht ist,
        aber die Jahwe suchen, verstehen alles.
29,22   Der Zornwütige erregt Streit
        und der Hitzige begeht viel Sünde.

Als Begründung einer Mahnung oder Warnung

24,1   Sei nicht neidisch auf böse Menschen ...
        denn ihr Herz sinnt auf Gewalt und Unheil reden ihre Lippen.
23,26   Gib mir Gehör, mein Sohn, ...
        denn eine tiefe Grube ist die Buhlerin ...
26,24   Mit seinen Lippen verstellt sich der Hassende
        ... aber ... Wenn er ... traue ihm nicht!
28,17   Ein Mann, der von Blutschuld gedrückt ist, flieht zur Grube;
        man helfe ihm nicht auf!

Daß die Charakterisierung auch von den Tradenten der Proverbien als eine eigene, ursprünglich selbständige Form angesehen wurde, zeigt das kleine Gedicht, das solche Charakterisierung aufreiht:

30,11-14   (Da ist) ein Geschlecht, das dem Vater flucht und die Mutter nicht
           segnet,
           ein Geschlecht, das sich selber rein dünkt und doch nicht sauber
           ist von seinem Unrat,
           ein Geschlecht, weiß wunder wie hochmütig und hochgezogen die
           Wimpern,
           ein Geschlecht, dessen Zähne Schwerter und dessen Gebisse Messer, die Elenden von der Erde wegzufressen, hinweg aus der
           Menschheit die Armen.

Vielleicht ist ein Fragment aus einem ähnlichen Gedicht 21,4:

        „Hochmütig die Augen und aufgeblasen der Sinn (die Leuchte der
        Frevler ist Sünde)."

Auch hier hat der Sammler Zusammengehöriges zusammengestellt; alles sind typische ursprünglich eingliedrige Charakterisierungen.

Ein wichtiger Gesichtspunkt für das Erkennen der Funktion der Charakterisierungen ergibt sich daraus, daß die negativen die positiven weit überwiegen. Den Sprechern (und Hörern) dieser Sprüche war die Aufgabe der negativen Charakterisierungen wichtiger als die der positiven. Die soziale Funktion der Charakterisierungen kann dann näher erklärt werden: es ist eine regulative Aufgabe, die in ihnen wahrgenommen wird: Negativ wird in ihnen ein das Heilsein der Gemeinschaft bedrohendes Sich-Verhalten, Reden und Handeln einzelner charakterisiert, um dieses öffentlich anzuprangern durch die negative Bewertung, die durch die Sprüche öffentlich gemacht wird in ihrer mündlichen Entstehung und der mündlichen Weitergabe auf den Straßen und Plätzen des Ortes.

Exkurs: Das Verhältnis der Sprüche zu den Gesetzen des AT:

In dieser Öffentlichkeit und öffentlichen Wirkung liegt der Vorteil der Sprüche gegenüber den Gesetzen. Sie leben im Volk, werden gesprochen (immer wieder) und gehört, sie werden angewandt, wo sie etwas ausrichten können. Die Gesetze haben diese Wirkungsmöglichkeit nicht (wohl aber die Gebote!).[38] Sie sind, schriftlich niedergelegt, nur in kleinen Kreisen bekannt, wie das auch ihre Fachsprache zeigt. Die regulative Funktion der Charakterisierungssprüche hatte eine sehr viel größere Wirkungsmöglichkeit; diese Sprüche treten an jeden heran und immer wieder. – Wenn Paulus es so darstellt, als habe das alte Israel vor dem Exil unter dem Joch des Gesetzes geseufzt, von dem es befreit werden mußte, so trifft das historisch keineswegs zu, weil die meisten einfachen Leute kaum mit ihm in Berührung kamen. Für sie waren es die das Verhalten regelnden Sprüche, die sie kannten und die ihnen sagten, was galt, und aus denen sie Richtlinien für ihr Verhalten erhielten.[39]

2. Typen des die Gemeinschaft Schädigenden

In Kap. 26 sind in 1–28 kleine Sammlungen zu erkennen, die von dem Sammler nach Stichworten zusammengestellt wurden: 1–12: Der Tor; 13–16: Der Faule; 17–22: Der Streitsüchtige; 23–28: Der Falsche. Der Sammler hat die meist ungeordneten Einzelsprüche an einer Stelle nach inhaltlichen Gesichtspunkten zu ordnen begonnen; beim Übergang von der mündlichen zur schriftlichen Tradition (der Sammlung) sollten sie offenbar das Lesen erleichtern. Wie der Falsche, der Streitsüchtige, der Tor usw. charakterisiert werden soll, wird darin zusammengefaßt. Dabei werden verschiedene Formen verwandt: in 26,17–22 z.B. sind alle Sprüche Vergleiche; in 23–28 werden Aussagesprüche durch einen Vergleich eingeleitet; 1–12 sind meist Vergleiche (4–5 Mahnung); 13–16 ein Vergleich, sonst Aussagen.

Der Falsche: 26,23; 24f.; 26f.; 28; dazu 22,5; 17,4; 16,27 (sieben Sprüche) 26,23 ist ein komplexer Vergleich: ein Kontrast in einem anderen Bereich wird neben den Kontrast gestellt, der in einem falschen Menschen begegnet:

26,23   Wie eine Scherbe mit Silberschaum überzogen
         so sind glatte Lippen und ein böses Herz.

Das scheinbar Echte erweist sich als Unechtes, der Falsche ist kein heiler Mensch. Stillschweigend wird durch den Vergleich auf die Gefahr aufmerksam gemacht, die von ihm ausgehen kann.

26,24f. Mit seinen Lippen verstellt sich der Hassende;
aber in seinem Innern hegt er Trug;
wenn er freundlich redet, traue ihm nicht,
denn 7 Greuel sind in seinem Herzen.

26f. Mag sich der Haß in Täuschung hüllen,
seine Bosheit wird vor Gericht offenbar.
Wer eine Grube gräbt, fällt darein,
und wer einen Stein wälzt, auf den fällt er zurück.

28 Eine lügnerische Zunge haßt, die von ihr zermalmt sind,
und ein schmeichlerischer Mund bedeutet Verderben.[40]

22,5 Angeln und Schlingen sind auf dem Weg des Falschen;
wer sein Leben erhalten will, bleibt ihnen fern.

17,4 Der Bösewicht achtet auf heillose Lippen;
und Falschheit horcht auf verderbliche Zunge.

16,27 Ein ruchloser Mann gräbt Gruben des Unheils;
seine Lippen versengen wie Feuer.

26,24f. sagt dasselbe wie 23 ohne Vergleich, die Warnung wird hier am Ende des Spruches ausgesprochen. Dasselbe sagt auch 26f., nur daß hier an der Stelle einer Warnung auf die Folge der Falschheit hingewiesen wird: vor Gericht wird sie offenbar. V.27 kann auch ein selbständiger Spruch sein, zusammengesetzt aus zwei Vergleichen, die dem Falschen die Strafe seines Tuns ankündigen. Auch 22,5 ist eine Warnung vor dem Falschen. – 17,4 bringt einen anderen Gesichtspunkt dazu, der einer Beobachtung am Menschen nahesteht: der Falsche ist darauf aus, sich mit seinesgleichen zusammenzutun. Eine warnende Absicht hat auch dieser Spruch.

Diese erste Gruppe von Sprüchen, die die Funktion des Charakterisierens haben, läßt deutlich erkennen: Es ist eine andere als die des staunenden Wahrnehmens, der Beobachtungen am Menschen, es ist aber auch keineswegs die Absicht dieser Sprüche, etwas Kluges oder Geistreiches zu sagen; sie haben vielmehr alle die ganz klar erkennbare Absicht, vor dem Falschen, vor seinem Reden und Handeln zu warnen. Sie machen auf eine Gefährdung aufmerksam, die dem Gemeinwesen von einem „Falschen" drohen kann. Es ist ein ausgesprochen soziales Interesse, das hier spricht; ein Verantwortungsbewußtsein kommt zu Wort, das um das Wohl des Gemeinwesens besorgt ist. Zugleich sagen sie etwas über den jeweils in diesen Sprüchen Redenden. Will man ihn als einen Weisen bezeichnen, so ist das zutreffend, sofern seine Weisheit funktional ist: sie erwächst aus dem Verantwortungsbewußtsein für das Gemeinwesen und will ihm dienen, in ihm etwas ausrichten.[41]

Streitsucht

16,17   Einen streifenden Hund packt bei den Ohren,
        wer sich in einen Streit mischt, der ihn nichts angeht.
        Amenemope: Fange keinen Streit an mit dem Heissmäuligen.

18f.   Wie einer, der sich wahnsinnig stellt und Brandpfeile ...
        schleudert ...

20   Wenn das Holz ausgeht, verlischt das Feuer,
        wo kein Verleumder, da ruht der Streit.

21   Kohlen schüren die Glut und Holz das Feuer,
        so schürt ein zänkischer Mensch den Streit.

22   Die Worte des Verleumders gehen wie Leckerbissen ein,
        sie gleiten hinab ins Innere des Leibes.

28   Ein hinterlistiger Mann stiftet Streit;
        und ein Ohrenbläser entzweit Freunde.

17,19   Wer Zank liebt, der liebt Frevel ...

Auch hierzu ist in 26,17–22 eine Gruppe von Sprüchen zusammengestellt, es sind alles Vergleiche. Streit, der den Frieden stört, ist schon vom Sammler als ein wichtiger Gegenstand der Sprüche angesehen worden. In der kleinen Sammlung 26,17–22 geht es dabei um einen besonderen Aspekt: den leichtsinnig von einem „Friedensstörer" entfachten Streit; denn alle handeln sie von dem Streitsüchtigen. Natürlich ist dabei vorausgesetzt, daß in jeder Gemeinschaft Streit aufkommen kann und unter Umständen nötig ist. Vor dem Streit an sich wird nicht gewarnt, sondern nur vor denen, die leichtfertig einen Streit „anfachen" oder „schüren" (so V. 20 und 21). Der erste Spruch 26,17 schildert das in einem sprechenden Vergleich, wobei noch betont wird, daß der sich Einmischende mit dem Streit nichts zu tun hat. Auch die beiden Vergleiche 20 und 21 gehen davon aus, daß ein schädigender Streit nicht zu sein braucht, wären nicht die, die ihn „anschüren". Wenn in vielen Sprachen bis heute vom Schüren oder Entfachen eines Streites gesprochen wird, so sind die Wurzeln dieser Metapher in Sprichwörtern zu suchen. Sie ist auch darin treffend, daß der Streit leicht außer Kontrolle gerät und dann eine elementare Kraft entwickelt. – In 26,22 spricht Humor mit. Der Spruch will darauf aufmerksam machen, daß eine Verleumdung leicht eingeht; aber was kann damit angerichtet werden! Ähnlich auch 18,6 (bei den Sprüchen über den Toren).[42]

Der Hehler: 29,24: Wer mit Dieben teilt, der haßt sich selbst ...

Hochmut, Vermessenheit: (sechs) 16,18; 18,12; 11,2; 13,10; 21,4; 17,19.

16,18   Hochmut kommt vor dem Verderben und hoffärtiger Sinn vor
        dem Fall [43] Vgl. afrikan.: Gehe nicht zu aufrecht, damit du
        nicht strauchelst! (S. 158)

21,4   Hochmütig die Augen und aufgeblasen der Sinn,
      die Leuchte der Gottlosen ist Sünde.

18,12 Manch einer überhebt sich vor dem Sturz,
      doch der Ehre geht Demut voran.

17,19 s.u.

Bei den Sprüchen über den Hochmütigen wird entweder auf dessen Sturz gewiesen oder ihm wird die Demut gegenübergestellt. Das entspricht der Einstellung des Hochmutes, die sich nicht so schnell oder nicht so offenkundig auf das Zusammenleben auswirkt. Daß aber häufig auf die Gefahr des Hochmutes hingewiesen wird, ist in dessen Nähe zu einem fragwürdigen Gottesverhältnis begründet; er verträgt sich nur schlecht damit, daß Jahwe die Ehre gegeben wird. Deswegen wird in den Worten Jesu genau so über den Hochmut geurteilt.

    17,19 Wer seine Tür zu hoch macht, will den Einsturz

Hinterlist: 26,21; 28,10; 16,30

26,21 Wer eine Grube gräbt, fällt darein;
      wer einen Stein wälzt, auf den rollt er zurück.

28,10 Wer Redliche auf bösen Weg verführt,
      fällt selbst in eine Grube ...

16,30 Wer mit den Augen zwinkert ... um Ränke zu ersinnen ...

Die Hinterlist steht der Falschheit nahe; hier wie dort der häufige Vergleich mit der Grube, in die hineinfällt, der sie grub. Dieser Satz ist keineswegs als die notwendige Tatfolge gemeint; vielmehr ist sie das Unverhoffte, das den Hinterlistigen Überraschende, das er gerade nicht als Folge erwartet hatte.

Gewalttat

21,7   Die Frevler reißt ihre Gewalttat fort;
      sie wollen nicht tun, was recht ist.

16,29 Ein Mann der Gewalttat verführt seinen Nächsten,
      er bringt ihn ...

Härte gegen den Geringen

21,10 Die Gier des Gottlosen trachtet nach Bösem
      und sein Nächster ... kein Erbarmen.

21,13 Wer sein Ohr verschließt vor dem Schreien der Armen,
      der wird nicht erhört ...

Es ist für die Sprüche bezeichnend, daß sie von vielen verschiedenen Gesichtspunkten her immer wieder auf das Verhalten gegenüber den Geringen kommen. Verweigert man ihm die Hilfe, so ist das an allen Stellen, an denen die Sprüche davon reden, für den ganzen Menschen bezeichnend. Es ist nicht nur eine Unterlassung, die man so und so beurteilen kann; es ist eine Einstellung des ganzen Menschen, die hierdurch charakterisiert wird. Auch hierin stimmen die Proverbien mit den Worten Jesu überein.

Die Menschentypen, die so charakterisiert wurden, weisen noch viele andere Züge auf: Sie tun Böses, bestrafen Unschuldige, mißhandeln die Eltern, bringen gehässiges Geschwätz auf, verleumden andere. Sie spotten und verwunden mit Worten, führen irre, belästigen und betrügen, leisten falsches Zeugnis, bestechen, sind ausschweifend.

Es ist zu beachten, daß Kapitalverbrechen, Mord, Diebstahl, Raub, Einbruch u.a. nicht vorkommen; für sie sind die Gemeinschaft als ganze und die Gerichte zuständig. Es geht in diesem Charakterisieren um Verfehlungen, die nicht vor Gericht kommen oder nicht bekannt werden, die aber dennoch für das Zusammenleben große Bedeutung haben. Z.B. Rauben als solches wird nicht genannt, wohl aber das Berauben der Eltern, das ungesühnt bleibt, wenn die Eltern es nicht anzeigen.

Es ist die Funktion all dieser Sprüche, regulierend, warnend und bewahrend zu wirken. Aber so können sie nur wirken in Situationen, in denen sie zitiert, in denen sie in Erinnerung gerufen werden.

3. Charakterisieren des Verhaltens

In einer Gruppe von Sprüchen wird nicht ein Menschentyp, sondern ein jeweiliges Verhalten charakterisiert, und zwar durchweg durch Vergleiche.

25,14 Wolken und Wind und doch kein Regen,
        so ist der Mann, der mit Gaben prahlt, und doch nicht gibt.

10 Ein böser Zahn und ein wankender Fuß,
        so ist der Treulose am Tage der Not.

23 Der Nordwind bringt Regen,
        heimliches Geschwätz verdrießliche Gesichter.

29,5 Wer seinem Nächsten schmeichelt,
        der breitet ihm ein Netz vor die Füße.

25,26 Wie ein getrübter Quell, ein verdorbener Brunnen,
        so der Fromme, der vor dem Gottlosen wankt.[44]

28,3 Ein gottloser Mensch, der die Geringen bedrückt,
        ist wie ein Regen, der wegschwemmt, aber kein Brot bringt.

17,15 Hammer und Schwert und scharfer Pfeil,
        so ist der Mann, der den Nächsten falsch anklagt.

22,14 Eine tiefe Grube ist der Buhlerinnen Mund,
        wem Jahwe zürnt, der fällt hinein.

Diese sieben Vergleichssprüche (alle aus 25–29) charakterisieren und beurteilen durch einen Vergleich das Verhalten eines Menschen im Zusammenleben. Es ist in vielen Fällen ein der Gemeinschaft nicht dienliches oder sie gefährdendes Verhalten. Alle diese Sprüche haben also eine kritische Intention. Dem so Charakterisierten wird durch den Vergleich etwas gesagt, was ihm zu denken geben soll, damit er selber beurteile, ob sein Verhalten dem Zusammenleben dienlich ist. Durch die Form des Vergleiches gibt er dem Betroffenen die eigene Entscheidung frei. Eine Mahnung oder Warnung ist in ihnen impliziert, an die gerichtet, die durch solches Verhalten gefährdet werden könnten. Wie durchdacht alle diese Vergleiche sind, sieht man einmal daran, daß mehrere von ihnen der Charakterisierung genau angepaßt sind: 25,14: „Wolken und Wind und doch kein Regen…" oder 28,3: „wie ein Regen, der wegschwemmt, aber kein Brot bringt"; 25,26: „eine getrübte Quelle", aber auch daran, daß die Vergleiche in der Schärfe und Schwere der Kritik abgestuft sind, etwa bei 27,15 im Unterschied zu 25,18.

Der Angeber, der mit Gaben nur prahlt (25,14), wird getadelt, weil er seine Mitbürger enttäuscht und dadurch Mißtrauen bewirkt; der aufdringliche Nachbar (25,16f.) wird darauf aufmerksam gemacht, was seine Aufdringlichkeit bewirken kann. Dem „Treulosen am Tage der Not" (25,19) wird durch den Vergleich nahegelegt, die Folgen seiner Treulosigkeit zu bedenken. Der heimliche Schwätzer (25,23) wird so sicher, wie der Nordwind Regen bringt, Verstimmung anrichten. Der Schmeichler tut des Guten zuviel (25,27) und bewirkt damit das Gegenteil; er kann aber auch (29,5) durch seine Schmeichelei schweren Schaden anrichten. Der Fromme, der vor dem Gottlosen wankt (25,26), enttäuscht seine Freunde, weil sie das Gegenteil von ihm erwartet haben. Folgen werden nicht ausbleiben. Der falsche Ankläger (25,18) kann das Leben seiner Mitmenschen bedrohen; er wird durch den scharfen Vergleich auf dieses Risiko aufmerksam gemacht.

Bei all diesen Vergleichssprüchen ist ein konkreter Vorgang im Leben der Gemeinschaft angesprochen, auf den das Sich-Verhalten bezogen, aus dem es auch erwachsen ist. Diese Vorgänge kamen wirklich vor und wiederholten sich. Man könnte sie mit einiger Phantasie, aber wenig Mühe zu einer Erzählung zusammensetzen. Im Danebenstellen von Vorgängen aus der die Menschen umgebenden Wirklichkeit entsprechen sie einem common sense (Gemeinsinn), der das Annehmen des in den Vergleichen Intendierten erleichterte. Die Vergleichssprüche boten die Möglichkeit, helfend und weisend einzuwirken, ohne daß sich der Angeredete durch sie bevormundet fühlen mußte. Er dachte ja genau so wie der in den Vergleichen Angeredete, und der Humor, der hier und da mitsprach, bestätigt das.

4. Charakterisieren des Toren im Vergleich

Im 26. Kap. handelt eine Gruppe von Sprüchen vom Toren, V. 1–12 (Übersetzung nach Ringgren).

26,1   Wie Schnee im Sommer und wie Regen in der Erntezeit,
        so unpassend ist Ehre für den Toren.

3   Die Peitsche dem Pferd, der Zaum dem Esel
        und die Rute dem Rücken des Toren.

6   Die Füße verstümmelt sich, Unbill muß schlucken,
        wer Geschäfte bestellt durch einen Toren.

7   Wie das Hüpfen der Beine beim Krüppel,
        so der weise Spruch im Mund des Toren.[45]
        V. 8 im Text unsicher.

9   Wie ein Dornzweig in der Hand eines Trunkenen
        so ein weiser Spruch im Munde des Toren
        V. 10 im Text unsicher.

11   Wie ein Hund, der zu seinem Gespei zurückkehrt
        so der Tor, der seine Narrheit wiederholt.[46]

12   Siehst du einen Mann, der sich weise dünkt,
        ein Tor hat mehr Hoffnung als er.

Dies sind so geistvolle, so von Witz sprühende Sprüche, daß man es ihnen anspürt: sie bringen das wirkliche Gegenüber wirklicher Menschen in ihrem Zusammenleben zum Ausdruck. Sie lassen erkennen, wie im Kreis dieser Menschen Erfahrungen mit den Toren ausgetauscht wurden, wie Spott und Ärger sich in ihm Luft machen, wie aber auch der Witz bei diesem Austausch seinen Platz erhält und der Unterhaltung dient (26,7.9.11).

Ehre und Weisheit passen zum Toren nicht: 26,1.7.9

Das Reden und das Handeln des Toren fällt ab gegenüber dem, was man von einem ordentlichen Mitbürger erwartet; er tut und redet, „was sich nicht gehört". Und weil es für das Zusammenleben lebenswichtig ist, daß die Einzelnen sich an das halten, was sich gehört, ist ein solches Abgrenzen von dem Toren notwendig. Es geht dabei um die Kultur des Lebens in einer Gemeinschaft. Besonders aufschlußreich ist 26,9. Vor einem Dornzweug muß man sich in acht nehmen; erst recht gefährlich wird er „in der Hand eines Trunkenen"; ebenso gefährlich aber ist „ein weiser Spruch im Mund des Toren", d.h. eines, der nur vorgibt, weise zu sein. Gefährlich daran ist, daß man sich dadurch täuschen lassen kann. Dieser Spruch steht denen nahe, die vom richtigen Wort zur richtigen Zeit reden. (Nebenbei beweisen 26,7 und 9, daß die Sprüche ihren Ort in der mündlichen Anwendung haben.)

Die Torheit läßt sich nicht austreiben:

27,22   Zerstampfst du gleich den Toren im Mörser,
        seine Torheit weicht nicht von ihm; dazu 26,3 (Ärger mit dem
        Toren).
        Vgl. äg. Onchsheshonqy: „Ärgere dich nicht über den Toren!

27,3   Schwer ist der Stein, eine Last der Sand,
        doch Ärger mit dem Toren ist schwerer als beide; dazu 26,6
        (und 10?)

Denen, die die Sprüche prägten, standen dabei bestimmte Vorgänge vor
Augen: Da hat einer einen Toren als Boten gesandt und ist dabei hereingefal-
len; der Tor ist gefährlich in seiner Tolpatschigkeit, und immer wieder ist
er lästig. 27,3 ist darin das Muster eines Vergleichsspruches, daß er den
abstrakten Begriff „Schwere" auf seine konkrete Grundbedeutung der
schweren Last zurückführt, er erhält damit die Metapher „lästig" lebendig.

5. Charakterisieren des die Gemeinschaft Fördernden

Sprüche, die den die Gemeinschaft Fördernden charakterisieren, begegnen
sehr viel weniger; es ist verständlich, daß die, die sie prägten, sich mehr mit
denen beschäftigen, die die Gemeinschaft gefährden. Die positiven Charakterisierungen beziehen sich a) auf das Verhalten zu anderen, b) auf das eigene
Verhalten.

Wohltun und Barmherzigkeit

    11,25   Die Seele, die wohltut, wird reichlich gesättigt,
            wer erquickt, wird auch selber erquickt.
    19,17   Wer sich des Armen erbarmt, leiht Jahwe,
            der wird ihm seine Wohltat vergelten.
    22   Ein Gewinn für den Menschen ist seine Güte,
            und ein Armer ist besser als ein Lügner.
    22,9   Wer gütig blickt, wird gesegnet werden,
            denn er gibt den Armen von seiner Speise.
    12,14   Ein Kluger deckt Blosstellung zu.
    17,9   Wer eine Verfehlung begräbt, sucht die Liebe.
    25,21   Wenn deinen Feind hungert, so speise ihn ...
            so wirst du feurige Kohlen auf sein Haupt sammeln ...

Dazu Langmut gegenüber dem Zornigen (19,11); Zurechtweisung wo sie
nötig ist (28,23). Die Sprüche haben viel zu sagen von Wohltun und Barmherzigkeit. Wenn einer seine Habe recht verwaltet, so gehört dazu das frei-
willige und freimütige Geben. Das Lindern von Mangel und Not gehört zum
Leben unter Gottes Augen. Es ist immer ein persönliches und direktes
Geben in eine begegnende Not hinein. Für den Geist der Gemeinschaft, aus
der diese Sprüche kommen, ist diese Gruppe besonders wichtig. Israel hat seinen Gott immer wieder als den erfahren, der seine Not ansah und sich seiner
erbarmte. Es ist die Antwort auf dieses Tun Gottes, wenn sich die auf ihn
Blickenden in Güte der Not erbarmen, die sie auf ihrem Weg antreffen.

Davon reden auch die Evangelien: Mt 5,7 entspricht 14,21: „Wohl dem, der sich der Elenden erbarmt".

Das eigene Verhalten

13,3   Wer seinen Mund hütet, bewahrt sein Leben.

14,30   Gelassenen Sinnes ist des Leibes Leben.

14,11   Ein besonnener Mann erträgt vieles.

10,18   Redliche Lippen halten den Haß verborgen.

19   Wer die Lippen zügelt, handelt verständig.

17,27   Wer Einsicht hat, hält mit seinen Worten zurück.

20,3   Dem Streit fern zu bleiben ist dem Mann eine Ehre.

21,23   Wer seinen Mund und seine Zunge behütet,
         behütet sein Leben vor mancher Gefahr.

16,17   Der Redlichen Bahn ist Meiden des Bösen,
         wer auf seinen Weg achtet, bewahrt sein Leben.

Es wird auch mutiges Ertragen des Leides (18,14), Tüchtigkeit im Beruf (22,29) und treuer Dienst genannt (27,18). Positive Charakterisierungen begegnen auch in den Gegensatzsprüchen zum Thema der Tor – der Weise.

Das sind also die „Seligpreisungen" unter den Charakterisierungen, auch wenn nur eine direkt als solche formuliert ist (14,21): „Wohl dem, der sich der Armen erbarmt!" Dem Wort Jesu: „Was ihr einem meiner geringsten Brüder getan habt, das habt ihr mir getan" entspricht 19,17. Im Blick auf das eigene Verhalten wird die Zurückhaltung hervorgehoben: 13,3; 10,18; 19; 17,27; 20,3; 21,23; 16,17. Ehre gebührt danach nicht jemandem, der sich durch Spitzenleistungen vor anderen hervortut, sondern einem, der sich in Zucht nimmt, seine Zunge zurückhält und Streit verhindert. Der griechisch-abendländische Begriff der Tugend spielt hier keine Rolle; denn Tugend eignet immer dem Individuum; hier aber wird als positiv charakterisiert, was das Zusammenleben in Frieden fördert.

6. Zum Abschluß

Bei den Sprüchen des Charakterisierens geht es um ein Erkennen und um ein Handeln bzw. Sich-Verhalten. Beides steht in Wechselwirkung miteinander. Das Erkennen hat einen überwiegend kritischen Charakter; die Charakterisierung ist überwiegend auf das die Gemeinschaft Schädigende gerichtet. Sie kann Typen von Menschen (bzw. Einstellungen und Handlungsweisen) herausstellen, auch Situationen eines einmaligen Handelns, aber sie geht nicht darüber hinaus. Es liegt ihr fern, das „Wesen des Menschen" ergründen zu wollen. Sie will es auch nicht in größere Zusammenhänge stellen, will auch nicht erklären. Die Charakterisierungen halten sich an das Faktische und hüten sich vor Verallgemeinerungen wie: Der Mensch ist böse oder: Der ist immer und überall Sünder. Sie gehen davon aus, daß der Mensch so geschaffen ist, daß er sich verfehlen kann, daß er sich verfehlt; aber immer nur in der Vielfalt, wie sie sich in diesen Charakterisierungen zeigt. Die Sprüche sagen immer nur eines, und darin entsprechen sie der Realität: Der Streitsüchtige ist streitsüchtig. Aber niemals wird damit der Mensch als solcher, als ganzer verurteilt. Es wird auch nicht behauptet, daß er immer nur streitsüchtig sei. Vielmehr: der Falsche wird in den Sprüchen in seiner Falschheit gestellt, und andere werden davor gewarnt. Beides geschieht um des Friedens des Zusammenlebens willen. Das Charakterisieren dient dem Heilsein der Gemeinschaft in der Weise, daß sie gerade nicht den Täter schilt oder bedroht oder moralisch verurteilt, auch nicht die Gesellschaft vor dem bösen Menschen in Schutz nimmt, sondern sie nennt den Tatbestand (z.B. 26,24) und ruft dadurch beide Seiten zu Wachsamkeit und zu Besinnung.

Es geht bei den Charakterisierungen auch um das, was wir Menschenkenntnis nennen. Man möchte wissen, mit wem man es zu tun hat; dann kann man sich ein Urteil bilden und sich entsprechend darauf einstellen. Die Charakterisierungen stehen den Beobachtungssprüchen nahe. Man kann sie auch näher bestimmen in einer Reihe von Vergleichen, die den Typ besser charakterisieren können als Aufzählungen von Eigenschaften oder Einordnen unter einen abstrakten Begriff. Das Bilden eines Urteils aber vollzieht sich bei jeder Gruppe verschieden, wie das auch wieder die Vergleiche zeigen.

Andererseits geht es bei diesen Sprüchen um ein Sich-Verhalten, das sich aus dem Erkennen ergibt. Die Sprüche sind durchweg von einem sozialen Zug bestimmt. Darum reden die Charakterisierungen nicht nur Individuen an. Etwa der Spruch 26,24: „Mit seinen Lippen verstellt sich der Hassende, aber in seinem Herzen hegt er Trug". Er ist nach zwei Seiten hin gesprochen. Der Falsche wird in seiner Falschheit entdeckt und gestellt; die möglichen Opfer solcher Falschheit werden zugleich gewarnt.

Es ist gewiß nicht zufällig, daß die Sprüche der Charakterisierung in den neueren Untersuchungen zu den Proverbien kaum oder gar nicht berücksichtigt werden, und daß man trotz ihrer großen Zahl nach ihrer Bedeutung kaum oder gar nicht fragt. Man kann allerdings ihre Bedeutung nur erkennen, wenn man davon ausgeht, daß diese Sprüche mündlich entstanden sind und mündlich verwendet wurden.

Daß die Sprüche des Charakterisierens dabei wirklich etwas ausrichten, daß sie also tatsächlich gehört und beachtet wurden, ist in ihrem Charakter als Sprüche begründet: sie bringen einen durch das Tradieren der Weisheit der Väter bedingten common sense zum Ausdruck, dem die meisten zustimmten, auch wenn sie verschiedene Anschauungen und verschiedene Interessen hatten.

III. Gegensatzsprüche: Der Tor - der Weise

1. Ursprünglich zweigliedrige und zusammengesetzte Sprüche

Die Gegensatzsprüche der Tor - der Weise stehen fast alle in der Sammlung 10,1–22,16; in 22–24 und 25–27 fehlen sie ganz. Bei ihnen sind solche,
die ursprünglich als Gegensatzsprüche konzipiert sind, von anderen zu
unterscheiden, die sekundär zu Gegensatzsprüchen zusammengesetzt worden sind.[47]

Ursprünglich zweigliedrige Gegensatzsprüche

22,3　Der Kluge sieht das Unglück kommen und birgt sich;
　　　die Einfältigen gehen weiter und müssen es büßen.

29,8　Spötter bringen eine Stadt in Aufruhr;[48]
　　　Weise aber stillen den Zorn.

11　　Der Tor läßt all seinem Zorn den Lauf;
　　　aber der Weise beschwichtigt ihn zuletzt.

21,20　Ein köstlicher Schatz bleibt in der Behausung des Weisen;
　　　aber der törichte Mensch vergeudet ihn.[49]

17,10　Beim Verständigen wirkt der Tadel tiefer
　　　als 100 Stockschläge beim Toren.

24　　Das Angesicht des Verständigen schaut auf die Weisheit;
　　　die Augen des Toren schweifen ans Ende der Welt.

14,1　Frau Weisheit hat ihr Haus gebaut;
　　　Frau Torheit reißt es mit eigenen Händen nieder.

3　　　Im Munde des Toren ist eine Rute für seinen Rücken;
　　　den Weisen aber behüten seine Lippen.

8　　　Das ist die Weisheit des Klugen, daß er seinen Weg versteht;
　　　aber die Torheit des Narren führt irre.

15　　Der Einfältige glaubt jedem Wort;[50]
　　　aber der Kluge achtet auf seine Schritte.

13,16　Der Kluge tut alles mit Vorbehalt;
　　　aber der Narr kramt Torheit aus.

11,12　Der Unverständige begegnet dem Nächsten verächtlich;[51]
　　　der einsichtige Mann aber schweigt.

Einige dieser Sprüche sind von vornherein auf einen Gegensatz angelegt,
so z.B. 22,3: „Der Kluge sieht das Unglück kommen und birgt sich; die Einfältigen gehen weiter und müssen es büßen," ähnlich 29,8; 14,1; 17,10; 14,15.
Darüber hinaus aber ist allen diesen Sprüchen gemeinsam, daß sie eine Situation darstellen, aus der der Gegensatz zwischen weisem und törichtem Verhalten seinen Sinn erhält. Diese Situation bindet die beiden Glieder des
Gegensatzspruches zusammen.

Sekundär zusammengesetzte Sprüche

Bei den vielen Sprüchen vom Weisen und vom Toren mußte es im Blick auf die Kunstform des Parallelismus geradezu dazu reizen, die einfache Charakterisierung des einen oder des anderen zu ergänzen. Beispiele dafür sind Sätze wie 10,1: „Ein weiser Sohn macht dem Vater Freude", der sicher ursprünglich eingliedrig geprägt wurde; man ergänzte ihn einfach: „Aber ein törichter Sohn ist seiner Mutter Leid". Ähnlich bei vielen Sprüchen.

Bei anderen Sprüchen springt die nachträgliche Ergänzung ins Auge, wenn sie nur mühsam gelingt und schlecht paßt wie z.B. 10,21: „Die Lippen des Frommen erquicken viele; die Toren sterben durch Unverstand", oder 19,13: „Ein törichter Sohn ist ein Unglück für seinen Vater; und das Gezänk der Frau ein beständiger Tropfen". Dazu 14,7; 10,8; 10,14; 13,10.16; 15,21; 17.7. Fast sicher ist sekundäre Zufügung auch in allen Fällen, in denen der zugefügte Satz ein Lob der Weisheit oder des Weisen ist, z.B. 10,23: „Schandtaten machen den Toren Vergnügen, Weisheit aber dem einsichtigen Mann" (der eigentlich gemeinte Gegensatz ist schon in 23a enthalten).

Sprüche der Erziehung

Hierzu gehört auch eine Gruppe von Gegensatzsprüchen der Tor – der Weise, die in den Zusammenhang der Erziehung und damit der Lehrweisheit gehören:

12,1   Zucht hat lieb, wer Erkenntnis liebt,
       wer die Rüge haßt, der ist töricht.

10,13 Auf den Lippen des Verständigen findet man Weisheit;
       die Rute gehört auf den Rücken des Toren.

10,8   Wer weisen Herzens ist, nimmt die Gebote an;
       der törichte Schwätzer aber kommt zu Fall.

10,27 Wer Zucht bewahrt, geht den Weg zum Leben;
       wer aber Rüge mißachtet, der geht in die Irre.

19,25 Schlägst du den Spötter, so wird der Unverständige gewitzt;
       weist du den Verständigen zurecht, so gewinnt er Einsicht.

29   Für den Spötter sind Ruten bereit,
       und Streiche für den Rücken des Toren.

21,11 Büßt man den Spötter, so werden Unverständige weise.
       ein Weiser nimmt Einsicht an, wenn er belehrt wird.

22,15 Die Torheit steckt dem Knaben im Herzen,
       aber die Rute der Zucht vertreibt sie daraus.

15,31 Ein Ohr, das auf heilsame Rüge hört,
       weilt gern inmitten der Weisen.

32   Wer Zucht in den Wind schlägt, verachtet sein Leben,
       wer auf Rüge hört, erwirbt Verstand.

Besonders auffällig ist eine Spruchgruppe in der der Parallelismus eine leere Form geworden ist; (darauf macht auch G. von Rad aufmerksam). Man könnte vom Leerlauf- (oder Echo-) parallelismus sprechen, weil in ihm beide Glieder dasselbe sagen ohne irgendeine Wechselbeziehung. Synonymer Parallelismus ist es nicht, weil bei diesem doch jedes der beiden Glieder etwas Eigenes sagt. Hier aber handelt es sich um eine Entgegensetzung von Weisheit und Torheit als solcher

14,24   Die Krone der Weisheit ist Klugheit,
         die Krone des Narren ist Torheit.
15,2   Die Zunge der Weisheit träufelt Erkenntnis,
         der Mund des Narren läßt Torheit sprudeln.
15,14   Das Herz des Einsichtigen sucht Erkenntnis,
         der Mund des Narren aber ist auf Torheit aus.
16,22   Wer Verstand hat, dem ist er ein Quell des Lebens,
         aber die Strafe des Toren ist die Torheit.
18,15   Das Herz des Einsichtigen will Weisheit erwerben,
         und das Ohr des Weisen sucht nach Erkenntnis.

2. Sprüche vom Toren und Sprüche vom Weisen gesondert

Charakterisierung

Da es nicht in jedem Fall mit Sicherheit zu erkennen ist, welche Sprüche ursprünglich zweigliedrig, welche ursprünglich eingliedrig waren, sind die einseitigen Charakterisierungen des Toren und des Weisen hier einzubeziehen.

Die Toren

Ihr Reden, Handeln und Denken wird in den Sprüchen so deutlich charakterisiert, daß man meint, die so Charakterisierten vor Augen zu haben. Es sei vorangeschickt, daß die Übersetzung „Toren" irreführend sein kann, weil wir darunter dumme Menschen verstehen. Mangelnde Intelligenz aber wird ihnen nur am Rande vorgeworfen. Eine genaue dem hebräischen Wort kesil entsprechende Vokabel gibt es im Deutschen nicht, näher kommt ihm die Bezeichnung „Asozialer". Aber die Sprüche selbst zeigen deutlich genug, was für Menschen gemeint sind.

Der Tor

11,29   Wer sein Haus zerrüttet, wird Wind erben,
         und der Tor wird ein Sklave des Weisen.

15,12 Der Spötter läßt sich nicht gern rügen,
       er gesellt sich nicht zu dem Weisen.

17,16 Was soll auch in der Hand des Toren das Geld,
       um Weisheit zu kaufen? Wo er doch keinen Verstand hat!

18,2   Der Tor hat keinen Gefallen an Einsicht,
       sondern daran, seine Gedanken auszukramen.

6   Die Lippen des Toren bringen Streit,
       und sein Mund ruft nach Schlägen.

7   Der Mund des Toren wird ihm selbst zum Verderben
       und seine Lippen sind seinem Leben ein Fallstrick.

13   Wer antwortet, ehe er gehört hat,
       dem ist es Torheit und Schande.[52]

19,3   Den Menschen führt seine eigene Torheit irre,
       und dann zürnt er im Herzen über Jahwe!

21,16 Ein Mensch, der abirrt vom Weg der Einsicht,
       wird in der Versammlung der Schatten ruhen.

24   Spötter wird genannt, wer übermütig, vermessen ist,
       wer in maßlosem Übermut handelt.

29,20 Siehst du einen, der hastig ist in seinem Reden,
       ein Tor darf mehr hoffen, als er.
       Vgl. „Hurry! Hurry! has no blessing", afrikan. S. 156

Das Reden, Handeln und Denken des Toren

12,23: „Das Herz des Toren schreit Torheit aus". Dieser Zug wird bei den Toren besonders hervorgehoben. Er steht im Gegensatz zur Zurückhaltung des Weisen. Er muß immer sofort losreden: „Ein Tor, wer seinen Ärger auf der Stelle zeigt" (12,16). Der Weise schweigt dann lieber; aber „das Herz des Toren schreit Torheit aus" (12,23), „der Narr kramt Torheit aus" (13,16), „der Mund des Narren läßt Torheit sprießen" (15,2), „ein jeder Tor aber bricht los". Typisch ist für ihn, daß er anderen ins Wort fällt; „Wer antwortet, ehe er gehört hat, dem ist es Torheit und Schande" (18,13); „Siehst du einen, der hastig ist in seinem Reden, ein Tor darf mehr hoffen als er" (29,20); den Toren liegt nicht daran, erst zu überlegen, was er sagen will; „Der Tor hat keinen Gefallen an Einsicht, sondern daran, seine Gedanken auszukramen" (18,2); Es ist ihm auch gleich, was er damit riskiert; „der Tor läßt all seinem Zorn den Lauf" (29,11): „der Mund des Narren ist auf Torheit aus" (15,14), so wird ihm sein Mund selbst zum Verderben (19,7). Mit seinem Reden richtet der Tor Schaden im gemeinsamen Leben an (10,14): Der Mund des Toren ist nahes Verderben; er begegnet dem Nächsten mit Verachtung (11,12); er breitet Verleumdung aus (10,18); er stiftet durch seinen Übermut Zank (13,10 u. 18,6); beschuldigt man sie, so spotten sie nur (14,9). Will man mit ihm reden, „so zürnt oder lacht er, gibt keine Ruhe" (29,9).

Das Handeln des Toren

Davon sagen die Sprüche nur wenig; offenbar haben die Toren keine Macht, schlimmen Schaden anzurichten, aber sie sind aggressiv. Sie zerrütten ihr eigenes Haus und haben den Schaden davon (11,25); was die Weisheit aufgebaut hat, reißt die Torheit wieder ein (14,1). Die Torheit des Narren kann andere irreführen (14,8). Der törichte Mensch vergeudet den Schatz, den man ihm anvertraut hat (21,20); „Spötter bringen eine Stadt in Aufruhr" (29,8), haben aber keinen Erfolg damit.

Die Gedanken der Toren

Es ist bezeichnend für die Toren, daß sie sich in ihrer Torheit durchaus wohlfühlen: „Schandtaten machen den Toren Vergnügen" (10,23): „Torheit ist des Unverständigen Freude" (15,21); sie sind vermessen in ihrem Übermut 21,24. Sie sind unbeherrscht und lassen dem Zorn die Zügel: „Der Zornmütige begeht Torheit" (14,17), „der Jähzornige treibt die Torheit auf die Spitze" (14,29). 13,19: „Dem Tor ist das Meiden des Schlechten abscheulich". Sie sind gewissenlos: „die Toren spotten der Schuld" (14,9). Weisheit ist bei ihnen nicht zu finden (14,33); 15,7: „das Herz des Toren ist verkehrt". „Der Spötter sucht Weisheit und findet sie nicht" (14,6); auch wenn er sie kaufen will, hat das gar keinen Sinn, „er hat keinen Verstand" (17,16). Er ist töricht und einfältig: „der Einfältige glaubt jedem Wort" (14,15), er läßt sich sorglos auf das Böse ein (14,16); er läßt sich daher auch nichts sagen: „der Spötter läßt sich nicht gern rügen" (15,12; 12,1); selbst Stockschläge richten bei ihm nichts aus (17,10); er hat ja sowieso immer recht: „Dem Toren dünkt sein Weg der rechte"; aber: „wer sich auf seinen Verstand verläßt, ist ein Tor" (28,26). Denn „die Augen des Toren schweifen ans Ende der Welt" (17,24).

Absonderung der Toren

Eine Folge dessen, was die Sprüche von den Toren sagen, ist eine beginnende Absonderung von beiden Seiten her: „Wer sich zu den Toren gesellt, dem geht es schlimm" (13,20); „von den Toren hält sich jedermann fern" (14,7). „Treffliche Rede paßt nicht zum Toren" (17,7), „dem Torem kommt Wohlleben nicht zu" (19,10). Andrerseits: „Der Spötter gesellt sich nicht zu den Weisen" (15,12; 18,1). In diesen Worten wird ein Trend zur Absonderung erkennbar.

Die Strafe des Toren

16,22: „. . . aber die Strafe des Toren ist die Torheit". Denn „Der Mund des Toren wird ihm selbst zum Verderben und seine Lippen sind seinem Leben ein Fallstrick" (18,7); daß er sein Mißgeschick sich selber zuzuschreiben hat, wird mehrfach betont: „Den Menschen führt seine eigene Torheit irre, und dann zürnt er im Herzen Jahwe" (19,3). „Die Einfältigen gehen (wenn Gefahr ist) weiter und müssen es büßen" (22,3–27,12) und in einem besonders plastischen Wort: „Im Munde des Toren ist eine Rute für seinen Rücken" (14,3). So wird auch auf ihren Tod hingewiesen: „Ein Mensch, der abirrt vom Weg der Einsicht, wird in der Versammlung der Schatten ruhen" (21,16); „Die Toren sterben durch Unverstand" (10,21); „die Toren aber tragen Schande" (3,35).

Charakterisierung des Weisen

Der Weise fördert die Gemeinschaft

Das Wirken des Weisen, sein Reden und sein Denken

10,18	Gerechte Lippen begraben den Haß.
21	Die Lippen des Frommen (Weisen) erquicken viele.
12,16	Wer den Schimpf einsteckt, der ist klug.
14,9	Zwischen Redlichen herrscht gutes Einvernehmen.
14,8	Das ist die Weisheit des Klugen, daß er seinen Weg versteht.
21,20	Ein köstlicher Schatz bleibt in der Behausung des Weisen.
29,8	Weise aber stillen den Zorn.
9	Wenn ein Weiser redet mit einem Toren ...
11	... aber der Weise beschwichtigt ihn zuletzt.

In diesen Sprüchen hat der Weise eine Funktion in der Gemeinschaft: er hilft dazu, daß der Friede bewahrt wird, der Weise stillt den Zorn, wo er aufkommt, er beschwichtigt den Streit von Toren und versucht, mit ihnen zu reden, seine Lippen „begraben den Haß", auch wenn er dabei Schimpf einstecken muß, er bewahrt einen ihm anvertrauten Schatz, er hilft zu gutem Einvernehmen. Seine Worte können viele erquicken. Dazu 11,9; 12,18; 16,14; 20,22; 24,3–5; 28,2.

Der Weise hält sich zurück

Diese Gruppe gehört mit der vorigen darin zusammen, daß die Sprüche in vielfältiger Weise sagen, mit welchen Mitteln oder auf welche Weise er diesen die Gemeinschaft fördernden Einfluß ausübt.

10,14	Die Weisen halten mit der Erkenntnis zurück, ebenso 10,23.
11,12	Der Einsichtige aber schweigt.
14,3	Den Weisen behüten seine Lippen.
17,27a	Wer Einsicht hat, hält mit seinem Wort zurück.
13,16	Der Kluge tut alles mit Vorbedacht;
14,15	der Kluge achtet auf seine Schritte.

14,17 Der besonnene Mann bleibt ruhig;
15,21 der einsichtige Mann geht geradeaus.
17,27b Der Kaltblütige ist ein verständiger Mann.
22,3 Der Kluge sieht das Unglück kommen und birgt sich.
13,10 Bei dem Demütigen ist Weisheit;[53]
14,29 der Langmütige ist reich an Einsicht.
17,10 Beim Verständigen wirkt der Tadel tiefer...
20,3 Dem Streit fernzubleiben, ist dem Mann eine Ehre.

Es sind drei Züge, die im Verhalten des Weisen hervortreten. Der Weise hält mit der Erkenntnis und mit dem Wort zurück; wo es nötig ist, schweigt er; ihn behüten seine Lippen.

Dem Reden entspricht sein Handeln: Er tut alles mit Vorbedacht; er achtet auf seine Schritte; in kritischen Lagen bleibt der besonnene Mann ruhig, er geht seinen geraden Weg, als verständiger Mann bleibt er kaltblütig. Sieht er ein Unglück kommen, birgt er sich rechtzeitig.

Seine innere Einstellung dabei: bei den Demütigen ist Weisheit; wer den Schimpf einsteckt, der ist klug; der Langmütige ist der Klügere, einen Tadel nimmt er ernst. Dem Streit fernzubleiben ist für ihn nicht Feigheit, es ist ihm eine Ehre.

Hier tritt eine Einstellung der Weisen zu Tage, die von einem Verantwortungsbewußtsein für das Gemeinwesen, dem sie angehören, getragen ist. Diese Sprüche sind weder von einer politischen noch von einer religiösen Sonderung geprägt, sondern allein von diesem Gemeinwesen bestimmter Art und bestimmter Begrenzung, wie es sie an vielen Orten genauso gibt. Die Verantwortung der „Weisen", die aus diesen Sprüchen spricht, erwächst aus dem Willen, dieses Gemeinwesen und sein Heilsein *(shalom)* zu bewahren.[54]

Wenn Sinn und Absicht dieser Spruchgruppe damit zutreffend bestimmt sind, ergibt sich eine Übereinstimmung: sie entspricht der dem Frieden dienenden sozialen Funktion der Sprüche im ganzen.

Zusammenfassend kann man sagen, daß die Gegensatzsprüche von den Toren und den Weisen zusammen mit den einseitigen Charakterisierungen beider eine erstaunlich reichhaltige und präzise Einsicht in die sozialen Verhältnisse und Vorgänge, in die Spannungen und die Reflexion solcher Spannungen in den Dörfern und kleinen Städten der Königszeit ermöglichen. Wenn in der jüngsten Zeit die Sozialgeschichte des frühen Israels mehr Beachtung findet, sollte man sich intensiver als es bisher geschah, diesen Gegensatzsprüchen der Tor – der Weise zuwenden (das ist nur bei einer induktiven Arbeitsweise möglich) und Spruch für Spruch, Gruppe für Gruppe nach den Gegensätzen fragen, die sich aus ihnen ergeben, nach den Bereichen, in denen sie vorkommen, nach den Einstellungen auf beiden Seiten des Gegensatzes, nach den vorherrschenden Interessen. Man wird staunen, wieviel sich bei sehr sorgfältiger Gruppierung der Sprüche (ich konnte hier nur einen großen Überblick geben) für die Erkenntnis der sozialen Verhältnisse und der sozialen Reflexion dabei ergibt. Eine Probe kann das noch deutlicher machen: Aus den Gegensatzsprüchen der Gerechte – der Frevler in einer späteren Schicht, die nur an dem Gegensatz als solchem Interesse haben, ergibt sich für die Erkenntnis der sozialen Situation fast nichts, denn es geht hier nur um einen weltanschaulichen Gegensatz.

3. Die Weisheit des Weisen im Übergang

Die Charakteristik des Weisen bildet noch eine weitere Gruppe von Sprüchen. Während sie in der vorher genannten funktional verstanden ist: eine die Gemeinschaft auf vielerlei Art fördernde Weisheit, ist sie in dieser zweiten Weisheit um ihrer selbst willen, abstrakte Weisheit.

15,31   Ein Ohr, das auf heilsame Rüge hört,
        weilt gern inmitten der Weisen.
16,21   Wer ein weises Herz hat, den nennt man verständig;
        und liebliche Reden mehrt die Belehrung.
23   Das Herz des Weisen macht seinen Mund klug,
        und mehrt auf seinen Lippen die Belehrung.
17,27   Wer Einsicht hat, hält mit seinen Worten zurück;
        und der Kaltblütige ist ein verständiger Mann.
18,15   Das Herz des Einsichtigen will Weisheit erwerben
        und das Ohr des Weisen sucht nach Erkenntnis.
19,8   Wer Verstand erwirbt, der liebt sein Leben
        und wer Einsicht bewahrt, der findet Glück.

Dazu gehört eine große Gruppe von Sprüchen, die alle ein Lob der Weisheit sein wollen, ein direktes oder indirektes. Aber immer ist das die Weisheit um ihrer selbst willen; von einer Funktion in der Gemeinschaft sagen diese Sprüche nichts.

Die Weisheit des Weisen, Lob des Weisen (der Weisheit)

Diese Sprüche sagen nur, daß der Weise ein Weiser ist (mit je verschiedenen Vokabeln) und was das bedeutet. Sie sind nur ein direktes oder indirektes Lob der Weisheit:

14,24   Die Krone der Weisheit ist Klugheit.
33   Im Herzen des Einsichtigen ruht Weisheit.
15,2   Die Zunge des Weisen träufelt Erkenntnis.
7   Die Lippen des Weisen bewahren Erkenntnis.
16,21   Wer ein weises Herz hat, den nennt man verständig.
23a   Das Herz des Weisen macht seinen Mund klug.
17,24   Das Gesicht des Verständigen schaut auf die Weisheit.
14,7   Ein Gefäß der Erkenntnis sind verständige Lippen.
10,23   Weisheit macht dem einsichtigen Mann Vergnügen.

11,6   Dem Einsichtigen aber ist Erkenntnis ein Leichtes.

12,15   Wer auf guten Rat hört, der ist weise.

15,14   Das Herz des Einsichtigen sucht Erkenntnis.

18,15   Das Herz des Einsichtigen will Weisheit erwerben,
        und das Ohr des Weisen sucht nach Erkenntnis.

13,20   Gehe mit Weisen um, so wirst du weise! (Mahnung)

Die Weisheit bedeutet für den Weisen Gewinn

14,18   Die Klugen hinterlassen Erkenntnis.

16,22   Wer Verstand hat, dem ist er eine Quelle des Lebens.

19,8   Wer Verstand hat, der liebt sein Leben
        und wer Einsicht bewahrt, der findet Glück.

28,26   Wer in Weisheit wandelt, der wird errettet.

3,35   Die Weisen kommen zu Ehren.
        Dazu 10,13; 12,1; 13,14; 14,16–18; 15,32; 18,4b; 21,11b.

Überblickt man diese Gruppe, so fällt zunächst auf, wie ähnlich die Sprüche einander sind. Alle loben sie die Weisheit, alle wollen sie zeigen, wie wertvoll sie ist. Damit, daß sie die Weisheit loben, rühmen sie stillschweigend auch die Weisen, sie sind stolz darauf, zu ihnen zu gehören. Ganz offenkundig ist in diesen Sprüchen die Weisheit ein Selbstwert geworden, abgelöst von ihrer Funktion im Alltag, eine abstrakte Weisheit. Es ist das gleiche abstrakte Verständnis von Weisheit, das in Spr 1–9 bestimmend ist.

Zu dieser Gruppe gehören auch die Gegensatzsprüche, die dem Lob der Weisheit dienen S. 71 und die im Zusammenhang der Erziehung S. 38.

Wenn nun nur in dieser einen Gruppe von Aussagesprüchen, der Gegenüberstellung von Weisen und Toren, die zu der Obergruppe der Charakterisierungen gehört, eine Spruchgruppe auftaucht, die der Form nach zur frühen Spruchweisheit gehört, ihrem Inhalt nach aber deutlich von ihr abweicht, weil in ihr der Schritt von der instrumentalen zur objektivierten Weisheit getan wird, liegt hier offenbar eine Gruppe von Texten vor, in der sich der Übergang von der frühen zur späten Weisheit vollzieht oder doch sich vorbereitet.[55] Aus der Gegenüberstellung von Toren und Weisen, die als solche eine Gruppe der Charakterisierung ist, bildet sich ein Zweig heraus, für den jetzt der Weise etwas anderes ist, als er in den frühen Gegenüberstellungen war. Das führt zu der Annahme, daß hier der Übergang von der frühen zur späten Weisheit ein allmählicher Prozeß war.

IV. Die Vergleiche

Man kann davon ausgehen, daß die hohe Zahl der Vergleiche auf deren Bedeutung für die Sprüche weist.[56] Aber diese Bedeutung kann nicht auf einen Begriff gebracht, sie muß jeweils erschlossen werden. Abgrenzend kann man von vornherein sagen: die Vergleiche sind kein Schmuck (so Aristoteles, hierzu C. Westermann, Vergleiche und Gleichnisse im Alten Testament und Neuen Testament 1984), sie haben niemals nur eine ästhetische Bedeutung (so Bultmann: „ornamentale Elemente"); sie sind nicht „Bilder", die eine „Sache" illustrieren sollen. – Positiv sei nur so viel vorausgeschickt: Was zum Vergleich herangezogen wird, soll in den Sprüchen mitsprechen. Das kann es nur, wenn man es selbst reden läßt. Und das zweite: Jeder echte, gute Vergleich hat etwas Schwebendes; man darf ihn nicht pressen. Man darf ihn nicht in eine „Deutung" des Verglichenen zwängen, man muß ihm seine Freiheit lassen, damit er sagen kann, was er will. Das gilt um so mehr, als hier die Vergleiche in der Mehrzahl Vorgänge sind, die nur angedeutet, deren Linien aber nicht ausgezogen werden.

Für die Verteilung der Vergleiche ist der wichtigste Tatbestand, daß sie zu den Aussagesprüchen gehören. In den Imperativsprüchen haben sie keine Funktion. Der in den Mahnungen und Warnungen Angeredete wird zu einem Reagieren, meist einem Handeln aufgefordert. Die Aussageworte aber zielen auf ein denkendes (verstehendes, erwägendes) Reagieren; dem dient der Vergleich, der ja immer auf ein Nachdenken zielt. Dazu kommen einige andere Gruppen, in denen auch keine Vergleiche vorkommen.

In 25–26 (und z.T. 27) liegt einmal eine Sammlung von Vergleichssprüchen vor. Sonst begegnen sie verstreut. Die Konzentration in 25–26 zeigt, daß der Vergleich für den Sammler eine Eigenbedeutung unter den Gruppen der Sprüche erhalten hat, deshalb stellt er sie zusammen (vgl. 1. Kön 5,12–13).

In einer Gruppe von Aussagesprüchen, die entweder schon zur späten Weisheit gehören oder sich im Übergang zu ihr befindet, treten die Vergleiche ganz zurück, z.B. besonders bei der Gruppe „Lob der Weisheit". Hieran zeigt sich, daß die Weisheit in diesem Stadium zum abstrakten Begriff wird, sie bedarf des konkreten Vergleiches nicht mehr, er ist ihr nicht gemäß.

Im Folgenden können nur Beispiele für Vergleiche angeführt werden; manches ist zu ihnen auch in den vorangehenden Teilen gesagt worden. Sie können nach den Spruchgruppen, die sich ergeben haben, gegliedert werden: einmal Beobachtungen und Erfahrungen und die ihnen nahestehenden Gruppen der Gegenüberstellungen, dann die Charakterisierungen von Menschentypen und Verhaltensweisen. Den Charakterisierungen stehen nahe die Gegensatzsprüche, insbesondere der Tor – der Weise, außerdem kommen noch kleinere Gruppen hinzu.

1. Was zum Vergleich herangezogen wird

In den Vergleichen kommt die Welt, in der das alte Israel lebte, in ihrer ganzen Vielfalt und Fülle zu Wort und redet mit bei dem, was die Sprüche sagen wollen. Weil die Welt als Schöpfung verstanden wurde, kann sie mitreden; das Handeln, Reden und Denken des Menschen ist ja das eines Geschöpfes, das mit allem, was geschaffen ist, mit allen Kreaturen seinen Ursprung im Wirken des Schöpfers hat. Es ist das Wirken des Schöpfers, das die Vergleiche ermöglicht.

Von Himmel und Erde wird in den Vergleichen geredet, von Wolken, Wind und Regen, von Winter und Sommer, von Schnee, von Regen und dem beständigen Tropfen am Regentag, vom Abgrund und Totenreich, von Finsternis und tiefen Wassern, von Feuer und Rauch, von Gold, Silber und Eisen.

Die Landschaft spricht mit: die Straße, der Pfad und der Weg, die Einöde, die Dornenhecke, die Steine und Kiesel und Gruben, der sprudelnde Bach, aber auch der getrübte Quell, der verdorbene Brunnen, der Steinhaufen, der Tau auf dem Gras, das junge grüne Laub und die welkenden Blätter, die Weide für das Vieh.

Pflanzen und Tiere: die Bäume (Baum des Lebens), das Gras, der Dornenzweig, das Laub, die Wurzel im Grund; die Vögel im Flug, Taube, Schwalbe und Sperling und ihr Nest, der Bär, der knurrende Löwe, der streunende Hund, das Schwein, die Schlange, die Natter.

Der Mensch mit Herz, Leib und Seele, mit seinen Gliedern und seinen Sinnen, die Körperteile und Knochen, Gesicht, Mund und Lippe, Zunge und Atem, Herz und Geist.

Kleidung und Nahrung: Schmuck und Zierde, Kranz und Krone, Brot, Honig und Honigwabe, Apfel, Leckerbissen, Wein, Rauschtrank und Essig; Räucherwerk und Salböl, „ein goldener Apfel auf silberner Schale", ein goldener Ring, kostbares Kleinod, ein Beutel mit Edelsteinen, „eine Scherbe mit Silberschaum überzogen".

Arbeit, Besitz, Handwerk: der Acker, Güter und Besitz, Worfeln und Dreschen des Korns, Getreide und Frucht, Goldschmiedekunst.

Bauten: Haus, Hütte, Dach und Tür, Türangel, Burg und Festung, Mauer und Riegel, Stadt und Tor, Mauer und Wall, Einsturz eines Hauses, Zinne des Daches.

Geräte und Werkzeug: Schmelzofen und Schmelztiegel, Licht und Lampe, Rute, Hammer, Holz und Kohlen. Zu Jes 10,15: „Rühmt sich die Axt gegen den, der sie führt" vgl. Afrika: „Es gibt keinen Mühlstein, der die Oberhand über den Müller hat" (S. 156).

Krankheit: Wunde, Arznei, Heilung, Auszehrung, Hüpfen des Krüppels, Trunkenheit, ein böser Zahn, ein wankender Fuß.

Witterung: Schnee im Sommer, Regen in der Ernte, Regen, der wegschwemmt.

Waffen: Schwert, Pfeil, Brandpfeile, Schwertstich.

Jagd: Grube, Fallstrick.

Es ist die Welt des Bauern, des Ackerbürgers, des Handwerkers, die sich in diesen Vergleichen vor uns auftut. Diese Welt des einfachen Menschen und ihr Alltag ist es, aus denen die Sprüche erwachsen sind. Die Weisheit der Sprüche ist die Weisheit dieser einfachen Welt und dieser einfachen Menschen, deren Tun und Denken bestimmt wird von dem, was in diesen Vergleichen zu Wort kommt. Die Weisheit der Sprüche diente dazu, in dieser einfachen Welt zum richtigen Denken und zum richtigen Handeln zu helfen.

Der Kürze der Sprüche entsprechend, ist das Vergleichende immer nur punktuell, in nur einer (oder zwei) Vokabel ausgesprochen. Man muß beim Hören der Sprüche im Geist die ganze Szene sehen, die in dem einen Punkt: dem sprudelnden Bach, dem fliegenden Vogel, dem Brot, dem Zierat, der Stadt mit Mauern und Toren, dem Worfeln des Korns, der Ernte, dem Schmelzofen usw. angedeutet wird, dann eröffnet sich uns in den Vergleichen der Proverbien die Fülle des Lebensraumes, in denen diese Worte ausgesprochen wurden. Es besteht ein Zusammenhang zwischen dem Reichtum und der Fülle der Vergleiche und der Konkretheit der Sprüche in ihrer kurzen Form als solcher, die nur auf induktivem Weg zu erklären sind.

Sieht man zusammen, was zum Vergleich herangezogen wird, so ergibt sich: alles gehört zum Erfahrungsbereich der in einem Dorf oder einer kleinen Stadt Wohnenden, von kleinen Leuten. Es fehlt jeder Bezug auf größere Räume, größere Bereiche, weitere Dimensionen. Es fehlt alles, was zu einer großen Stadt gehört, zu anderen Ländern und Völkern, zu Militär, Feldherren und Krieg, zu Seefahrt, Großhandel und Verkehr, zu Tempeln und Palästen, zu Kunstwerken und Kulturschaffen. Dies macht es höchst unwahrscheinlich, daß die Sprüche an einer Weisheitsschule am Hof oder bei einem Tempel entstanden, und daß ihre Autoren einer höheren Bildungsschicht angehörten. Dies wurde bisher in der Forschung deswegen nicht beachtet (es kommt in der bisherigen Diskussion nicht vor), weil man den Vergleichen keine Bedeutung beimaß.[57]

Vergleicht man die Zusammenstellung dessen, was in den Sprüchen zum Vergleich herangezogen wird, mit der Schilderung der Sprüche, die Salomo gedichtet haben soll, (1. Kön 5,12–13), kann man auf den Gedanken kommen, damit sei eine Sammlung von Vergleichssprüchen charakterisiert.

Daß die Sprüche der Dichtung nahestehen, oder daß sie eine frühe Form der Dichtung sind, ist einmal in ihrer „gedichteten" Form und den vielen Mitteln dichterischer Sprache begründet, andererseits in der hohen Bedeutung der Vergleiche für die Sprüche. Man kann sich ja der dichterischen Kunst und Schönheit dieser Vergleiche gar nicht entziehen: es sind lachende, ernsthafte, freundliche und boshafte, ganz naheliegende oder weit hergeholte, strahlende und düstere Vergleiche, die in den Sprüchen mitsprechen und immer zum Mitdenken und Nachdenken, zum Nachvollzug in der

Phantasie anregen. Oft sind sie ja gerade nur andeutend, manchmal paradox und immer treffend.

Bezeichnet man die Sprüche als Sprachformen der Weisheit im alten Israel, so spricht sie sich nicht nur in dem aus, was die einzelnen Sprüche zum Menschen in seiner Welt sagen, sondern auch darin, wie sie in den Vergleichen diese Weisheit mit der Welt in Verbindung bringen, in denen die hier angeredeten Menschen leben in ihrer ganzen Vielfalt. Sie sprechen eine Vorstellungskraft an, die sehr weiträumig und sehr differenziert die Wechselbeziehungen einzubeziehen vermag, die den „Spruch" mit der Welt verbindet, in der er gesprochen wird, und bewirkt, daß diese Welt in dem Spruch mitredet. Was diesen Sprüchen und ihrer Weisheit am fernsten liegt, ist begrifflich-abstrakte Verstandsarbeit; ihre Wirklichkeitsnähe aber zeigt sich gerade in den Vergleichen; diese Weisheit verträgt sich gut mit Humor und Witz und ist sehr viel mehr an Geschehendem als an Gedachtem interessiert; die hier bestimmende Analogie ist primär eine Analogie des Geschehenden, erst sekundär eine *analogia entis*.

2. Die Formen der Vergleiche

Obwohl die Grundstruktur der Vergleiche immer die gleiche ist, nämlich a = b, ist der Formenreichtum der einzelnen Sprüche ganz außerordentlich. Ich gebe nur eine Auswahl dieser Formen. Meistens ist es eine Zeile in zwei Gliedern, selten zwei Zeilen, kaum je darüber hinaus. Die sprachliche Eigenart liegt darin, daß die beiden Glieder des Spruches, also die beiden Halbverse meist unverbunden nebeneinandergestellt sind, nur seleten begegnet ein „so" (*ke*) oder gar „wie – so". Darum klingen die hebräischen Vergleichssprüche anders als die ins Deutsche übersetzten, die der Partikel „so – wie" bedürfen. Die sprachliche Wirksamkeit dieser hebräischen Vergleiche liegt in deren äußerster Kürze, die es dem Hörer überläßt, die Beziehung der Halbzeilen zueinander selbst zu denken, selbst zu ergänzen. (Die Übersetzung im Folgenden nach H. Ringgren).[96]

11,22   Ein goldener Ring im Rüssel eines Schweines –
          ein schönes Weib ohne Zartgefühl.

Zwei Nominalsätze unverbunden nebeneinandergestellt, Subjekt und Prädikat je eine Näherbestimmung.

Die gleiche Form begegnet 25,11, auch 18,4:

Goldene Äpfel in silberner Schale – ein Wort geredet zu rechter Zeit.

25,12   Ein goldener Ring, ein feingoldenes Geschmeide –
          ein warnender Mahner dem hörenden Ohr.
25,13   Wie (*ke*) kühlender Schnee am Erntetag
          (ist) ein zuverlässiger Bote seinem Sender.
25,14   Die gleiche Form, etwas erweitert:
          Aufsteigende Wolken und Wind und doch kein Regen –
          ein Mann, der prahlt mit trügerischer Gabe.

Ein einfacher, eingliedriger Verbalsatz, den Beobachtungen am Menschen entsprechend.

12,18   Manches Mannes Geschwätz verwundet wie Schwertstich
        (rhythmisch: 3:2)

Der zweite Halbvers ist wahrscheinlich sekundär angefügt; 18a ist ein vollständiger Vergleich.
Die gleiche Form, etwas verändert 20,26;

16,15   Das heitere Antlitz des Königs bedeutet Leben,
        und sein Wohlgefallen ist wie eine Wolke des Spätregens.
16,27   Ein nichtsnutziger Mann gräbt Gruben des Unheils
        und auf seinen Lippen ist sengendes Feuer.
17,15   Wer Zank liebt, der liebt Frevel;
        Wer seine Tür zu hoch macht, liebt den Einsturz.

In 17,19 sind zwei ursprünglich selbständige Sprüche dieser Form zusammengefügt.

17,22   Ein fröhliches Herz ist die beste Arznei;
        ein bedrücktes Gemüt dörrt das Gebein aus.

Durch die Anfügung an 22b wird aus dem Vergleich, der in 22a vollständig ist, ein Gegensatzspruch.

Ein einfacher, eingliedriger Nominalsatz, fortgesetzt in einem Verbalsatz

18,8   Die Worte des Verleumders sind wie Leckerbissen,
        sie gleiten hinab in die Kammern des Leibes.
10   Der Name Jahwes ist ein fester Turm,
        in ihn flüchtet der Gerechte und ist geschützt.
20,5; 20,17; 20,27 Der Atem des Menschen ist eine Leuchte Jahwes,
        sie druchspäht alle Kammern des Leibes (21,1)

Nominalsatz mit angefügter Parallele

18,11   Der Besitz des Reichen ist seine feste Stadt
        und wie eine hohe Mauer – in seiner Einbildung.
        18,11a ist für sich ein vollständiger Vergleich.
18,19   Ein varratener Bruder widersteht mehr als eine Festung...
        ... Wie der Riegel eines Palastes.
19,12   Wie Knurren eines Löwen ist des Königs Groll
        und seine Gunst wie Tau auf dem Rasen (hier Gegensatz)

Ein Verbalsatz in einem Verbalsatz fortgesetzt

21,22   Ein Weiser ersteigt die Stadt des Starken
        und stürzt das Bollwerk ihres Vertrauens.

Zusammengesetzter Nominalsatz eine Seite, einfacher Nominalsatz andere Seite des Vergleichs

25,3   Der Himmel an Höhe und die Erde an Tiefe
        und das Herz der Könige – unerforschlich!

Vergleiche in zwei Zeilen, beide Verbalsätze beginnend mit Imperativ im Sinn
eines Konditionalsatzes

25,4f. Entferne die Schlacke aus dem Silber,
        so gelingt dem Goldschmied das Gefäß;
        Entferne den Frevler von dem König,
        so wird sein Thron fest durch Gerechtigkeit.

Zwei Verbalsätze aneinandergefügt; beide Halbverse könnten selbständige Sprüche sein, oder Spruch und Deutung:

25,15   Durch Langmut wird der Richter überredet
        und eine gelinde Zunge zerbricht Knochen.

Eine Seite des Vergleichs drei Nomina, andere Seite Nominalsatz

25,18   Hammer und Schwert und scharfer Pfeil
        ist ein Mann, der den Nächsten falsch anklagt.

Besonders wirksam sind Kontrastvergleiche, wie sie in den Sprüchen vieler Völker
begegnen; z.B. 11,22: Goldener Ring – im Rüssel des Schweines; 26,8: Edelstein –
Steinhaufen.

Ausführlicher zu den Formen der Vergleiche Joh. Schmidt, 1936 und H.J. Hermisson, 1968, Redeformen, S. 137 ff.

3. Die Eigenart der Vergleiche in Beispielen

In den eigentlichen Vergleichssprüchen sind Spruch und Vergleich identisch, d.h. der Spruch als ganzer ist ein Vergleich. Vergleiche sind durchweg
Aussagesätze, sehr selten mit einer Mahnung verbunden, selten auch in der
Form einer rhetorischen Frage. Er dient meist den Beobachtungen am Menschen und den Charakterisierungen.
Einige besondere Ausprägungen:
15,30: Ein fröhlicher Blick erfreut das Herz, gute Botschaft erquickt das
Gebein. Dies ist kein ausdrücklicher Vergleich, die Struktur a = b fehlt. Dennoch gehört dieser Satz zu ihnen. Die besondere Feinheit liegt in dem zweifachen Parallelismus: Herz – Leib, Blick – Wort. Ein scheinbar nur körper-
licher Vorgang (Blick – Wort) wird entdeckt als ein Vorgang, an dem der
ganze Mensch beteiligt ist (Herz – Leib). Der Hörende ist schon, indem er
das erfaßt, zum Nachdenkenden geworden; und dem Nachdenkenden mag
sich nun erschließen, was das Wort ihm zu sagen vermag.
27,8: Wie der Vogel fern irrt von seinem Nest, so ein Mann, der fern irrt
von seiner Heimat. Wie der Prophet Jeremia den Töpfer bei seiner Arbeit

beobachtet hat, so hat der Dichter des Spruches 27,8 einen Vogel mit seinen Augen bei seinem Flug verfolgt und ein anderer dem Schmied bei seiner Arbeit zugesehen: 27,17. Eisen wird durch Eisen geschärft, so schärft ein Mann den anderen. Jeder von diesen hat über seine Beobachtung nachgedacht und sich an sie erinnert, als er etwas Ähnliches sah: ein Analogieschluß. Versteht man solche Sätze nicht als bloß veranschaulichende Bilder, sondern nimmt sie als das, was sie wirklich sind: Vergleiche, dann wird klar, daß das Denken der Menschen im alten Israel in einem viel höheren Maß empirisch war, als wir es bisher, befangen von unserem abendländisch-abstrakten Denken her meinten. Sie haben in ihrer Welt teilnehmend an ihr und sie beobachtend, vergleichend und überrascht von Ähnlichkeiten gelebt, fortschreitend vom Bekannten zum Unbekannten und dabei Neues entdeckend, unersättlich (27,20). Sie haben sich dabei – das zeigen diese Sprüche Satz für Satz – in viel höherem Maß als Geschöpfe unter Geschöpfen empfunden, als wir es bisher gesehen haben. Ihre Weisheit war eben nicht eine Weisheit in der dünnen Luft der Abstraktion, es war die Weisheit, die Gottes Geschöpfen (sie wird ja auch manchmal Tieren zuerkannt!) ermöglichte, sich in der reichen, bunten Fülle der Schöpfung zu Hause zu fühlen. Wenn die Beobachtungen am Menschen so mit denen an der übrigen Schöpfung zusammenkommen und sie einander ergänzen, kann das bei dem, was das übrige Alte Testament von der Schöpfung sagt, nicht anders sein: der Mensch versteht sich als Mensch nur, wenn er sich im Ganzen der Schöpfung als Mitgeschöpf versteht.

In den Sprüchen der Gegenüberstellung sind Vergleiche meist nicht nötig; die Pointe liegt in der Gegenüberstellung als solcher; in dem Vergleich (15,13a): „Ein fröhliches Herz ist die beste Arznei" dient der Vergleich dem Nachdenken über die heilende Kraft der Freude. Bei der Gegenüberstellung in den beiden Sprüchen von arm und reich:

10,15 Des Reichen Vermögen ist eine feste Stadt.
13,8   Für eines Mannes Leben ist der Reichtum ein Lösegeld;
       aber der Arme hört keine Warnung,

heben die Vergleiche einen Zug hervor, der zum Nachdenken über die Ambivalenz des Reichtums anregt. Andererseits fehlen Vergleiche in der Untergruppe von arm und reich, in der es um das Verhalten des Reichen zum Armen geht; denn sie enthalten eine implizierte Mahnung und die Mahnungen (22–24) kennen keine Vergleiche.

24,26 Eine richtige Antwort ist ein Kuß auf die Lippen.
15,23 Freude erfährt ein Mann, der zu antworten weiß,
       und wie gut ist ein Wort zur rechten Zeit!

Wenn in diesen und vielen anderen Worten die Vergleiche auf den rechten Zeitpunkt eines guten Wortes hinweisen, so steht das in einem – wenn auch entfernten – Zusammenhang mit dem Verständnis vom Wort im ganzen

Alten Testament. In ihm stehen alle gewichtigen Worte in einem zeitlichen Zusammenhang, dem großen Zusammenhang von der Schöpfung bis zum Ende; jedes Wort erhält seinen Sinn erst in einer Geschehensfolge. Dazu gehört z.B., daß eines der gewichtigsten Worte im Alten Testament, das der Propheten, seine besondere Stunde hatte. Die Propheten waren Glieder eines Volkes, in dem das Wort so verstanden wurde wie in dieser Gruppe von Sprüchen zum guten Wort.

Eine Erfahrung wird in einen Vergleich gefaßt, der treffend und außerdem witzig ist und in seiner treffenden Kürze weitergegeben werden kann:

> 25,15   eine gelinde Zunge zerbricht Knochen
> (ähnlich in den sumerischen Sprüchen).

Dieses typische Volkssprichwort zeigt, was ein Wort im Gespräch erreichen kann. Hierbei kommt die Charakterisierung des Weisen ins Spiel, der sich nicht zum Zorn reizen läßt, der nicht mit seinen Worten auf den Partner losfährt, sondern kühl und gelassen bleibt und damit mehr erreicht als der „Hitzige".

> 12,18   Manches Mannes Geschwätz verwundet wie Schwertstich.
> 30,14   Ein Geschlecht, dessen Zähne Schwerter und dessen Gebisse
> Messer . . .

Es fällt auf, wie die Sprüche zum schädlichen Wort sich schon im Klang und Rhythmus abheben von den Sprüchen zum fördernden Wort; und dieser Eindruck wird durch die Vergleiche noch verstärkt. Auch dies sind Sprüche, aus Beobachtung und Erfahrung erwachsen. Die sie prägten, haben beobachtet und erfahren, wie sehr ein Wort einen Menschen verletzen kann. Wir haben in unserer Sprache zwar den Vergleich in der Metapher „ein verletzendes Wort"; aber das isolierte Partizip „verletztend" hat nicht die Sprachkraft des Satzes, der einen Vorgang vor Augen führt. In einem Fall wie diesem lassen die Sprüche noch deutlich ihre ursprünglich mündliche Funktion erkennen. Solche Sprüche sind geprägt, gehört und bewahrt worden, um einen solchen verwundenden Worten wehrlos Ausgelieferten zu schützen.

Daß zum fördernden Wort die Situation und damit auch der, der es spricht, gehört, bringt ein scharfer, aber tiefsinniger Spruch zum Ausdruck:

> 26,5   Wie ein Dornzweig, der in die Hand eines Trunkenen gerät,
> ist ein weiser Spruch im Mund des Toren.

Ein „weiser Spruch" also kann Schaden anrichten und Wunden reißen, wird er zu einer falschen Stunde von einem Unbefugten gesprochen. Auch solche komplizierten, hintergründigen Vorgänge können zu einem Spruch geprägt werden, der in einer anderen Situation eine Erkenntnis oder eine Entscheidung beeinflussen kann!

Wer Sprüche dieser Art zu verstehen bemüht ist, muß sich erst einmal frei machen von dem törichten Urteil, daß Sprichwörter allgemeine Wahrheiten ausdrücken. Es ist gerade das Besondere, was sich nicht jeder selbst sagen kann, was zur Prägung und Weitergabe eines Sprichwortes führt.

> 26,27 Wer eine Grube gräbt, fällt selbst hinein,
> wer einen Stein wälzt, auf den fällt er zurück.

Dieser Spruch begegnet oft und hat viele Varianten, er hat sich auch bis zur Gegenwart erhalten. Er hat aber nicht den banalen Sinn, in dem man ihn gewöhnlich gebraucht. Denn es ist ja leider nicht der Fall, daß derjenige, der die Falle stellte, dann hineintapst. Er wird sich schon vorsehen! Der Spruch hat vielmehr einen ernsthaften Sinn. Er ist eine (implizierte) Warnung nach zwei Seiten hin; sie fordert auf, nachzudenken. Es geht in ihr nicht nur um den Bösen, der die Grube gräbt, sondern um die Gemeinschaft, der er angehört, wie auch um den, den er hineinlegen will. Überlegen sollen beide: der die Grube Grabende, aber auch der in die Grube Fallende, was sie durch das Graben, aber ebenso auch durch ihr dummes Hineinfallen in der Gemeinschaft anrichten! Der Spruch ist ein Beispiel dafür, wie solche Sprüche sofort verflachen und banal werden, wenn man sie aus ihrem ursprünglichen sozialen Zusammenhang löst.

Ein Gegenstück ist ein anderer Spruch, den man gar nicht mißverstehen kann:

> 26,23 Wie eine Scherbe mit Silberschaum überzogen,
> so sind glatte Lippen und ein böses Herz.

Es ist einer der Vergleiche, die ganz unmittelbar dadurch wirken, daß sie die Falschheit in einem Vorgang der Verführung darstellen; das Betrügen und das Verführen fallen in ihm zusammen.

Es ist keineswegs zufällig, wenn von den Streitsüchtigen Vergleiche reden, die die Streitsucht mit elementaren Kräften vergleichen:

> 17,14 Wer Streit anfängt
> ist wie einer, der Wasser ausbrechen läßt.
> 26,20 Wenn das Holz ausgeht, erlischt das Feuer,
> wo kein Verleumder, da ruht der Streit.
> 26,21 Kohlen schüren die Glut und Holz das Feuer,
> so schürt ein zänkischer Mensch den Streit.

Die Wirkungskraft von Sprüchen mit solchen Vergleichen wird meist unterschätzt. Die zerstörende Kraft eines Streites ist darin erkannt mit ihren unmeßbaren Folgen, aber zugleich das Anwachsen dieser zerstörenden Kraft aus geringen Anfängen: „einer, der Wasser ausbrechen läßt": der das tut, ist der Kräfte, die er freisetzt, nicht mehr Herr.

Es kann sogar mit grobem Leichtsinn beginnen:

> Einen streunenden Hund packt bei den Ohren,
> wer sich in einen Streit einmischt, der ihn nichts angeht.
> (S. 56)

Die Eigenart dieser Sprüche ist es, daß es ihnen zu tun ist um das Bewahren des Heilseins einer Gemeinschaft in der schmalen Zone, die zwischen dem Leben in Frieden und der Zerstörung des Friedens liegt. Für sie ist weder eine staatliche Gewalt noch eine Kultgemeinde zuständig, sondern allein diese Gemeinschaft selbst, d.h. ihre erwachsenen, mündigen Glieder. Die Sprüche sind das sprachliche (und das heißt auch: gewaltlose) Mittel, mit dem das Tun und Lassen dem Frieden dienend reguliert wird. Sie sind an die gerichtet, die den in ihnen zum Ausdruck kommenden Gemeinsinn anerkennen. Die Wirkungskraft dieser Sprüche, insbesondere in ihren Vergleichen beruht darauf, daß in ihnen das Gemeinwohl in der Weitergabe von Geschlecht zu Geschlecht durchdacht und bewahrt wird.

Darin ist es auch begründet, daß die Sprüche in manchem, was sie sagen, mit der prophetischen Anklage übereinstimmen. Der Prophet Jesaja kündigt den Sturz alles zu Hohen an und ein Spruch sagt:

> 17,19 Wer seine Tür zu hoch macht, will den Einsturz,
>   vgl. 26,27

Die Wirkung dieses Spruches besteht darin, daß eine innere Einstellung (Hochmut) in einen sprachlichen Vorgang übersetzt wird, einen Vorgang, der stimmt.

> 27,15 Hammer und Schwert und scharfer Pfeil,
>   so ist der Mann, der den Nächsten falsch anklagt.

Die Leidenschaft der prophetischen Anklage spricht aus diesem Spruch: Tödliche Waffen verwendet der gegen seinen Nächsten, der ihn falsch anklagt!

Ebenso wie in der prophetischen Anklage begegnet das Bedrücken der Geringen:

> 28,3   Ein gottloser Mann, der die Geringen bedrückt,
>   ist wie ein Regen, der wegschwemmt aber kein Brot bringt.
> 25,26 Wie ein getrübter Quell, ein verdorbener Brunnen
>   so der Gerechte, der vor dem Frevler wankt.

Die Propheten haben sich nicht gescheut, sich auch gegen einen geachteten, ehrbaren Mann zu richten, wenn dieser sich vor einem Frevler, etwa bei einem geplanten Justizmord, beugt.

Auf der anderen Seite aber kennt das Erbarmen mit den Leidenden keine Grenze, und dieser Spruch ist in die Verkündigung Jesu aufgenommen worden:

> 25,21 Wenn deinen Feind hungert, so speise ihn ...
>   so wirst du feurige Kohlen auf sein Haupt sammeln![58]

Bei der Gegenüberstellung vom Tor und Weisen begegnen Vergleiche nur in den Sprüchen, die den Toren charakterisieren, und zwar besonders phantasievolle in 16,1,6,7,9,11. Sie lassen etwas davon ahnen, wie sich hier in einer kleinen Wohngemeinschaft eine Auseinandersetzung vollzieht zwischen solchen, die um die Kultur dieser Gemeinschaft besorgt sind, um Frieden, gute Sitte, um die Kultur der Sprache und des Betragens, und sich dabei ständig gegen die Toren wenden müssen, die von alledem nichts wissen wollen, weil es ihnen nur um das eigene, lärmende Selbst geht:

1	Wie Schnee im Sommer und wie Regen in der Erntezeit, so unpassend ist Ehre für den Toren.
6	Füße verstümmelt sich, Unbill muß schlucken wer Geschäfte bestellt durch einen Toren. V.3 s.o. S. 49
7	Wie das Hüpfen der Beine beim Krüppel, so der weise Spruch im Mund des Toren.
11	Wie ein Hund, der zu seinem Gespei zurückkehrt, so der Tor, der seine Narrheit wiederholt.
27,3	Schwer ist der Stein, eine Last der Sand, doch Ärger mit dem Toren ist schwerer als beide.

Das alles sind ausgesprochene Spottworte über den Toren, es sind alles Volkssprichwörter. Zu beachten ist dabei aber, daß auch diese Spottworte geleitet sind von einer toleranten Grundeinstellung. Auch wenn der Tor eine schwere Last ist, er muß ertragen werden. Denn ohne diese Toleranz gibt es keinen Frieden. Hier stehen die Sprüche vom Toren und Weisen in einem absoluten Gegensatz zu den Gegensatzsprüchen vom Gerechten und Frevler, bei denen es Toleranz nicht mehr gibt. Auch hier ist wieder das Kennzeichen: die Toleranz geht mit dem Humor Hand in Hand; wo die Toleranz aufhört, hört auch der Humor auf.

Abschließend zu den Vergleichen: Weil man bisher die Funktion der Vergleiche in den Sprüchen nicht erkannt oder zu gering bewertet hat, konnte auch der Ertrag dieses eigenartigen Analogiedenkens nicht entdeckt und nicht ausgewertet werden. Man wird aber Menschen- und Weltverständnis des alten Israel nicht ausreichend erfassen können, ohne dies zu beachten. Dabei ist bemerkenswert, daß diese Vergleiche in Israel und außerhalb von Israel (vgl. den Anhang) in den frühesten Schichten am stärksten ausgeprägt sind und in den späteren Schichten in einem lehrhaft-abstrakten Reden deutlich zurücktreten. Eine lehrhaft-abstrakte Ethik, die keine Vergleiche mehr kennt, hat damit die Verbindung zur Wirklichkeit verloren, sie ist bloße „Moral".

V. Sprüche der Wertung (Komparativsprüche) 10–22

12,9	Besser, wer wenig beachtet sich selbst bedient, als wer großtut, aber hilflos ist.
12,19	Besser gering sein und für sich arbeiten, als vornehm tun und des Brotes ermangeln.

15,16 Besser wenig mit Gottesfurcht,
       als große Schätze mit Unruhe.
       Vgl. Amenemope: „Besser ist Armut aus der Hand Gottes als
       Schätze im Vorratshaus" (S. 171)

17   Besser ein Gericht Gemüse mit Liebe,
       als ein gemästeter Ochse mit Haß.

16,8   Besser wenig mit Gerechtigkeit,
       als großes Einkommen mit Unrecht.

17,1   Besser ein Stück trocken Brot mit Frieden,
       als ein Haus voll Opferfleisch mit Zank.

19,1   Besser ein Armer, der unsträflich wandelt,
       als ein Reicher, der krumme Wege geht.

19,22 Ein Gewinn für den Menschen ist seine Güte
       und ein Armer ist besser als ein Lügner.

21,19 Besser in der Einöde hausen
       als bei zänkischem, grämlichem Weibe.

22,1   Ein guter Name ist köstlicher als viel Reichtum
       und Gunst ist besser als Silber und Gold.

21,9   Besser auf der Zinne des Daches wohnen,
       als mit einem zänkischen Weib im gemauerten Haus.

16,32 Besser langmütig sein als ein Kriegsheld,
       besser sich selbst beherrschen als Städte bezwingen.

16,19 Besser demütig sein mit Gebeugten
       als Beute teilen mit den Starken.

Nachgeahmte Sprüche der Wertung

16,16 Besser ist's Weisheit zu erwerben als Gold,
       und erwünschte Einsicht zu erwerben als Silber.

20,15 Hat man auch Gold und Korallen die Menge,
       das köstlichste Gut sind verständige Lippen.

Sprüche der Wertung 25-31

25,7   . . . denn besser, man sagt zu dir: komm hier herauf, als daß . . .

26,12 Siehst du einen Mann, der sich selbst weise dünkt,
       ein Tor darf mehr hoffen als er.

27,4   Grimmig mag die Wut sein, überwallen der Zorn,
       aber wer besteht vor der Eifersucht!

27,5   Besser Tadel, der offen sich ausspricht,
       als Liebe, die schweigt.

6   Treuer gemeint sind Schläge vom Freund
        als freigebige Küsse des Feindes.
10   Besser ein Nachbar in der Nähe
        als ein Bruder in der Ferne.
28,6   Besser ein Armer, der unsträflich wandelt,
        als ein Reicher, der krumme Wege geht.
21   Es ist nicht gut, die Person anzusehen,
        schon für einen Bissen Brot kann er sich verfehlen.

Dazu die Sprüche der Wertung beim Prediger, s. u. S. 115.

Die Sprüche der Wertung zielen auf ein Abwägen aufgrund einer Wertung. Diese Sprüche haben eine denkbar einfache Struktur: Besser A als B (ohne Begründung). Aus ihr ergibt sich mit Sicherheit, daß sie mündlich entstanden sind und mündlich tradiert wurden. Vorausgesetzt ist in ihnen eine Situation im Leben der Gemeinschaft, in der man sich für die eine oder die andere Möglichkeit entscheiden konnte oder mußte. Der Spruch ‚besser A als B‘ hat in dieser Situation die Funktion eines Rates, der dem gegeben wird, der sich zu entscheiden hat. Er will Hilfe zur Entscheidung sein, die aber der andere vollziehen muß. In den ‚Besser–als‘-Sprüchen wird nichts vorgeschrieben und nichts gefordert. Der Spruch kann aber auch ein Zuspruch sein für einen, der mit dem, was er hat, nicht zufrieden ist (z.B. 15,17).

In der größten Zahl der Sprüche dieser Gruppe geht es um das Wenighaben und das Vielhaben. Und da jeder gern viel haben will (der „Habenichts" ist verachtet), wird diesem Bestreben (der Habsucht) entgegengesetzt, daß das Wenighaben unter Umständen das Bessere ist oder doch sein kann. Das Geringere kann das Bessere sein und das Sich-Entscheiden für das Geringere kann die weise Entscheidung sein. Meist geht es dabei um arm oder reich (16,8): „Besser wenig mit Rechtschaffenheit als großes Einkommen mit Unrecht". So oder ähnlich 12,9; 19; 15,16.17; 17,1; 19,1 = 28,6; 19,22; 22,1a; 1b. Alle diese Stellen finden sich in der Sammlung 10–22; in der Sammlung 25–31 nur einmal 28,6 und der ist gleich 19,1. Dies ist wieder ein sicheres Zeichen dafür, daß die beiden Sammlungen 10–22 und 25–31 gesondert entstanden sind. Es ist anzunehmen, daß in der Zeit der Entstehung von 10–22 (oder einer Teilsammlung darin) das Verhältnis von arm und reich besonders problematisch war.

Daß wenig zu haben unter Umständen besser ist als viel, wird in den Sprüchen übereinstimmend näher bestimmt, 16,8: „Besser wenig mit Rechtschaffenheit...", auch wenn das in vielen Variationen gesagt werden kann. Das zeigt in allen Sprüchen eine dem Reichtum gegenüber kritische Einstellung. Nicht etwa so, daß damit Reichtum überhaupt verurteilt würde; die Möglichkeit, daß ein reicher Mann auch ein rechtschaffener Mann sein kann, wird durchaus offen gelassen. Die kritische Einstellung beruht auf der Erfahrung, daß der Reiche seinen Reichtum nicht auf rechtschaffene Weise erworben haben kann. Ganz ähnlich ist diese Einstellung in den Gegensatzsprüchen der Reiche – der Arme.

16,32   Besser langmütig sein als ein Kriegsheld,
        besser sich selbst beherrschen als Städte bezwingen.

16,19   Besser demütig sein mit Gebeugten als Beute teilen mit Starken.

Im Gegensatz zu einem Verherrlichen des Kriegshelden oder militärischer Erfolge ist das „Bessere" hier Geduld und Selbstbeherrschung.

27,5   Besser Tadel, der offen sich ausspricht,
        als Liebe, die schweigt.

6   Treuer gemeint sind Schläge vom Freund
        als freigebige Küsse des Feindes.

Bei diesen beiden Sprüchen ist die Bedeutung des Abwägens der Werte besonders eindrücklich. In der Beziehung zum Nächsten kann ein Zuviel des Zeigens der Zuneigung gerade das weniger Wertvolle sein, alles kommt vielmehr auf die Echtheit an (das ist wie bei den Worten!), die vor Zurechtweisung nicht zurückschreckt. Schön zeigen diese beiden Sprüche den Aspekt des Universalen; es gibt wohl keine menschliche Gemeinschaft, die dem nicht zustimmen würde!

Der Spott über die zänkische Frau, die in den Vergleichssprüchen anzutreffen ist, kann auch die Form des Spruches der Wertung annehmen, 21,15 und 21,9; beiden Spruchformen liegt ja ein Vergleichen zugrunde (s.S. 74).

Einige andere Sprüche kommen hinzu: 27,10: „Besser ein Nachbar in der Nähe ...", dazu 25,6b; 27,4; 28,21; 19,22, in denen die Formulierung abweicht, sowie neunzehn Sprüche der Wertung beim Prediger.

Nachgeahmte Sprüche der Wertung: 16,16 und 20,15.

Diese beiden Sprüche weichen so auffällig von allen anderen ab, daß sie als Nachahmungen eindeutig erkennbar sind. In allen anderen Sprüchen betrifft die Wertung ‚besser–als' eine konkrete Situation; hier aber ist die Form des Wertungsspruches geliehen, um den Wert der Weisheit anzupreisen: Besser als Gold, Silber und Korallen ist die Weisheit. Dabei zeigt sich die Abwandlung des Sinnes des Wortes ‚Weisheit': In den Sprüchen der Wertung ist die jeweils empfohlene Entscheidung (z.B. für den Topf mit Gemüse in Frieden) die weise, die klügere Entscheidung; in den nachgeahmten Sprüchen ist die Weisheit ein abstrakter Begriff und zum objektivierten Selbstwert geworden.

Weil bei den Sprüchen der Wertung die mündliche Entstehung der Mehrzahl nicht zu bestreiten ist, müssen sie in früher Zeit, vor der Entstehung der Gesetzescorpora in der Praxis des Alltags eine bestimmende Bedeutung gehabt haben. Sie waren allgemein bekannt, weil sie mündlich umliefen, und gaben eine Richtung an, die eine wichtige Entscheidungshilfe war. Es gehörte notwendig zum Miteinanderleben, daß man die Werte, die das Gemeinschaftsleben bestimmten, ständig prüfte und überdachte, daß man ständig gegeneinander abwog, was gut und was weniger gut war. Solch vergleichendes Fragen unterscheidet sich grundlegend von einer statischen Wertelehre, in der, was gut und was schlecht ist, ein für allemal festgelegt wird, ob im

politischen, sozialen, religiösen oder persönlichen Bereich.[59] Das zeigt sich
schon in diesen wenigen Sprüchen, in denen mehrfach etwas als das Bessere
bezeichnet wird, was nach allgemeiner Meinung als das Schlechtere gilt. Das
Abwägen bezieht die Situation ein; es kann eine Situation kommen, in der
der Tadel oder Härte das Hilfreiche ist, nicht die Liebesbezeugung (27,5–6).
Ebenso beim Armen und Reichen: es kann unter Umständen das Bessere
sein, zu den Armen zu gehören.

Zur Form: Es ist eine der einfachsten Spruchformen in den Proverbien.
Neben der ausgeführten Form in der Gegenüberstellung (15,16): „Besser
wenig mit Gottesfurcht als große Schätze mit Unruhe" begegnet in 19,22
eine kurze Form: „Ein Armer ist besser als ein Lügner".

Das vergleichende Fragen nach dem Besseren, das abwägt, aber nicht absolute Gegensätze (Armut ist gut – Reichtum ist schlecht) postuliert, hat für
das Verhältnis arm und reich noch eine besondere Bedeutung. Beachtet man
dieses relative Verhältnis nicht und sieht es prinzipiell und absolut, kann es
zu so bedenklichen Gegensätzen kommen wie in der Kirche des Mittelalters,
die Armut zu einem absoluten Wert erklärte im Mönchtum, während die
institutionelle Kirche übermäßigen Reichtum in ihren Kirchengebäuden und
anderem demonstriert. Das mußte zu negativen Folgen führen.

Neben den Sprüchen mit der Struktur „besser als..." hat es auch Sprüche
mit der Struktur „schlechter (schlimmer) als..." gegeben. Von ihnen aber
sind nur wenige Beispiele erhalten (27,4): „Grimmig mag die Wut sein, überwallen der Zorn, aber wer besteht vor der Eifersucht!", auch 17,12: „Lieber
einer Bärin begegnen, der man die Jungen geraubt, als einem Toren in seinem
Unverstand" (s.o. bei der Charakterisierung des Toren).[60]

Die Sprüche der Wertung stehen im Gegensatz zu einer Auffassung des
Gesetzes, nach der durch das Gesetz immer schon festgelegt ist, wie einer
sich angesichts einer ambivalenten Situation zu verhalten hat: er ist gebunden
zu tun, was das Gesetz vorschreibt. Bei diesem Verständnis würden die Sprüche der Wertung ihren Sinn verlieren, sie wären überflüssig. Im Gegensatz
zu einer solchen Auffassung vom Gesetz (wie sie sich auch bei Paulus spiegelt)
setzen die Sprüche der Wertung die freie Entscheidungsmöglichkeit nicht
nur, sondern auch das selbständige Erwägen und Abwägen, was in dieser
Situation zu tun sei, voraus. In der Zeit vor dem Exil gab es die abgeschlossenen Gesetzescodices noch nicht oder sie waren nur in bestimmten Kreisen
bekannt.

Einer der wichtigsten Züge an den Komparativsprüchen ist, daß sie keine
Begründung haben. Kein einziger dieser Sprüche enthält eine Begründung.
Das Fehlen der Begründung bedeutet, daß der Komparativ *tōb-min* den Cha-
rakter des Appells hat. Er ruft zum Überdenken einer Entscheidung, die
naheliegt: nämlich für das, was vorteilhafter erscheint; anders gesagt: den
Appell, sich in bestimmten Situationen für das Mindere zu entscheiden:
Halte nicht das für das Bessere, was alle dafür halten! Entscheide dich erst,
wenn du darüber nachgedacht hast, ob es wirklich das Bessere ist. Das ist im

Sinn eines Rates gemeint, der dem darin Angeredeten zutraut, daß er frei und selbständig urteilt.

Die Übernahme dieser Spruchform in der Verkündigung Jesu bedeutet, daß auch für ihn die Freiheit zur Entscheidung, auch im Gegensatz zum allgemein als richtig Geltenden aus einer besonderen Situation heraus für das Handeln des Menschen gilt.

Die Funktion der „Besser als ..." Sprüche für die Gemeinschaft kann noch deutlicher werden, wenn man bedenkt, wie sehr eine entgegengesetzte öffentliche Meinung beherrschend werden kann. Wo im öffentlichen Leben die meisten Lebensgebiete von der quantitativen und qualitativen Steigerung des immer mehr, immer größer, immer höher, immer schneller, immer lauter bestimmt sind, hat die Besinnung auf eine Mäßigung, die eine Verbesserung sein könnte, keinen Raum mehr, sie muß verstummen. Aus der Sicht derer, die solche Sprüche der Mäßigung sprachen und erwogen kann die Alleinherrschaft der Steigerung auf allen Gebieten nur abgründige Torheit sein.

Es bedarf keines Beweises, daß die Besser–als–Sprüche Volkssprichwörter sind; aber man erhält einen lebendigen Eindruck einmal von der universalen Verbreitung, dann aber auch von der Fülle der Möglichkeiten der Ausprägungen dieses Spruches in der dankenswerten Zusammenstellung bei G. Vanoni.[61]

Hier nur einige Kostproben:

Malagasi (Afrika):	Better be hated by the prince than hated by the people.
Hindi:	Mieux vaut être l'esclave du rîche que l'époux du pauvre.
Sanskrit:	Un sage ennemi vaut mieux qu'un ignorant ami.
Anam:	El huero es más prudente que la galina.
Krobo (Afrika):	An old grandmother in the house is better than an empty house.
	Die Antilope sagt: Es ist besser, ein Bein zu brechen, als in der Suppe zu landen.
Korangasso (Afrika):	Un seul fils d'éléphant vaut mieux qu' une multitude de francolines.
	Un véritable ami vaut mieux qu'un parent mêchant.
	La case où tombent les gouttes est meilleure qu'un beau tombeau.
	Le travail communautaire est bien meilleur que le travail individuel.
	Le don de dieu vaut mieux que le don de l'homme.

Hierzu kommen die im Anhang genannten „Besser als ..."-Sprüche in Ägypten, Mesopotanien, Afrika, Sumatra. Es wäre schon sehr merkwürdig, wenn dieser Spruch, der in der ganzen Welt als Volkssprichtwort begegnet, in den Proverbien ein Wort der Schulweisheit sein sollte.

VI. Zahlensprüche[62], Gratulation und Rätsel

„Der gestaffelte Zahlenspruch stellt ... vergleichbare Phänomene zusammen".[63] Außerhalb Israels begegnet es in Ugarit und in der Achiqar-Ezählung (s. S. 4 Anm. 3). Die häufigste Zahlenfolge ist zwei–drei. Der ugaritische Spruch stellt dreierlei schlechtes Betragen beim Gastmahl zusammen, der Achiqarspruch drei Verhaltensweisen, die Šamaš Lust bereiten. Sie weisen in den Bereich erzieherischer Weisheit. Im Alten Testament begegnet außerhalb der Proverbien z.B. Ps 62, 12 f.: „Eins hat Jahwe gesagt, ein zweites habe ich gehört, daß Schutz bei Gott ist, und bei dir, Herr, Huld".

Vgl. Sir 25,7–11; 9–10, dazu Sir 26,5 f. und außer den vier Zahlensprüchen in 30, 15–33 und Prov 6,16–19.

Die Zahlensprüche machen von dem Mittel der Aufzählung Gebrauch, um die Form des kurzen Spruches erweitern zu können; aus dem Spruch wird ein Gedicht. Die Aufzählung dient also nicht nur als technisches Mittel. „Die Zahlensprüche stellen einfach vergleichbare Phänomene zusammen" (H. W. Wolff); aber man müßte auch erklären können, mit welcher Absicht sie das tun. Denn der Inhalt der im Alten Testament begegnenden Zahlensprüche ist derart verschieden, daß man daraus die Absicht der Aufzählung (zu der manchmal auch die Steigerung gehört) nicht erkennen kann.
Fragt man, welcher der Gruppen die Zahlensprüche nahestehen, so bietet sich die Gruppe „Beobachtungen am Menschen" an. Offensichtlich sind die Zahlensprüche in 30,15–33 unter dem Gesichtspunkt der Beobachtung zusammengestellt; aber es sind nicht nur Beobachtungen am Menschen, sie beziehen auch seine Umwelt ein. Der Spruch 24–28 ist das Ergebnis eines aufmerksamen Beobachtens der Tiere, die sich ja ebenfalls in den vielen Tiervergleichen anderer Sprüche zeigt. In 18–19 ist das die vier Beobachtungen Zusammenhaltende das Wunderbare der Bewegung; ein Phänomen der Schöpfung ist hier in weit voneinander entfernten Erscheinungsformen als etwas diesen Gemeinsames wahrgenommen worden. Der Spruch bringt das Staunen des dieses Gemeinsame Wahrnehmenden zum Ausdruck: „Drei Dinge sind mir zu hoch, ja vier sind es, die ich nicht verstehe..." In ehrfürchtigem Staunen vollzieht sich hier ein erster Schritt der Erkenntnis; die „Bewegung" in ihrer erstaunlichen Verschiedenartigkeit wird als das so Verschiedenes Verbindende entdeckt, es ist die Geburt eines Begriffes. (Ein abstraktes Nomen „Bewegung" hat das Hebräische nicht).
In 29–31 ist es die in einer Bewegung, einer Geste zum Ausdruck kommende Würde, in so starken Kontrasten sich zeigend wie im Schreiten des Löwen und dem Schreiten des Hahns unter den Hennen, des Bockes vor der Herde und des Königs, der vor dem Volk einherzieht. In dieser Aufzählung kommt das Zusammengehören der Kreatur in dem Phänomen einer Geste, die diese vier verbindet, zum Ausdruck. Würde ist eine Weise kreatürlichen Adels, an dem auch die Tiere teilhaben; das Edle einer Bewegung kann Menschen und Tiere verbinden.[64]

In 30,15–16 und 21–23 sind es zwei negative oder erschreckende Phänomene, die auch völlig verschiedene Erscheinungsformen haben und denen
dennoch in dem hier Beobachteten etwas Gemeinsames eignet: die Unersättlichkeit (15–16) und die Unerträglichkeit (21–23). Auch hier sieht man, wie
sich aus vielen ganz verschiedenen Beobachtungen ein Begriff bildet, der sie
in ihrer Verschiedenheit umfaßt.

Schließlich werden in 24–28 vier Tiere aufgezählt, die zu den kleinsten
gehören und dennoch bewundernswerte Leistungen aufweisen. Die besondere Absicht dieses Spruches zeigt sich in der kühnen Übertragung der Weisheit auf außermenschliche Lebewesen, eben auf diese kleinen Tiere. Weisheit
ist hier verstanden als Befähigung zu besonderen Leistungen.

Ganz anderer Art ist der Zahlenspruch Prov 6,16–19: „Sechs Dinge sind
es, die der Herr haßt...", danach werden sechs Freveltaten genannt, die alle,
je für sich, in anderen Sprüchen als Tun des Frevlers (oder Toren) angeführt
werden. Hier ist der Zahlenspruch nur technisches Mittel der Aufreihung,
es liegt ein nachgeahmter Gebrauch des Zahlenspruches vor.

Es war vorher gesagt worden, daß die Zahlensprüche den Beobachtungen
am Menschen nahestehen. Diese Feststellung ist zu erweitern: Die Sprüche
der Beobachtung am Menschen sind der Form nach Vergleichssprüche. Ein
Vorgang des Vergleichens liegt auch den Zahlensprüchen zugrunde. Erst
wenn man sie mit der Fülle der Vergleichssprüche zusammensieht, kommt
die Bedeutung des Vergleiches (der Analogie) für die Weisheit Israels in den
Blick. In ihm ist das Vergleichen, d.h. das Nebeneinanderstellen von Kreatür-
lichem ein wesentlicher Bestandteil des Verstehens von Welt und Mensch,
Mensch und übriger Kreatur. Weil der Mensch als Geschöpf und die Welt
als geschaffene von ihrem Schöpfer her eines ist, kann solches Vergleichen
dem Verstehen des Menschen in seiner Welt dienen; beides hat ja seinen
Ursprung im Schöpfer, vom Kleinsten bis zum Größten.

Zur Form: Daß die Zahlensprüche aus Beobachten und Vergleichen
erwachsen sind, ist schon gesagt worden. Der Form nach aber sind sie Aufzählung, wie das die Zahlen betonen und unterstreichen. Gegenüber sonsti-
gem Vorkommen von Aufzählungen S. 8–23)[65] und sonstigen Formen von
Aufzählung ist das Besondere und Einzigartige bei den Zahlensprüchen
30,15–33 der kontemplative Charakter, der ebenso den Sprüchen der Beobachtung am Menschen eignet: Die Aufzählung erwächst aus der Erkenntnis
des Zusammengehörens des Aufgezählten unter dem Gesichtspunkt des Entdeckens des Gemeinsamen, das sie verbindet.

Die Gratulation „Wohl dem ..."

Sätze, die mit 'ašrē = wohl dem ..., glücklich der ... beginnen, sind keine
Weisheitssprüche, sondern Glückwünsche (Gratulationen), eine Sonderform
des Grußes. Sie begegnen im Alten Testament 45mal, 26mal in den Psalmen, achtmal in den Proverbien (einige Stellen verstreut), einmal

1. Kön 10,8 = 2. Chr 97 im ursprünglichen Sinn als Gratulation bei einer Begegnung, von der Königin von Saba an Salomo gerichtet: „Glücklich deine Frauen, glücklich deine Diener ...!" Die Gratulation hat hier primär den Sinn eines Konstatierens. Ähnlich ein Glücklichpreisen Israels Dtn 33,29: „Glücklich du, Israel, wer ist dir gleich ...!"; Ps 33,12: „Wohl dem Volk, dessen Gott Jahwe ist ..."; ebenso Ps 89,16; 144,15. Ebenso kann ein Einzelner glücklich gepriesen werden (Ps 127,3 u.o.") oder Ps 40,5: „Wohl dem Mann, der sein Vertrauen auf Jahwe setzt (dazu weitere Psalmenstellen). In einer anderen Gruppe wird der glücklich gepriesen, der etwas tut, Ps 1,1: „Wohl dem Mann, der nicht ... sondern ..."; Ps 128,1: „Wohl dem, der Jahwe fürchtet". Hier berühren die Glückwünsche die Weisheit: glücklich gepriesen werden die Jahwefürchtigen; statt der Gottesfurcht kann auch die Weisheit genannt werden (Prov 3,13): „Wohl dem Menschen, der Weisheit erlangt hat". Der Satz kommt einem Lob der Weisheit nahe (vgl. 8,34), oder sie sind ein indirektes Lob der Weisheit. Nur als diesem Motiv „Lob der Weisheit" zugeordnet können solche Gratulationen der Weisheit zugerechnet werden in einem übertragenen Gebrauch; die Gratulationen als solche bleiben auch hier eine Sonderform des Grußes.[66]

Einige Psalmen sind zu einem Gedicht erweiterte Glückwünsche (127,3-5; 128, 1-4); s.S. 119.

Das Rätsel

Die Rätsel werden gewöhnlich zusammen mit den Sprüchen behandelt; sie sind aber eine eigene, selbständige Gattung; hierzu H.P. Müller, Der Begriff Rätsel im Alten Testament, VT 20, 1970, 465 ff.

VII. Gegensatzsprüche: Der Gerechte - der Frevler[67]

1. Das Grundschema in den vier Motiven

Tun des Gerechten, Ergehen des Gerechten,	Tun des Frevlers, Ergehen des Frevlers
10,5 Wer in Lauterkeit wandelt, geht sicher,	doch wer krumme Wege wählt, wird entdeckt.
11,5 Die Gerechtigkeit der Lauteren macht eben ihren Weg,	der Sünder aber fällt durch seine Schuld.
11,3 Der Redlichen Lauterkeit leitet sie sicher,	die Treulosen aber verdirbt ihre Falschheit.

11,6	Die Redlichen rettet ihre Gerechtigkeit,	doch die Treulosen werden von ihrer Gier gefangen.
11,27	Wer sucht, was gut, geht auf Wohlgefallen aus,	doch strebt einer Böses an, kommt es über ihn.
11,28	Wer sich des Reichtums sicher glaubt, der fällt,	die Gerechten hingegen sprießen wie Blättergrün
11,30	Aus der Frucht der Gerechten wächst des Lebens Baum,	vor der Zeit werden die Frevler hingerafft.
13,13	Wer das Wort verachtet, geht zugrunde,	doch wer das Gebot annimmt, bleibt unversehrt.
13,15	Einsicht ins Gute bringt Gunst ein,	doch starr ist der Weg der Abtrünnigen.
14,22	Gehen nicht in die Irre, die Böses planen?	doch die auf Gutes bedacht sind, erfahren Liebe und Treue.
14,32	Durch seine Bosheit kommt der Frevler zu Fall,	doch der Gerechte hat seine Zuflucht in seiner Unschuld.
15,27	Sein Haus zerstört, wer sich zu bereichern sucht	doch wer Geschenke haßt, wird leben.
11,17	Wer Erbarmen hat, tut sich selbst wohl,	Der Erbarmungslose schneidet sich ins eigene Fleisch.

Dazu: 21,12; 12,13; 13,6; 14,32; und aus 25–29: 28,18; 28,20; 29,6.

In diesen zwanzig Texten sind alle vier Elemente, die zu dem Gegensatzspruch Der Gerechte – der Frevler gehören, in einem Spruch zusammengefaßt. Die anderen Gruppen von Sprüchen bringen nur Teile davon. Dadurch, daß die Sprüche dieser Gruppe alle vier Elemente oder Teile von ihnen enthalten, bilden die vier Elemente ein Ganzes, zu dem sie alle gehören. In diesem Ganzen geht es immer um dasselbe: den Gegensatz zwischen dem Gerechten und dem Frevler in seinem Tun und entsprechend in seinem Ergehen. Diese strenge Systematik, in der alle Sprüche eigentlich dasselbe sagen, aber so variiert, daß jeder von ihnen doch etwas Selbständiges, nur ihm Eigenes hat, gibt es nur in diesem Komplex der Proverbien. Daß diese Systematik aus mündlichen Sprichworten entstanden sein könnte, ist ausgeschlossen, es wird darin ein Lehrsatz entfaltet. Dem Ganzen liegt eine reflektierte Konzeption zugrunde, ein erdachtes System. Dem entspricht es, daß die einzelnen Aussagen über das Tun der Gerechten und der Frevler wie auch über ihr Ergehen durchweg allgemeiner Art sind, z.B. 11,5: „Die Gerechtigkeit der Lauteren macht eben ihren Weg, der Sünder aber fällt durch seine Schuld". Hier fehlt jede Konkretheit, nichts läßt einen Schluß auf eine Situation zu, auf die sich der Spruch beziehen könnte; es sind alles allgemeine und theoretische Aussagen. Sie entsprechen der Systematik des Ganzen in seinen Gruppen.

Es ist damit sicher, daß diese Sprüche theoretisch konstruiert sind; ihre Funktion ist, diese Lehre oder Theorie über die Frevler und Gerechten zu entfalten. Man kann dabei die Erfindungsgabe, mit der sie dasselbe immer wieder mit anderen Worten oder in anderer Zusammensetzung sagen, nur bewundern. Der Stil erinnert ein wenig an den 119. Psalm.

Tun der Gerechten - Tun der Frevler

	Tun des Gerechten	Tun des Frevlers
15,28	Das Herz, des Gerechten sucht Redliches,	doch der Frevler Mund sprudelt Böses hervor.
12,5	Des Gerechten Sinn geht auf das Rechte,	das Sinnen der Frevler geht auf Trug.
10,1	Ein Quell des Lebens ist des Gerechten Mund,	des Frevlers Mund dagegen birgt Gewalttat.
10,20	Lauteres Silber des Gerechten Zunge	das Herz des Frevlers jedoch ist wenig wert.
10,32	Den Lippen des Gerechten ist vertraut, was wohlgefällt,	dem Mund der Frevler jedoch Verkehrtheit.
12,10	Der Gerechte hat Verständnis für das Verlangen seines Viehs,	das Herz des Bösen ist grausam.
13,5	Verlogenheit haßt der Gerechte,	der Frevler handelt schandbar und schändlich.
13,21	Wer seinen Nächsten mißachtet, sündigt,	aber wohl dem, der sich des Armen erbarmt.
21,29	Der Frevler zeigt ein trotziges Gesicht,	der Gerechte aber einen festen Wandel.
12,12	Die Wünsche des Gerechten sind fest gegründet,	das Begehren des Frevlers ist schlecht.
21,25	dem Gerechten ist es Freude, wenn Recht geschieht,	dem Übeltäter aber ist es Schrecken.

Dazu 11,13; 11,17; 13,10; und in Kap. 25–29: 28,1.4.5; 29, 7.10.27.

Eigentlich sagen alle diese 21 Sprüche dasselbe: das Denken, Reden und Handeln des Frevlers wird in Gegensatz gestellt zu dem Denken, Reden und Handeln des Gerechten. Auf der einen Seite wird aufgezählt, worin das Denken, Reden und Handeln des Frevlers besteht: Sein Herz ist grausam, wenig wert, sein Sinnen geht auf Trug, er ist hochmütig und streitsüchtig, er zeigt ein trotziges Gesicht, sein Begehren ist schlecht; sein Mund sprudelt Böses hervor, oder Verkehrtheit, er birgt Gewalttat, er ist ein Verleumder und Lügenzeuge; er handelt schandbar und schändlich, mißachtet seinen Nächsten, bedrückt die Geringen, erschrickt, wo Recht gesprochen wird. – Vom Gerechten wird in allem das Gegenteil gesagt, deshalb braucht man es nicht aufzuzählen. Läßt man dies in monotoner Aufzählung auf sich wirken, die von dem einen alles Gute, von dem anderen alles Schlechte sagt, wird klar, daß dies eine rein theoretische Aufzählung ist, der es nur darauf ankommt, den Gegensatz zu artikulieren. Dabei ist zu beachten, daß bei dieser und bei der nächsten Gruppe das ganze Gewicht auf dem *Nebeneinander* bzw. *Gegeneinander* des Gerechten und des Frevlers liegt, nicht aber auf der Folge von Tat und Strafe. Jeder einzelne dieser Sprüche hat die Struktur des Gegeneinander; die Absicht des Entgegensetzens beider beherrscht sie alle.

Ergehen des Gerechten – Ergehen des Frevlers

10,16	Des Gerechten Lohn dient dem Leben,	doch der Name des Frevlers vergeht.
12,28	Zum Leben führt der Pfad der Gerechtigkeit,	der Weg des Bösen aber zum Tod.
13,9	Das Licht der Gerechten flammt auf,	doch die Lampe der Frevler verlischt.
10,7	Der Gerechten denkt man zum Segen,	doch der Name der Frevler vergeht.
10,25	Braust der Sturm daher, ist der Frevler nicht mehr,	doch der Gerechte ist fest gegründet für ewig.
10,27	Die Furcht Jahwes vermehrt die Lebenstage,	die Jahre des Frevlers jedoch sind verkürzt.
10,28	Der Gerechten Hoffnung mündet in Freude,	doch zunichte wird die Erwartung des Frevlers.
11,8	Der Gerechte wird der Drangsal entrissen,	und der Böse kommt an seine Stelle.
12,7	Die Bösen werden gestürzt und sind nicht mehr,	das Haus der Gerechten dagegen bleibt stehen.
12,21	Dem Gerechten widerfährt kein Leid,	dem Frevler aber Unheil die Fülle.
12,26	Der Gerechte erspäht seine Weide,	die Frevler führt ihr Weg in die Irre.
12,28	Zum Leben führt der Pfad der Gerechtigkeit,	der Weg der Frevler aber zum Tod.
13,9	Das Licht der Gerechten flammt auf,	doch die Lampe der Frevler erlischt.

Dazu 10,30.31; 11,2.18.19.21.23.31; 12,8.20; 13,2.6.9.21.22.25; 14,11.19.32; 15,6.

Von allen Stellengruppen kommt in dieser größten (36 Texte) wohl am deutlichsten zum Ausdruck, was die Gegensatzsprüche sagen wollen. Die lange Reihe der Sprüche hat von Anfang bis Ende nur die Absicht, in jedem

Spruch etwas anders akzentuiert den Gegensatz im Ergehen des Gerechten und des Frevlers herauszustellen. Es sind zwei Züge, die das Ganze bestimmen: Einmal, daß in jeder Zeile der Frevler dem Gerechten, dem Gerechten der Frevler gegenübergestellt wird. Damit wird der Eindruck nicht nur erzeugt, sondern eingehämmert, daß es andere *nicht gibt*. Entweder einer gehört zu den Gerechten oder er gehört zu den Frevlern, tertium non datur. — Ebenso eindeutig und massiv ist der andere Zug: Heil gibt es nur für den Gerechten, Unheil nur für den Frevler. So wie die beiden Menschengruppen wird auch ihr Ergehen, ihr Schicksal gegenübergestellt. Heil und Unheil gelten absolut entweder dem einen oder dem anderen: „Das Licht der Gerechten flammt auf, doch die Lampe der Frevler verlischt".[68]

Man hat das früher als Vergeltungslehre bezeichnet oder als Tat-Folge-Denken und von „schicksalwirkender Tatsphäre" (K. Koch)[69] gesprochen. Aber in beiden Deutungen wird einseitig das Aufeinanderfolgen von Schuld und Schicksal betont. Die Texte dagegen machen einen ganz anderen Eindruck; sie zeigen in der unablässig wiederholten Struktur der Entgegensetzung in den beiden Halbversen sprachlich äußerst wirksam vielmehr das Nebeneinander im Gegensatz, sowohl des Handelns wie auch des Ergehens der beiden. Der Eindruck, den das Aneinanderreihen des immer gleich Gegensätzlichen bewirkt, ist der des im Gegensatz unbedingt Feststehenden.

Einige Texte weichen von der Normalform ab. In 10,31 und 11,2 wird dem Tun des Gerechten das Ergehen des Frevlers entgegengesetzt, in 13,2 dem Ergehen des Weisen das Tun des Frevlers. In allen drei Texten ist die sekundäre Verbindung der beiden Verhältnisse offenkundig.

Die Fehldeutung der großen Gruppe als Tat-Ergehen-Zusammenhang ist wohl zum Teil darin begründet, daß man sie nur von ihrem Inhalt her auslegte, die Sprachform aber nicht genügend beachtete. Diese Deutung würde eine Sprachform voraussetzen, in der der Vers gegliedert wäre in das Tun im ersten, das Ergehen im zweiten Halbvers. Die bestimmende Form aber ist die Gegenüberstellung beider im gleichen Vers. Um diesen Gegensatz geht es dem Verfasser der Sprüche.

Tun und Ergehen des Frevlers (einseitig)

    17,13   Wer Gutes mit Bösem vergilt
             aus dessen Haus wird das Böse nicht weichen.

    15,10   Den trifft schlimme Züchtigung, der den Pfad verläßt;
             wem Rüge verhaßt ist, der muß sterben.

    17,11   Nur auf Widersetzlichkeit ist der Böse aus,
             doch wird ein grausamer Bote gegen ihn gesandt.

2. Gegensatzsprüche: der Gerechte – der Frevler in 25–29

Die in 25–29 vorkommenden zwanzig Gegensatzsprüche stehen nicht in einem festen Block, sondern sind über die fünf Kapitel verstreut; um so erstaunlicher ist die fast völlige Übereinstimmung der Gruppen, in die diese Sprüche sich gliedern.

Das Tun des Gerechten: Er handelt unsträflich (28,18); ein Mann von Treu und Glauben (28,20); die Gerechten suchen Jahwe und verstehen deshalb alles (28,5); der Gerechte ist unerschrocken wie ein Löwe (28,1); er bewahrt die Belehrung (28,4); er kümmert sich um das Recht des Geringen (29,7); nimmt sich seiner an (29,10). Wer Unrecht tut, ist dem Gerechten ein Greuel.

Vom Frevler wird gesagt: er geht krumme Wege (28,18); er will schnell reich werden (28,20); er verstrickt sich in seiner Sünde (29,6); er versteht nicht, was recht ist (28,5); er läßt von der Belehrung und preist den Frevler; er kümmert sich nicht um den Geringen; er haßt den Redlichen, wer redlich handelt, ist ihm ein Greuel; er bedrückt die Geringen, teilt mit den Dieben. Ein ganzes Gedicht (30,11–14), schildert das Geschlecht, dessen Zähne Schwerter sind, den Armen zu vertilgen. Er gräbt eine Grube, daß andere hineinstürzen, verführt Rechtschaffene auf böse Wege.

Das Ergehen des Frevlers: Er fällt in die Grube, die er anderen gegraben hat (28,18; 26,21; 28,10); er wird plötzlich zerschmettert (29,1); er bleibt nicht ungestraft (28,20); er verstrickt sich in seiner Sünde (29,6).

Das Ergehen des Gerechten: Er erhält Hilfe, wird vielfach gesegnet (28,20); darf jubeln und fröhlich sein (29,6); der Unsträfliche gelangt zu Glück. – Alle diese Aussagen sind so allgemein und ohne Situation, daß man faktisch nichts erfährt über die hier entgegengesetzten Menschengruppen und das, was zwischen ihnen vor sich geht. Es wird nur aufgezählt, was man traditionell von den Gerechten und den Frevlern sagt.

3. Was zwischen den Gerechten und den Frevlern geschieht

Die einen oder die anderen kommen zur Macht. Nur in einigen wenigen Sprüchen geht etwas zwischen den Gerechten und den Frevlern vor sich:

25,12 Wenn die Gerechten triumphieren, so ist es ein herrliches Fest,
   wenn aber die Frevler vorkommen, halten sich die Leute
        versteckt

25,28 Wenn der Frevler hochkommt, verbergen sich die Leute,
   gehen sie aber zugrunde, so gelangen die Gerechten zur Macht

29,2 Gelangen die Gerechten zur Macht, so freut sich das Volk,
   regiert aber der Frevler, so seufzen die Leute

29,16 Wenn die Gottlosen zur Macht kommen, wird die Sünde
        mächtig,
  die Gerechten aber werden ihrem Fall zusehen

Diese Spruchgruppe ist singulär und auffällig anders als die sonstigen Gruppen. Es müssen Vorgänge, etwa in einer kleinen Stadt, gemeint sein, in der es unter den Bürgern Richtungskämpfe gab und einmal die, einmal die anderen das Sagen hatten. Leider erfahren wir aus den Sprüchen nichts Genaues. Aber sie beweisen, daß es den Verfassern um das Nebeneinander und Gegeneinander der als Frevler und Gerechte Bezeichneten ging.

Es besteht eine Ähnlichkeit zwischen diesen Sprüchen und einigen aus der Sammlung 10–22:

> 11,10   Ergeht es den Gerechten gut,
> frohlockt die Stadt und Jubel herrscht beim Untergang der
> Frevler.
> 11,11   Die Stadt kommt hoch durch den Segen der Redlichen,
> doch durch der Frevler Mund wird sie niedergerissen.
> 14,34   Gerechtigkeit erhöht das Volk,
> aber die Sünde ist der Leute Verderben.

Auch in diesen geschieht etwas zwischen den Gerechten und den Frevlern, es gibt Bewegungen zwischen ihnen. Auch in 10,10 und 11 bilden sie Parteien, deren beherrschender Einfluß in der Stadt wechselt.

Eine weitere Gruppe kommt hinzu:

Der Frevler verfolgt den Gerechten, der Gerechte entkommt ihm:

> 11,9   Vom Munde des Frevlers droht dem Nächsten Verderben,
> doch durch die Einsicht der Gerechten wird er gerettet
> 12,6   Die Reden des Bösen sind ein Lauern auf Blut,
> doch der Mund der Gerechten rettet sie
> 12,13   In der Lippen Verfehlung verstrickt sich der Böse,
> doch der Gerechte entrinnt der Bedrängnis
> 22,5   Auf dem Weg des Falschen sind Angeln und Schlingen,
> wer sein Leben bewahren will, bleibt ihm fern

Nach 11,9 werden die Gerechten von den Frevlern bedroht, nach 12,6 ist „ihr Reden ein Lauern auf Blut"; der Gerechte wird von ihnen bedrängt (12,13 und 22,5). Aber es gelingt dem Frevler nicht, seine bösen Ziele zu erreichen; „durch die Einsicht der Frommen wird er gerettet" (11,9; 12,6). Aber keiner der Sprüche deutet einen Kampf an und nie werden die Frevler durch die Gerechten bedroht, sie sind offenbar die Schwächeren. Das alles ist so wie in den Klagepsalmen zwischen den Frommen und ihren Feinden (vgl. Ps 22,13–18).

Der Gegensatz zwischen den Gerechten und den Frevlern spielte sich also in einem Gemeinwesen ab, zu dem beide gehörten. Und diese Sprüche sagen, daß Wohl und Wehe des Gemeinwesens davon abhängt, wer von beiden in ihm zu bestimmen hat. Die Unbedingtheit dieses Gegensatzes ist in solchem Zusammenhang zu sehen.

Erster Exkurs: Die Gerechten und die Frevler in den Psalmen und im Hiobbuch

Zum Verständnis der Gegensatzsprüche vom Gerechten und Frevler müssen zwei Komplexe im Alten Testament herangezogen werden, in denen in einer sehr ähnlichen Weise von diesem Gegensatz gesprochen wird. Ich gehe dabei von einem wortstatistischen Tatbestand aus, der für sich selbst spricht. Die am häufigsten für den Frevler gebrauchte Vokabel in den Gegensnsatzsprüchen ist *rāšaᶜ*. Sie begegnet nur in drei Komplexen gehäuft: Von 203 Vorkommen stehen in den Proverbien 78 (dazu das Dreifache an Synonymen), in den Psalmen 82, in Hiob 26. Außer in diesen drei Komplexen begegnet *rāšaᶜ* noch 79mal im ganzen Alten Testament, aber an keiner Stelle sonst so gehäuft (THAT, Bd. II, S. 813 f.). Schon von diesem Vokabelbestand her legt sich eine Nähe dieser drei Komplexe zueinander nahe.

Der Gerechte und der Frevler in den Klagepsalmen des Einzelnen

In meinem Aufsatz: Struktur und Geschichte der Klage im Alten Testament, ZAW 66, 1954, S. 44–80 habe ich das dritte Glied der Klage, das Verklagen der Feinde, S. 61–66 untersucht. Es ist das in den uns überlieferten Klagepsalmen beherrschende Glied der Klage, auch das am reichsten entwickelte. Die Fülle der Sätze über die Feinde gliedert sich in Aussagen über das Handeln und das Sein der Feinde. Die häufigsten Sätze reden von den Anschlägen der Feinde auf den Klagenden. Zum Handeln kommt ihr Reden: sie verhöhnen den Klagenden, weiden sich an seinem Unglück. In vielen Klagepsalmen tritt das Sein der Feinde dazu, ihre Charakterisierung. Damit wird, streng genommen, die Redegattung der Klage verlassen, dieses die Feinde schildernde Reden ist nicht mehr Rufen zu Gott. Die Feinde werden geschildert als verderbt, frevelhaft, gottlos; alle hier gebrauchten Vokabeln begegnen auch in der Charakterisierung der Frevler in den Proverbien. Die Charakterisierung wird erweitert durch das Motiv des Schicksals der Feinde, ihnen wird Verderben und Sturz angekündigt, z.B. Ps 52,3–9. Schilderung und Schicksal der Feinde können den ganzen Psalm beherrschen wie in Ps 52; 53; 58. Es ist dieselbe Motivfolge wie in den Proverbien, das hat ein erhebliches Gewicht. Dabei kommt auch wörtliche Übereinstimmung vor wie Prov 11,28 und Ps 52,10.

Der Gerechte und der Frevler in den Freundesreden

Ganz anders verhält es sich mit der zweiten Parallele in den Freundesreden des Hiobbuches. Hier ist sie ein Argument in den Reden, die die Freunde an Hiob richten. Alle diese Reden entfalten das Thema des Schicksals des Frevlers. Der Unterschied in der Form ist offenkundig; es sind Teile einer rhetorischen Komposition (Der Aufbau des Buches Hiob, 1956, ²1977, S. 92–98). Im ersten Gesprächsgang ist das Schicksal der Frevler ein Argument neben anderen, im zweiten ist es das wichtigste Argument und wird erweitert: Nicht nur das Ende, das ganze Leben des Frevlers steht im Blick, und es wird eine Begründung für das Schicksal des Frevlers gegeben. Bei der Entfaltung des Motivs gibt es im einzelnen viele Parallelen zu den Proverbien, ebenso für die Ankündigung, daß die Frevler umkommen werden. Die Freundesreden setzen das Motiv offenbar voraus, variieren und erweitern es.

Das Teilmotiv Schicksal des Gerechten begegnet auch, aber in einem anderen Zusammenhang. Im ersten Redegang enthalten alle drei Freundesreden das Motiv ‚Das Glück des Frommen'; im zweiten fehlt es ganz, im dritten kehrt es in der Rede des Elifas noch einmal wieder; hier ist es aber erheblich abgewandelt.

Was ist aus diesem Tatbestand zu erkennen? Wenn sich eine solche Motivfolge an drei Stellen im Alten Testament findet, noch verstärkt durch das Begegnen gleicher Sätze hier wie dort, dazu das gehäufte Begegnen gleicher Vokabeln, ist anzunehmen, daß ein Zusammenhang zwischen ihnen besteht. Sie müssen etwa in der gleichen Zeit entstanden sein. Da für das Hiobbuch die nachexilische Entstehung so gut wie sicher ist und bei den anderen Texten andere Gründe auch dafür sprechen, ist für diese drei Textkomplexe nachexilische Entstehung anzunehmen. Durch die beiden Parallelen wird außerdem bestätigt, daß mit dem Gegensatz ‚der Gerechte – der Frevler' ein Nebeneinander, nicht ein Nacheinander gemeint ist.

Zweiter Exkurs: Vergleiche in den Gegensatzsprüchen: Gerechter – Frevler

In elf Texten sind in Gegensatzsprüchen Vergleiche enthalten. Der Gegensatz ist die eigentliche Intention dieser Sprüche, die Vergleiche sollen diese Intention verstärken

Tun und Ergehen des Gerechten und des Frevlers

10,28   Wer auf seinen Ruhm vertraut, welkt dahin
        die Gerechten aber grünen wie junges Laub.

12,10   Unrechttun ist ein Netz für die Bösen,
        die Frommen aber wurzeln in festem Grund.

11,30   Des Rechttuns Frucht ist ein Baum des Lebens,
        Unrechttun aber nimmt das Leben.

Ergehen des Gerechten und des Frevlers

13,9   Das Licht des Frommen brennt fröhlich,
       aber die Leuchte des Gottlosen verlischt.

12,26   Der Fromme erspäht seine Weide,
        die Gottlosen führt ihr Weg in die Irre.

Dazu 12,3; 12,7; 13,2; 14,11.

Tun des Gerechten und des Frevlers

10,20   Kostbares Silber ist die Rede des Frommen
        der Verstand der Gottlosen ist wenig wert.

In all diesen Sprüchen ist der Vergleich in einer den Gegensatz intensivierenden Funktion gebraucht. Es ist keine originale Form, wie auch die Vergleiche alle nicht original sind. – Diese Sprüche sind schriftlich entstanden und konstruiert, meist aus verschiedenen Elementen. Die Vergleiche sind zum Teil zu Metaphern verkürzt, oft kehren die gleichen wieder. Manchmal passen die beiden Halbverse schlecht zueinander.

Wichtig ist diese Gruppe, weil sie den Nachweis dafür erbringt, daß es in den Proverbien nachträglich aus ursprungsverschiedenen Elementen zusammengesetzte Sprüche gibt, daß außerdem in der allgemein als früh anerkannten Sammlung 10–22 Gruppen von späten Sprüchen begegnen. Sie zeigen einen von den sonstigen Spruchgruppen abweichenden Gebrauch der Vergleiche.

Jahwe handelt am Gerechten und am Frevler

Von 117 sind es nur elf Sprüche, in denen der Name Jahwe begegnet; es ist also nur eine kleine Gruppe, in der das Wirken Jahwes mit dem Gegensatz der Gerechte – der Frevler in Verbindung gebracht wird. In fünf der Sprüche wird in einer festen Redewendung gesagt, daß die Frevler in ihrem Verhalten Jahwe ein Greuel sind:

11,20   Ein Greuel sind Jahwe die falschen Herzens,
        doch die untadelig wandeln, haben sein Wohlgefallen.
Ebenso oder ähnlich 12,22; 15,8; 15,9; 15,26.

In vier Sprüchen, die unter sich ganz verschieden sind, reagiert Jahwe auf den Gegensatz von Frevlern und Gerechten:

10,3   Nicht ungestillt läßt Jahwe des Gerechten Verlangen,
        doch die Gier des Frevlers stößt er zurück.
15,29   Weit fort ist Jahwe von den Frevlern,
        doch hört er der Gerechten Gebet.
10,6   Auf das Haupt des Gerechten kommt der Segen Jahwes,
        verfrühte Trauer verschließt dem Frevler den Mund.
10,29   Der Weg Jahwes ist Schutz für die Lauterkeit,
        für den Übeltäter aber Verderben.

In zwei Sprüchen begegnet die Gottesfurcht mit ihrem Gegensatz:

14,2   Wer seinen Weg gerade wandelt, fürchtet Jahwe,
        wer aber krumme Wege geht, mißachtet ihn.
10,27   Die Furcht Jahwes verlängert die Lebenstage,
        die Jahre des Frevlers jedoch sind verkürzt.

Es sind also nur sehr wenige Sprüche, in denen Jahwe überhaupt mit dem Gegensatz der Frevler zu den Gerechten in Zusammenhang gebracht wird; die Intention dabei ist nicht, etwas über Jahwe und sein Tun zu sagen, sondern nur, den Gegensatz beider zu unterstreichen. Eine Eigenbedeutung hat das Reden von Jahwe in diesen Sprüchen nicht.

4. Zusammenfassung

Die Gegensatzsprüche der Gerechte – der Frevler bilden die größte Gruppe in den Proverbien, 117 Sprüche. In 10–22 bilden sie von 10–15 mit Unterbrechungen einen großen Block, einige sind in 25–29 zerstreut. Diese Sprüche bilden eine besondere Traditionsschicht in den Proverbien. Sie gehören nicht nur darin zusammen, daß sie alle vom Gerechten und vom

Frevler in ihrem Gegensatz reden, sondern auch darin, daß sie ein Schema aus vier Elementen bilden, die verschieden verteilt sind. Die vier Elemente oder Teile von ihnen können einen Spruch bilden. Die Gegensatzsprüche der Gerechte – der Frevler unterscheiden sich von den Gegensatzsprüchen der Tor – der Weise und sonstigen Gegenüberstellungen dadurch, daß von den Frevlern und Gerechten nur allgemein und theoretisch gesprochen wird; konkrete Situationen begegnen so gut wie gar nicht. Einige Sprüche weichen von dem Schema darin ab, daß zwischen den Gerechten und den Frevlern etwas geschieht: Die Frevler verfolgen die Gerechten, diese entkommen ihnen; die einen und die anderen kommen wechselnd zur Macht, die Gerechten fördern das Wohl der Stadt. Diese Sprüche zeigen, daß es sich bei den Gerechten und den Frevlern um etwas wie Parteien an einem Ort handelt. Damit wird bestätigt, daß es sich in den Gegensatzsprüchen um ein Nebeneinander, nicht ein Nacheinander (Tat – Folge) handelt.

Die Parallelen in den Klagepsalmen und den Freundesreden im Hiobbuch weisen auf die nachexilische Zeit. Auch hier ist es ein Gegensatz im Nebeneinander, in dem die Frevler die Feinde des Beters sind.

Die vier Elemente dieser Spruchgruppe bilden ein Ganzes, in dem es immer um dasselbe geht. Dem Ganzen liegt eine reflektierte Konzeption zugrunde, eine Lehre oder ein System. Der formalen Systematik entspricht ein durchweg abstraktes Reden von den Gerechten und den Frevlern. Eine Folge dieser systematischen Darstellung in Spruchform ist es, daß die absolute Entgegensetzung alle umfaßt. Es gibt nur Gerechte und Frevler.[70]

Die Mahnworte (Imperativsprüche)

I. Zwei Arten von Mahnworten

Von den 82 Versen von 22,17–24,34 sind die meisten einzelne Mahnworte (= Mahnungen und Warnungen) mit kurzen oder längeren oder ohne Begründungen. Bei den Mahnungen lassen sich, von der Art der Sprüche her, zwei Gruppen erkennen. Die eine setzt mit 22,22 ein. Sie enthält von 22,22–23,11 nur Mahnungen (einzige Unterbrechung 22,29). Sie werden fortgesetzt in 24,1, nach dem Gedicht 23,29–33, das den Komplex 23,12–28 abschließt, und reichen mit einigen Unterbrechungen bis zum Ende der Sammlung 24,29; hier ist wieder der Abschluß ein Gedicht: 30–34. – Die zweite Gruppe ist eine Sammlung von Erziehungsmahnungen. Sie ist eingeleitet mit der Aufforderung zum Hören (22,17–21). Diese Aufforderung wird mehrfach wiederholt: 23,12.15; 19.22.26; 22,17–21 leitet aber nicht die allgemeinen Mahnworte 22,22ff. ein, sondern den Teil 23,12–18, der die Aufforderung zum Hören aufnimmt. Der Teil 23,12–28 ist als Erziehungsweisheit daran zu erkennen, daß die Aufforderung zum Hören unverkennbar Worte eines Lehrers sind und die

Mahnungen sich ausschließlich auf den Vorgang des Erziehens beziehen. Daß sich in der Unterweisung durch den Lehrer die Erziehung der Eltern fortsetzt, wird ausdrücklich in 23,15–16 und 22–25 gesagt.

Die einfachen Mahnungen in dem anderen Block (22,22–23,11; 24,1–29) dagegen beziehen sich alle auf das Zusammenleben von Erwachsenen in einem begrenzten Lebensraum; die meisten Mahnungen zielen auf das Verhalten zum Nächsten, das dem Zusammenleben förderlich ist.

Außer den Mahnworten in den beiden Blöcken enthält 22–24 nur Einzelworte bzw. Einzeltexte, die diesen angefügt sind oder sie unterbrechen. Das sind zunächst Gedichte, beide kompositorisch klar erkennbare Schlußstücke. 23,29–33, Warnung vor dem Trinken, ist an den Schluß der Erziehungsweisheit gesetzt, 24,30–34, Acker des Faulen, an den Schluß der einfachen Mahnworte. Sie bestätigen, daß den Tradenten die Überlieferung in den zwei Blöcken bewußt war.

Ein weiterer Bestandteil ist das Lob der Weisheit 24,3–7 und 13–14. Es bleiben dann nur einige jeweils den Zusammenhang unterbrechende Einzelworte: zwei Sprüche der Charakterisierung (22,29 und 24,8–9), dazu ein Gegensatzspruch Gerechter-Frevler (23,24–25) und, ganz fremd hier, ein Aussagespruch (24,26), eine Beobachtung am Menschen. – In den Zusammenhang der Erziehungsweisheit gehört die Warnung (29,1).

II. Die Einleitung 22,17–21: Aufforderung zum Hören

17   Neige dein Ohr und höre auf meine Worte...
18   Wenn du sie bewahrst in deinem Inneren,
         werden sie... auf den Lippen bereit sein
19   Damit dein Vertrauen auf Jahwe stehe, belehre ich dich heute
                                über deinen Weg...
         daß du dem, der dich fragt, richtig antworten kannst.

Das sind unverkennbar Worte eines Weisheitslehrers, an seinen Schüler gerichtet (ebenso in der Lehre des Amenemope, vgl. S. 167).

Die Aufforderung zum Hören ist in der Weise erweitert, daß Sinn und Absicht des Lehrers darin dargelegt werden. Das Programm des Weisheitslehrers ist in diese Einleitung gefaßt. Es kommt darin zum Ausdruck, daß die Mahnung der eigentliche oder doch wichtigste Gegenstand der Lehre des Weisheitslehrers ist. Zugleich aber wird im Folgenden deutlich, daß die Mahnung zunächst die des Vaters oder der Mutter ist, sie wird weitergeführt durch den Weisheitslehrer.

In dem zweifachen Ziel des Lehrens (19–21) kommt zum Ausdruck, daß in ihm Weisheit und Gottesfurcht eine Verbindung eingegangen sind. Der Schüler lernt einmal, daß er sein Vertrauen auf Gott setze, also die Gottesfurcht, er lernt aber auch, um Wissen und Kenntnis zu gewinnen, die ihn fähig macht, Fragen zu beantworten.

Sowohl diese Verbindung von Weisheit und Gottesfurcht wie auch das Anreden des Schülers zusammen mit der Aufforderung zum Hören sind für

Prov 1–9 typisch. Der späteren Weisheit entspricht auch, daß hier betont und programmatisch der abgewandelte Begriff der Weisheit gebraucht wird: „...habe ich dir geschrieben, dich Weisheit zu lehren“. Es ist die objektivierte, lehr- und lernbare Weisheit, die hier gemeint ist, nicht mehr die frühe, instrumentale.

III. Mahnungen zur Erziehung

23,12–28 ist durchzogen von der Aufforderung zum Hören: 12.15.19.22.26; und deutlicher als sonst sind es die Eltern, Vater und Mutter, die den Sohn auffordern: 15.19.22.26. Sie mahnen zum Erwerb der Weisheit: „Kaufe Weisheit, Zucht und Einsicht! (23) „daß du weise werdest und lenke dein Herz auf geradem Weg!“ (19); „dein Herz ereifere sich... um die Furcht des Herrn!“ Begründet wird die Mahnung damit, daß der Sohn mit der Weisheit Zukunft und Hoffnung gewinne (18); aber ein starkes Motiv ist auch, daß er damit seinen Eltern Freude bereitet (25): „Möge dein Vater sich freuen und deine Mutter...“. Zu dieser allgemeinen Mahnung, Weisheit zu gewinnen, tritt in 20 und 27 die konkrete Warnung vor Hurerei und Trunksucht: „Halte dich nicht zu den Trunkenbolden!... denn eine tiefe Grube ist die Buhlerin“ (auch dies übereinstimmend mit 1–9!). Angefügt ist in 13f. die Mahnung zu strenger Erziehung an die Eltern. – Das die Trunkenheit schildernde Gedicht 29–35 schließt 12–28 ab mit deutlichem Bezug auf die Mahnung 19–21.

IV. Allgemeine Mahnungen

Die allgemeinen, nicht auf die Erziehung bezogenen Mahnungen bilden den Hauptteil von 22,17–24,34. Sie bildeten vor der Zusammenfügung einen Block, den im jetzigen Text die Erziehungsweisheit 23,12–28 unterbricht. Auch im zweiten Teil sind einige Unterbrechungen.

Die meisten Texte mahnen zu einem Verhalten gegenüber dem Nächsten. 22,2 warnt davor, den Geringen zu berauben, Vgl. Amenemope: „Hüte dich, einen Elenden zu berauben!“ S. 168, seine Grenzen zu verrücken. 22,28; 23,10. 24,28f. mahnt, den Nächsten nicht grundlos zu verklagen und warnt davor, Vergeltung gegen ihn zu üben (24,15f.), nicht falsch zu sein gegen ihn (28). Gewarnt wird auch davor, sich über den Fall des Feindes zu freuen (24,17f.) oder sich über die Gottlosen zu ereifern (24,15f.), den Frommen in seiner Wohnung zu belauern (24,15f.). Sehr auffällig ist die Mahnung, den zum Tod Weggeschleppten zu befreien (24,11f.).[71] Es wird gemahnt, seine Arbeit auf dem Feld zu verrichten, bevor man seinen Hausstand gründet (24,27) und sich nicht um Reichtum zu mühen, der doch so vergänglich ist. Es wird gemahnt, Gott und den König zu fürchten.

Bestimmte Menschen zu meiden, wird geraten: den Jähzornigen (22,24f.), solche, die sich für Schulden verbürgen (22,26f.), die Toren (23,9), böse Menschen (24,1f.). In all diesen Mahnungen und Warnungen geht es um den engsten Lebenskreis der hier Angeredeten und ganz überwiegend um das Verhalten zu denen, mit denen man täglich zusammenlebt. Die Sprache dieser Mahnungen ist eine ganz andere als die der Lehrweisheit.

In einigen Fällen wird die Mahnung mit dem Wirken Gottes begründet: Jahwe führt die Sache der Armen und Geringen (22,22f.); ebenso 23,10f. (derselbe Spruch 22,28 ohne Begründung); Jahwe prüft die Herzen, vor ihm halten Entschuldigungen nicht stand (24,11f.); Jahwe sieht ins Herz, wenn einer sich über den Fall eines Feindes freut (23,17f.).

Daneben wird auf die Folgen aufmerksam gemacht; die Mahnung wird mit dem Wohl des Gemahnten begründet; der Jähzornige kann zum Fallstrick werden (22,24f.); verbürgt man sich, kann einem das Bett unter dem Leib weggezogen werden (22,26f.); der Reichtum kann schnell verfliegen (23,4f.). Vgl. hierzu Amenemope, „Besitztümer sind Sperlinge im Flug..." S. 170) und Amenemope: „Hänge dein Herz nicht an Schätze" S. 170 und Mt 6,15–21.

23,1–8 (ohne 4–5) Tischregeln: Diese Worte zum Benehmen beim Essen sind hier eingeschoben. Sie sind von den anderen in 22–24 darin unterschieden, daß sie eine Reihe von Mahnungen zum gleichen Gegenstand bilden. Diese Tischregeln sind mit wenig Änderungen aus der ägyptischen Weisheit übernommen (s. u.).

Außerdem sind nur wenige Texte in 22–24 zu nennen, die keine Mahnungen sind. Zwei Charakterisierungen: 22,29: „Siehst du einen, geschickt in seinem Geschäft, vor Königen kann er dienen..." und 24,8f. Dazu ein Gegensatzspruch Frevler-Gerechter in 24,24f. und eine Beobachtung am Menschen (24,26): „Eine richtige Antwort ist ein Kuß auf die Lippen". Dazu einige isolierte Sätze des Lobes der Weisheit in 24,3–7 und 13f. Während 13–14 eindeutig in den Zusammenhang der Erziehung gehört, ist 24,3–7 ein Lob der Weisheit, das der frühen Weisheit nähersteht: „Durch Weisheit wird ein Haus gebaut..."

Exkurs: Der Aufbau von 22,17–24,24 und die Entsprechung zur Lehre des Amenemope

Es können in den Proverbien Sprüche begegnen, die wörtlich oder ähnlich in anderen Spruchsammlungen vorkommen. Hier braucht eine Abhängigkeit nicht vorzuliegen, der Spruch kann an anderer Stelle unter den gleichen Umständen entstanden sein. Das ist anders bei den Entsprechungen zwischen Prov 22,17–23,11 und dem ägyptischen Text. Diese Parallele kann nur so entstanden sein, daß dem Sammler von Prov 22–24 die Weisheitslehre des Amenemope vorgelegen hat. Ein Zeichen dafür ist auch, daß in einer aus Einzelsprüchen bestehenden Sammlung die Tischregeln 23,1–3.6–8 einen längeren Zusammenhang bilden. Denn hier entspricht ein ganzer

Komplex einem ganzen Komplex. Daraus aber ist mit Sicherheit zu folgern, daß die (teilweise) Aufnahme der Lehre des Amenemope in 22–23 erst in der schriftlichen Überlieferungsphase erfolgt sein kann.[72] Das ist im Prinzip dasselbe wie die durch Überschrift gekennzeichnete Übernahme nichtisraelitischer Weisheitstexte wie z.B. 30,1–14 „Worte Agurs". Das geschah erst in nachexilischer Zeit, als „Weise" die überlieferten Sprüche sammelten und diesen auch nichtisraelitische, schriftlich übernommene anfügten.

Prov 22,12–24,34 beträgt nur ein Drittel des Umfanges der Lehre des Amenemope (so B. Gemser), man kann also den Text in den Proverbien als eine auswählende und bearbeitende „Blütenlese" (B. Gemser) aus der ägyptischen Instruktion bezeichnen. Die Reihenfolge der Sprüche (bzw. Einheiten) in Prov 22–24 ist eine ganz andere als die in Amenemope (Kap. 1.2.6.30.23.7.11.6). Ein weiterer wichtiger Unterschied ist, daß die Einheiten in Amenemope durchweg viel länger sind als die in den Prov. Die auffallendste Entsprechung ist, daß die Parallele mit der Lehre des Amenemope mit 23,11 abbricht, daß also der Einschnitt zwischen 11 und 12 in Prov durch die Parallele bestätigt wird. Das fällt umso mehr auf, als die Einheiten in 22–24 kürzer sind als die in der ägyptischen Parallele. Wenn die Einheiten in 22–24 (4 Halbverse) länger sind als in 10–22 und 25–29 und die in Amenemope länger als die in 22–24, zeichnet sich hier eine Entwicklung vom Spruch zum Lehrgedicht ab, wie in 1–9.

Wenn hier der Abschnitt eines Weisheitsbuches eines anderen Volkes in eine israelitische Sammlung von Weisheitsworten übernommen werden kann, so steht dahinter die Überzeugung, daß weise Worte, die in anderen Völkern entstanden und überliefert wurden, als solche anerkannt werden konnten; die Fähigkeit dazu hat der Schöpfer seinen Geschöpfen, den Menschen, verliehen. Das entspricht der Tatsache, daß das, was in den Weisheitsworten von Gott gesagt wird, das Wirken Gottes des Schöpfers meint, das ja allen Menschen gilt, so wie es im Urgeschehen Gen 1–11 dargestellt wird. Vom Wirken Gottes, d.h. Jahwes an seinem Volk Israel spricht erst die späte Weisheit in nachexilischer Zeit.[73] (Ausführlich zu Amenemope im Anhang).

V. Mahnworte in 22–24. Zusammenfassung

Vergleicht man im Blick auf das ganze Buch der Proverbien die Überlieferung der Aussageworte und der Mahnworte, zeigt es sich, daß die Aussageworte eine sehr viel umfangreichere und fester gefügte Überlieferung aufweisen als die Mahnworte. Die Aussageworte sind beherrschend in 10–22; 25–29 (31), die Mahnworte sind beschränkt auf 22–24 und den späteren Teil 1–9, dazu einige einzelne Mahnungen in 10–22; 25–29; 1–9 aber besteht zum größten Teil aus Lehrgedichten der Erziehungsweisheit, in die Mahnworte verarbeitet sind. Es kommt hinzu, daß die Mahnworte außerhalb von 22–24 meist nicht mehr die einfache Form von Imperativsätzen bewahrt haben, sondern abgeändert oder erweitert sind.

Wenn die Sammlung 22,17–24,34 von 10,1–22,16 und 25–29 deutlich gesondert ist, geben die Tradenten damit zu erkennen, daß die Mahnworte eine eigene Traditionslinie bilden; sie stellen eine fundamental andere Art von Sprüchen dar, die auch auf einen verschiedenen Sitz im Leben weisen.[74] (so auch mit anderen W. McKane, 1970)

Die Untersuchung von 22–24 hat nun darüber hinaus noch eine weitere Differenzierung notwendig gemacht. Innerhalb von 22–24 sind einfache Mahnungen von Mahnungen im Bereich der Erziehung zu unterscheiden. Es ist allein die Erziehungsweisheit mit den ihr eigenen Mahnungen, die in dem Prolog 22,17–21 eingeleitet wird; diese Mahnungen werden dann in 23,12–28 entfaltet. Für sie ist die Anrede „Mein Sohn...", die Aufforderung zum Hören und deren Begründung im Lob der Weisheit charakteristisch. Der Sitz im Leben dieser Unterweisung ist die Schule, wie das aus dem Prolog 22,17–21 deutlich hervorgeht. Sie stimmt in allen ihren Elementen mit den Lehrgedichten in 1–9 überein. Die Weisheit als Lehre setzt die Überordnung des Lehrenden über die Lernenden voraus. Deswegen überwiegt auch in der höfischen ägyptischen Weisheit die Mahnung.

Daneben enthält 22–24 allgemeine Mahnungen in 22,22–23,17 und 24, 1-
-34 (mit einigen Unterbrechungen). Diese einfachen Mahnungen haben es niemals mit einer abstrakten Weisheit zu tun, sondern sie mahnen zum Verhalten im Zusammenleben mit den Nachbarn und im eigenen Verhalten in einem kleinen, begrenzten Lebensraum. Die einfachen Mahnungen haben nicht alle die gleiche Form. Überliefert sind sie alle in der Kunstform des Parallelismus, aber mehrfach zeigt sich die Möglichkeit, daß es ursprünglich eingliedrige Mahnungen waren. Eine besondere Form daneben ist die des Ratschlags, für einen bestimmten Fall gegeben.[75]

Die Begründungen sind fast alle pragmatisch. Der Mahnende macht auf die Folgen eines verkehrten Handelns oder einer verkehrten Entscheidung aufmerksam. Dabei wird der Gemahnte in seiner eigenen Urteilskraft ernst genommen. In keinem Fall werden ihm Begründungen gegeben, die nicht seine eigenen sein könnten. Manchmal wird eine Mahnung mit einem Wirken Gottes begründet. Manchmal wird auf den Nutzen gewiesen, den die Befolgung der Mahnung bringt: „dann hast du genug!" Man mag diese Begründung „utilitaristisch" nennen. Sie ist hier angemessen, aber nicht abwertend, denn der Mahnende will dem Gemahnten mit seiner Mahnung nützen. Er will ihm ja helfen, auf seinem Lebensweg vorwärts zu kommen! Solche Begründungen begegnen auch im Neuen Testament: Lk 14,7–11; Mt 5,44f.

Gegenstand der Mahnungen: Die Mahnungen 23,12–28 (eingeleitet 22, 17–21) gehören in den Zusammenhang der Erziehung, alle haben sie Parallelen in 1–9.

Der größte Teil von 22–24 enthält Mahnworte allgemeinen Charakters. Dieser Teil entspricht der ägyptischen Parallele, die bis 23,11 reicht. Von diesen 25 Sprüchen sind 22 Mahnungen, sieben sind verstreute Einzelsprüche verschiedener Art. Die Mahnungen haben meist eine Begründung oder einen Hinweis auf die Folgen bei sich. Die Gegenstände der allgemeinen Mahnungen kann man gliedern in solche, die sich primär auf das Verhalten zum Nächsten beziehen, und Mahnungen, die sich primär auf das Eigenverhalten beziehen, das in Zucht gehalten werden soll.

VI. Verstreute Sprüche in 22–24

Verstreute Sprüche in 22–24, die keine Mahnungen sind, kommen nur zwischen den allgemeinen Mahnungen, nicht in den acht Mahnungen zur Erziehung vor. Der Grund dafür ist wahrscheinlich, daß die Sprüche zur Erziehung schriftlich und in einem Zug entstanden.

VII. Mahnworte außerhalb von 22,17–24,24

Mahnworte begegnen in den Proverbien einzeln oder in kleinen Gruppen noch in den Sammlungen 10–22; 25–31 und 1–9 passim. Daß sie sich hier einzeln oder in kleinen Gruppen finden, prägt sich jeweils in Besonderheiten aus, auf die besonders eingegangen werden muß.
Mahnungen in der Sammlung 10–22:
In 10–22 begegnen nur acht Mahnungen; drei der Imperative stehen einem Bedingungssatz nahe oder ersetzen ihn.

13,20 Gehe mit Weisen um, so wirst du weise,
       wer sich zu den Toren gesellt, dem geht es schlimm.

22,10 Jage den Spötter hinaus, so geht auch der Zank,
       und Hadern und Schmähen hört auf.

16,3 Befiehl Jahwe deine Werke, so werden deine Wege gelingen.

Die ersten beiden Sprüche gehören ihrer Intention nach zu den Gegensatzsprüchen der Tor – der Weise. Der Imperativ ist eine rhetorische Umgestaltung. 16,3 entspricht Ps 37,5, eine bedingte Verheißung. Es zeigt sich eine Tendenz, dort den mahnenden Imperativ zu gebrauchen, wo er nicht notwendig wäre, eine paränetische Mahnung. Noch deutlicher ist diese Tendenz dort, wo eine Mahnung einem Aussagesatz nachträglich zugefügt wird:

17,14 Wer Streit anfängt, ist wie einer, der Wasser ausbrechen läßt,
       darum, ehe der Streit ausbricht, laß ab!

20,10 Wer als Schwätzer einhergeht, plaudert Geheimnisse aus;
       darum laß dich nicht ein mit dem, der viel redet!

Der erste Satz ist bei beiden ein vollständiger Aussagespruch; die Mahnung, die in ihm impliziert ist, wurde nachträglich angefügt. Es zeigt sich ein Stadium, in dem Aussagesätze lehrhaft abgewandelt wurden. Das ist auch der Fall in:

20,13 Liebe den Schlaf nicht, daß du nicht verarmst,
       tu die Augen auf, so hast du genug zu essen!

Der Spruch gehört seinem Inhalt nach zu dem Gegensatzspruch faul – fleißig. Er ist zu einem Mahnwort umgewandelt worden.

> 20,22   Sprich nicht: ich will das Böse vergelten;
>   warte auf Jahwe, der wird dir helfen.

Der Spruch begegnet auch 24,29, hier ohne den zweiten Satz. Dieser ist eine in sich selbständige Aufforderung zum Hoffen, wie 16,3 (Ps 37,5). Durch den Imperativ am Anfang wird er zu einem frommen Mahnwort. Der letzte der acht Texte ist ein Satz der Erziehungsweisheit:

> 19,27   Höre auf, mein Sohn, die Zucht zu verwerfen,
>   abzuirren von der Lehre zur Weisheit!

Das Ergebnis ist überraschend: von den acht Mahnworten, die in 10–22 vorkommen, ist ein Spruch Erziehungsweisheit, sieben sind nachträglich zu Mahnungen gestaltete Sätze.

Mahnungen in der Sammlung 25–31

In 25–31 begegnen vierzehn Mahnworte, dazu vier in dem Gedicht 31,1–9. Die Mehrzahl gehört zu den einfachen Mahnworten, zum Verhalten zu den Nachbarn in einer kleinen Gemeinschaft. Hierbei fällt aber eine Eigentümlichkeit auf: Einige dieser Mahnungen sind eingliedrige Sätze bzw. sie lassen die Annahme zu, daß sie nachträglich ergänzt wurden:

> 27,10   Gib deinen und deines Vaters Freund nicht auf!
>   und in deines Bruders Haus geh nicht an einem Unglückstag!
> 30,10   Verleumde nicht den Sklaven bei seinem Herrn!
>   sonst wird er dir fluchen und du mußt es büßen!

Dazu 27,1f.; 25,16f.; 25,27; 26,5; 25,6.

Das ist zwar nicht in jedem Fall mit Sicherheit festzustellen, es liegt aber z.B. sehr nahe, daß in dem Gleichniskapitel 25 die beiden Sprüche 16f. und 27 (beidemal derselbe Vergleich!) durch einen Vergleich zum Parallelismus erweitert wurden.

Einige weitere Sprüche haben eine besondere Form. Es sind solche, die mit der Nennung eines Falles beginnen, für den ein Rat gegeben wird.

> 25,7f.   Wenn deine Augen etwas gesehen haben, bringe es nicht
>   sofort vor Gericht! denn was willst du machen...?
> 25,21   Wenn deinen Feind hungert, so gibt ihm zu essen!
> 26,24f. Mit seinen Lippen verstellt sich der Hassende...
>   wenn er freundlich redet, traue ihm nicht!
>   dazu 28,17

Alle diese Sätze, die einen Fall beschreiben, für den dann ein Rat gegeben wird, klingen an die Sprache des Rechts an. Hier berühren sich weisheitliche Mahnung und kasuistisches Recht – auch die Grundzüge des Rechtwesens sind universal.

Zwei Texte gehören in den Zusammenhang der Erziehungsweisheit (27,11 und 29,17), dazu ein Königsspruch (25,6).

Exkurs: Mahnung zum Abschied

Anschließend an die Mahnungen im Buch der Proverbien sei auf eine kleine Sammlung von Mahnungen im Buch Tobit hingewiesen: Mahnungen, die Tobit seinem Sohn bei seinem Abschied vom Vaterhaus gibt, 4,3–19.

Aus dem Text geht eindeutig hervor, daß es sich hierbei um eine Zusammenstellung von überlieferten Mahnungen verschiedener Art und verschiedener Herkunft handelt, um kleine Sammlungen von Sprüchen, aus denen diese Abschiedsrede des Tobit an seinen Sohn zusammengesetzt wurde. Das zeigt schon die Wiederholung 7–11 und 16–17; neben Mahnungen. die genau so im Buch der Proverbien stehen könnten, stehen ganz andere. Die Mahnrede hat deutlich erkennbar zwei verschiedene Teile: der eine Teil bezieht sich auf die Situation, die Bitte um würdige Bestattung des Vaters und der Mutter und für die Mutter nach dem Tod des Vaters zu sorgen (3–4); dazu die Mahnung, eine Frau aus dem Geschlecht der Väter zu nehmen (12–13). Daneben eine Reihe ganz verschiedener Mahnungen, die sich nicht auf diese besondere Situation beziehen, sondern auch zu anderer Zeit erteilt werden könnten: Mahnung zur Frömmigkeit (5–6); zum Geben von Almosen (7–11 und 16–17); um pünktliches Bezahlen der Arbeiter, zu einem wohlerzogenen Wandel, der goldenen Regel „was du nicht willst…" (15a), der Mahnung zum Maßhalten beim Trinken (15b), zum Annehmen eines guten Rates.

Diese merkwürdige Reihenfolge läßt sich leicht erklären. Zu der Erzählung gehören nur die beiden Mahnungen zur würdigen Bestattung und zur Wahl einer Frau aus dem Geschlecht der Väter. Beide sind in der Vätergeschichte überliefert in der gleichen Situation (Gen 47 und Gen 24), dem letzten Willen, den der Vater seinem Sohn aufträgt. Das entspricht einem durch Jahrhunderte geübten Brauch bei vielen Völkern von sehr früher Zeit an. Der letzte Wille ist ein überall bekannter Sitz im Leben der Mahnung.

Nun ist aber in Tobit 4 das nahende Sterben nicht der direkte Anlaß der Rede des Vaters an seinem Sohn; der Vater schickt den Sohn auf eine Reise. Zum Abschied bei der Reise eines Sohnes oder einer Tochter aus dem Elternhaus gehört – wahrscheinlich auch überall auf der Welt – ein Ermahnen, das aber hier einen besonderen Charakter hat. Mit dem Abreisen des Kindes aus dem Elternhaus hört die tägliche Fürsorge, Leitung, die vor Schaden bewahrende Warnung, das Aufmerksammachen auf Bedrohendes fort. In den Mahnungen der Eltern beim Abschied kommt die fürsorgende Liebe zum Ausdruck, die den Fortgehenden begleiten will, das aber nur noch in den mitgegebenen Worten des Bewahrens kann. Diese Mahnung, verbunden mit dem Segen beim Abschied, findet sich noch in Romanen des 19. Jahrhunderts, z.B. bei Dickens.

Hierin also, in den Worten des Abschieds von einem Kind, liegt ein wichtiger Sitz im Leben des Mahnwortes vor, und von diesem Sitz im Leben her bleibt in solchen Worten immer etwas – wenn auch nur eine Spur – der Ursprungssituation, der fürsorgenden Liebe, die das Kind behüten, ihm seinen Weg ebnen möchte.

Natürlich hat sich dann im Laufe einer langen und verzweigten Traditionsgeschichte die einzelne Mahnung und Warnung von dieser Ursprungssituation gelöst und ist in Sammlungen weitergegeben worden so wie hier in Tobit 4, in der die einzelnen Mahnungen ohne jeden Zusammenhang miteinander aufgereiht wurden; aber die Erinnerung daran ist nie ganz verloren gegangen, wie das die Abschiedsrede des Tobit an seinen Sohn zeigt.

In der Geschichte der Imperativsprüche ist im Verhältnis zu den Indikativsprüchen eine Bewegung wahrzunehmen. Während in den Spruchsammlungen vorschriftlicher Völker und einer frühen Phase in Ägypten (Instruktion des Onchsheshonky), darauf macht McKane in seinem Kommentar aufmerksam)[76] und Israel in Prov 10-22; 25-29 die Aussagesprüche weit überwiegen, treten in späteren Phasen die Aussagesprüche zurück und die Imperativsprüche werden beherrschend, so in Prov 1-9 und den späteren ägyptischen Weisheitsschriften. – Im kleinen ist die gleiche Bewegung dort wahrzunehmen, wo Aussagesprüche in den Proverbien zu Imperativsprüchen abgewandelt oder durch Mahnungen erweitert werden.

Die Mahnungen beim Abschied im Buch Tobit legen nahe, daß Mahnungen in mancherlei verschiedenen Situationen ihren Ort hatten, von denen uns aber nur die Mahnungen beim Abschied überliefert sind.[77]

Gedichte im Buch der Proverbien

Diese sechzehn Gedichte fehlen in den älteren Sammlungen 10-22,16 und 25-29 (mit der einen Ausnahme 27,23-27). Sie kommen vor in 22,17-24, 34; zu dieser Sammlung passen sie besonders, weil sie in der Mehrzahl Erweiterungen von Mahnworten sind, und in dem Anhang 30-31, der fast nur aus Gedichten besteht; dazu in einigen Zusätzen innerhalb der Lehrgedichte 1-9. Aus diesem Bestand läßt sich schließen: Das früheste Stadium zeigen 10-22,16 und 25-29, die keine Gedichte enthalten (eine Ausnahme). Die Sprüche werden ohne Gedichte überliefert. Erst mit dem Übergang zur schriftlichen Überlieferung werden den Sprüchen an einigen Stellen kleine Gedichte angefügt; das geschah besonders am Abschluß von kleinen Sammlungen (23,29-35; 24,30-34; viell. 27,23-27). Dazu gehört auch, daß Gedichte an den Schluß des Buches der Proverbien gestellt werden: 30-31. Die Gedichte haben einen besonderen Bezug zu den Mahnworten, als deren *Erweiterungen* sie entstanden sind.[78]

23,29-35 Schau nicht nach dem Wein!

Das Gedicht schließt an die vorangehende Mahnung 23,20f., es ist die Erweiterung dieses Mahnwortes zum Gedicht:

31   Schau nicht nach dem Wein, wie er rötlich spielt,
            glatt und angenehm geht er ein,
            hinterher aber beißt er wie eine Schlange!

Dem ist eine Einleitung vorgefügt in der Form eines Rätsels mit Lösung

29   Bei wen ist Wehe und Ach...
30   die spät beim Wein sitzen...

33–35 entfalten dann die Folgen des übermäßigen Trinkens. Die Schilderung ist humorvoll; auch die Verbindung mit dem Rätsel 29f. weist darauf hin, daß das Gedicht der Unterhaltung dient. – Warnung vor dem Trinken ist auch 31,3–4.

24,31–34 Fleiß und Faulheit: Ich ging am Acker des Toren vorüber.

Hier ist das zugrundeliegende Mahnwort nicht wörtlich im Gedicht enthalten, doch ist das Gedicht Erweiterung einer Warnung vor der Faulheit und eine Charakterisierung des Faulen, als Mahnwort auch 20,13: „Nicht liebe den Schlaf, sonst..." Auch dieses Gedicht läßt eine Spur Humor erkennen und der Anfang hat die Art eines Volksliedes. Der Vorübergehende sieht die Verwahrlosung eines Ackers und vernimmt eine Warnung daraus, die er in die Worte eines anderen Spruches faßt. Beide Gedichte gehören dem gleichen Typ an, es wird viele ähnliche gegeben haben.

22,23–27 Achte auf das Aussehen deiner Schafe!

Neben die Warnung vor der Faulheit tritt die Mahnung zum Fleiß, insbesondere bei der Viehzucht; eine gedichtete Umschreibung der Mahnung.

27,23 mit einer zweifachen Begründung: einer warnenden: der Reichtum schwindet! und einer, die den Lohn des Fleißes hervorhebt: „dann hast du genug!" (wie 20,13); sie wird in 25–27 entfaltet.

6,6–11   Gehe hin zur Ameise, du Fauler!

Eine Warnung vor der Faulheit, die den Faulen charakterisiert, wird mit einem Kontrastvergleich, dem Blick auf die fleißige Ameise, verbunden. Auch hier ist die humorvolle Schilderung zu beachten.

31,10–31 Lob der tüchtigen Hausfrau

Um den Fleiß geht es auch in diesem Gedicht; es ist von den vorangehenden durch die Ausführlichkeit der Schilderung unterschieden. Aber auch diesem Gedicht liegen die beiden Sprüche Vers 10 und 30 zugrunde.

6,1–5   Warnung vor der Bürgschaft

Die Warnung vor einer Bürgschaft, die in den Sprüchen mehrfach begegnet, ist zu einem kleinen Gedicht gestaltet, einer Szene in der dem, der eine Bürgschaft gab geraten wird, wie er sich von ihr lösen kann.
In allen diesen Gedichten geht es um ein bestimmtes, eng begrenztes Interesse: um Bewahrung und Erhaltung des Besitzes und der Nahrung für die Familie. Für die Ernährung der Familie hängt alles von der Tüchtigkeit und

Bereitwilligkeit ihrer Glieder, an der Versorgung der Familie mitzuwirken. Darum haben Fleiß und Faulheit einen so hohen Stellenwert; Faulheit und Trinksucht können in kurzer Zeit den Ruin der Familie bewirken. Darin ist es begründet, daß die, für die Faulheit und Fleiß bei der Arbeit eine Existenzfrage ist, sich damit auch geistig beschäftigen, etwa darin, daß die Mahnung zum Gedicht ausgestaltet wird, zu einem „schönen Wort", das man behalten und weitersagen kann. Höchstwahrscheinlich sind diese kleinen Gedichte in dem Menschenkreis entstanden, dessen Interesse in ihnen zum Ausdruck kommt, in den Familien in einem Dorf, nicht aber im Kreise der Weisen in einer Schule, die ganz andere Interessen haben, wie sie die Lehrgedichte zeigen.

Drei Gedichte charakterisieren den Frevler:

　　6,12-15　　Ein Taugenichts ist ein heilloser Mensch...

Eigentlich ist 6,12-15 nicht ein Gedicht, sondern eher ein erweiterter Spruch über den Frevler. In 12-14 wird er charakterisiert nach all seiner Schlechtigkeit: „...wer Falschheit im Munde führt...", und in 15 wird ihm das plötzliche Ende angekündigt.

　　6,16-19　　Sechs Dinge sind es, die Jahwe haßt...

Auch dies ist eine Charakterisierung des Frevlers, in die Form eines Zahlenspruches gekleidet.

　　30,11-14　Ein Geschlecht, das dem Vater flucht...

Eine Charakterisierung des Frevlers, den beiden vorangehenden Texten ganz ähnlich, aber wohl ein Fragment, ähnlich auch 9,1-8.
Bei diesen Texten, die eher Aufzählungen als Gedichte sind, spürt man die Auswirkung einer Erbitterung gegen die Frevler, der man Ausdruck geben möchte ohne eine geeignete Form dafür zu finden.

Damit sind die kleinen Gedichte, zu denen ein einzelner Spruch erweitert wurde, genannt. Es kommen noch einige Texte hinzu, die eine Zwischenstellung einnehmen:

　　31,1-9　　Worte seiner Mutter an Lemuel

Es sind Mahnungen für seine Person (Trinken und fremde Frauen wie 1-9) und für sein künftiges Königsamt, insbesondere die Mahnung, den Armen Recht zu schaffen. Der Text, der fremder Weisheit entnommen ist, ist den ägyptischen Unterweisungen ähnlich.

Die sogenannten *Zahlensprüche* sind eigentlich Gedichte. Als solche gehören sie der Phase des Übergangs von der mündlichen zur schriftlichen Tradition an. Einzelsprüche werden durch Aufzählungen von Zusammengehörigem erweitert, so wird aus dem Spruch ein Gedicht. Inhaltlich gehören sie zu der Spruchgruppe der Beobachtung am Menschen, wobei aber Beobachtungen der Umwelt des Menschen eingeschlossen sind. Die Zahlensprüche 30,15–31 sind unter dem Gesichtspunkt der Beobachtung zusammengestellt; sie bestätigen die Wichtigkeit dieser Spruchgruppe. Die Sprüche bringen das Staunen über Gemeinsames zum Ausdruck, das einer Gruppe von Geschaffenem eignet. Aus diesem Staunen erwächst ein Begriff.

31,15–16: Das Unersättliche; 18–19 das Geheimnis der Bewegung; 21–23 das Unerträgliche; 24–28 Weisheit der ganz Kleinen; 25–31 Würde des Schreitens.

Bedenkt man, daß diese Gedichte ein später Schritt in der Traditionsgeschichte sind, kann man nach den Vorstufen fragen, aus denen diese Gedichte erwachsen sind. Man kann sie nicht rekonstruieren; aber sicher ist, daß es kurze Sprüche gab, die in dieser Weise erweitert wurden, und zwar in großer Fülle. Damit bekommt die Erwähnung der Sprüche, die Salomo zugeschrieben wurden, in 1. Kön 5,13 eine Bestätigung: „Er redete von Bäumen,... von den großen Tieren... von den Vögeln... vom Gewürm und von den Fischen". Es gab also im alten Israel Sprüche von Pflanzen und Tieren, die in den Zahlensprüchen 31,15–31 vorausgesetzt sind.

Einige Zusätze haben keinerlei Beziehung zu den Sprüchen:
30,1–4 im Stil des Predigers hat keine Beziehung zu den Sprüchen,
30,7–10 ein Gebet, das an die Zahlensprüche anklingt.

Bei den Gedichten in Prov 10–31 insgesamt ist ein Übergang von den Sprüchen in mündlicher Überlieferung zur Literatur zu beobachten; das Gedicht soll – auch wenn es daneben mündlich weitergegeben wird – gelesen werden, es ist nicht mehr auf die Situation beschränkt, in die hinein der Spruch spricht, das zeigt besonders 24,30–34, der Acker des Faulen. Die Mahnung wird durch eine Schilderung erweitert, es wird eine kleine Szene daraus, eine angedeutete Erzählung, wie auch 23,29–35: „Schau nicht nach dem Wein, wie er rötlich spielt". Diese Szenen beziehen sich auf die tägliche Arbeit und das tägliche Brot und sind jedesmal ganz verschieden, der Situation des Spruches entsprechend. Mehrfach scheint auch in den Gedichten der Humor durch; auch darin gehören sie ganz zu den Sprüchen.

In alledem unterscheiden sich diese Gedichte unverkennbar von den Lehrgedichten, aus denen Prov 1–9 besteht (und 22,17–21; 23,12–28), die gekennzeichnet sind durch die Motivreihe Aufforderung zum Hören mit Anrede und der Begründung im Lob der Weisheit. In diesen ist die Verbindung zur Spruchweisheit abgebrochen. Die Weisheit, die in diesen Gedichten gelobt wird, ist die abstrakte, objektivierte Weisheit, die dann sogar personifiziert werden kann. – Der aus der Auslegung der Texte sich ergebende Gegensatz zwischen diesem und jenem Verständnis der Weisheit wird durch die Gedichte bestätigt. Auch wo im Gegenstand der Gedichte eine gewisse Ähnlichkeit besteht, bei den Mahnungen und Warnungen, sind diese in den Lehrgedichten starr und monoton, während sie in den Spruchgedichten vielgestaltig, lebendig und humorvoll sind.

Die Beobachtung, daß eine Gruppe kleiner Gedichte Erweiterungen von Sprüchen sind, legt die Annahme nahe, daß eine der Wurzeln, aus denen Gedichte erwachsen sind, die Sprüche sein können. Das ist möglich, weil es Sprüche über die ganze Menschheit hin gibt und Lieder, die gesungene Gedichte sind, auch. Trifft das zu, dann ist zu beachten, daß es bei den Gedichten, die Erweiterungen von Sprüchen sind, gerade die alltägliche Wirklichkeit ist, die zu solchen Gedichten anregte.

Die Tendenz der Weiterbildung von Weisheitssprüchen zu Gedichten wird dann vom Prediger aufgenommen und auf seine Weise weitergeführt.

Zu den Gedichten gehören auch die in den Psalter, speziell die Wallfahrtslieder aufgenommenen Texte Ps 127,1–2; 3–5; 128,1–3; 4–6; 133,1–3.

Sprüche im Alten Testament außerhalb von Prov 10–31

I. Sprüche in Prov 1–9

Sprüche, aneinandergereiht. In 3,27–32 sind vier Mahnworte aneinandergereiht, in 27–30 ohne Begründung, in 31 f. mit einem Wirken Jahwes begründet. Sie könnten ebenso in 22–24 stehen und zeigen, daß die Mahnworte (hier eingliedrig) neben den vorhandenen Sammlungen weiter tradiert wurden. – In 9,7–9 ist ein Mahnwort zum Gedicht erweitert, in 3,32–35 ein Gegensatzspruch der Gerechte – der Frevler. Mehrfach begegnen innerhalb eines Lehrgedichtes Einzelsprüche, in diese verarbeitet. Diese verstreut begegnenden Einzelsprüche zeigen eine Form des Übergangs von der früheren zur späteren Weisheit. Eine andere Form des Übergangs ist es, wenn in 3, 1–12 vier Mahnworte geahmt sind in ein Lehrgedicht, beginnend mit der Aufforderung zum Hören und dem Lob der Weisheit. Die Mahnworte sind hier alle auf das Gottesverhältnis bezogen.

Einzelsprüche zu kleinen Gedichten erweitert

    6,1–5 Warnung vor Bürgschaft
    6–11   Mahnung zum Fleiß
    12–15 Charakterisierung des Frevlers, ebenso 16–19

Diese kleinen Gedichte entsprechen denen in 22–24.

Auf den Übergang weisen auch die großen Lehrgedichte in 1–9, sofern auch in ihnen Einzelsprüche erweitert sein können. Sie gehören aber zur späten Weisheit.

II. Einzelsprüche im Buch des Predigers

Nur ein Teil der Texte sind eindeutig als Einzelsprüche zu bestimmen, aber jedenfalls enthält das Buch viele Einzelsprüche, mehr als bisher angenommen wurden.

„Das Buch Kohelet wurzelt nach Form und Fragestellung im Mutterboden der allgemeinen Weisheit Israels" (W. Zimmerli 1980, S. 124). In der Übersetzung Zimmerlis sind die kurzen Sprüche durch den Druck hervorgehoben. Es handelt sich dabei immer um Sprüche aus Prov 10–29; Entsprechungen zu Texten aus 1–9 kommen nicht vor. Zwar findet man nur wenige wörtliche Parallelen, wohl aber solche zu den gleichen Gruppen gehörenden. Dazu gehört zuerst die Unterscheidung in Indikativ- und Imperativsprüche. Bei beiden kann man meist unterscheiden zwischen solchen, die dem Prediger zugesprochen werden können und anderen, die er übernommen hat; in dem Nachwort 12,10 wird ausdrücklich gesagt, daß der Prediger auch ein Sammler von Sprüchen war. Daß die Sprüche mündlich entstanden und zunächst mündlich tradiert wurden, wird durch den Prediger bestätigt, auch wenn ihm daneben einige Sammlungen von Sprüchen vorlagen (so auch R. Gordis 1976).

Gruppen von Sprüchen, die in Koh aufgenommen wurden

Es ist bezeichnend, daß die Gruppe der Komparativsprüche bei ihm am häufigsten begegnet (19):

4,9–12	Besser sind zwei daran als einer... (zum Gedicht erweitert)
5,4	Besser, daß du nicht gelobst, als... nicht einlöst
7,1	Besser ein guter Name als feines Öl...
9,4	...denn ein lebendiger Hund ist besser als ein toter Löwe
9,16	Weisheit ist besser als Stärke...

Dazu 2,24; 4,6; 4,13–16; 4,17; 6,3; 6,9; 7,2.3; 7,4.5.8; 18.26; 6,5; 9,17.

Ein Teil dieser Sprüche stammt offenkundig vom Prediger, weil er seinem Denken Ausdruck gibt: 6,3; 7,1b2; 7,3; 7,8a; 2,24; 7,4.

Ein anderer Teil ist aus der frühen Spruchweisheit übernommen: 4,6; 4,9–12; 4,13–16; 4,17; 5,4; 6,9; 7,1; 7,5; 9,4.11.16: jeder dieser Sprüche könnte in Prov 10–29 stehen, und keiner bringt die spezifische Weisheit des Predigers zum Ausdruck.

Ein dritter Teil sind Sprüche, die aus einem übernommenen Spruch und einem Satz des Predigers zusammengesetzt sind: 7,1 und 7,8.

Aussagesprüche, Beobachtungen am Menschen

Oft sagt der Prediger, einen Abschnitt einleitend: „Ich sah, daß..." 2,13; 3,10.16.21; 4,1 und öfter. Das, was er sah, sind seine Beobachtungen am Menschen.[79]. Die Beobachtungen des Predigers sind bewußt individuell. Daneben aber übernimmt er bewußt auch Beobachtungen aus der frühen Weisheit, die ihm zusagen. Auch er versteht den Menschen empirisch von seinen Beobachtungen her:

1,8	Das Auge wird nicht satt, zu sehen... das Ohr, zu hören... 27,20
5,9	Wer das Geld lieb hat, wird des Geldes nicht satt
10,4	Gelassenheit macht große Verfehlungen wett
19b	Für Geld ist alles zu haben
11,7	Süß ist den Augen das Licht, und köstlich ist es, die Sonne zu sehen

Dazu 10,5; 10,9.10.19a; 3,1–8 (erw.); 1 4,9–12 (erw.); 5,11; 7,8.30; 12,1–6.

Die Bereiche, denen diese Beobachtungen und Erfahrungen angehören, die Szene, auf der sie sich abspielen, sind die gleichen wie in den Proverbien. Manche dieser

Sprüche sind vom Prediger erweitert; z.B. liegt 3,1–8 ein kurzes Aussagewort zugrunde.

Aussagesprüche: Grenzen des Menschen

Diese Gruppe muß dem Prediger wichtig sein; es geht um ein Hauptanliegen seiner Weisheit. Aber er behandelt es in seinen Abhandlungen; nur wenige Sprüche könnten schon der frühen Weisheit angehören:

7,1   Wer kann wissen, was dem Menschen für sein Leben gut ist?
7,14   Wer kann gerade machen, was er gekrümmt hat?
8,8   Kein Mensch hat Gewalt über den Wind (9,11).

Einige Sprüche hat der Prediger in seiner Sprache abgeändert:

3,14   Alles was Gott tut gilt ewig; er hat es gemacht, daß man ihn fürchte
6,10   Was immer geschieht, das ist längst bestimmt
12   Wer verrät dem Menschen, was nach ihm sein wird unter der Sonne?
7,24   Fern ist der Grund der Dinge und tief;
       gar tief, wer will ihn finden?

Dazu 8,7; 11,5; einige kann der Prediger abgeändert oder ergänzt haben.

Torheit und Weisheit

1,17   ... und richtete meinen Sinn auf die Erkenntnis der Weisheit
                                                         und Torheit
2,13   da sah ich, daß die Weisheit vor der Torheit so viel Vorrang hat
                                           wie das Licht vor der Finsternis
2,14   Der Weise hat seine Augen im Kopf, der Tor aber geht in der
                                                              Finsternis.

Dazu 2,17; 7,5; 9,17; 10,2; 10,12–14; 10,1.

Der Tor wird charakterisiert:

7,7   Denn wie das Knistern der Dornen unter dem Topf
       so ist das Lachen des Toren; dazu 10,13.14

Vom Prediger formuliert:

2,16   Ach, wie stirbt der Weise samt dem Toren!
       dazu 6,8; 7,4.16

Gegensatzsprüche der Gerechte – der Frevler

9,2   Alles trifft alle gleichermaßen;
       ein Geschick hat der Gerechte und der Frevler

Aber der absoluten Vergeltungslehre tritt der Prediger in der Form einer Abhandlung entgegen, 8,10–14:
Ich habe gesehen, wie Gottlose... während Gerechte... Auch das ist nichtig. 12a: Darum, weil der Sünder... und doch lange lebt...

Dem entspricht es, daß es in Koh Entsprechungen zu der großen Menge der Gegensatzsprüche überhaupt nicht gibt. Hier vertritt der Prediger die Haltung des Hiob im Gegensatz zu der seiner Freunde. Das ist bewußte Polemik gegenüber der dogmatischen Vergeltungslehre.[80]

Lob der Weisheit

Sprüche zum Lob der abstrakten Weisheit kommen beim Prediger nicht vor; dagegen bejaht er die instrumentale Weisheit. Sie setzt er voraus, wenn er sich selbst als einen Weisen versteht:
2,13 da sah ich, daß ein Vorzug der Weisheit vor der Torheit besteht; dazu 1,16; 7,24; 8,1. So kann er die Sprüche aus der frühen Weisheit übernehmen, die dem instrumentalen Verständnis der Weisheit entsprechen.

2,14a   Der Weise hat seine Augen im Kopf, der Tor geht im Finstern
9,13f.   Ein armer, weiser Mann rettet durch seine Weisheit die Stadt;
dazu 7,12f.; 7,19; 8,1; 9,18.

Diesem Lob der Weisheit aber geht ein kritischer Vorbehalt zur Seite.

1,18   Wo viel Weisheit ist, da ist viel Verdruß;
je mehr Wissen, desto mehr Schmerz

Von diesem skeptischen Vorbehalt zu den Möglichkeiten der Weisheit ist das Werk des Predigers voll. Das sagt er aber nicht in Sprüchen, sondern in Prosa-Abhandlungen.

Mahnungen

Sinn und Wert der Mahnungen sieht der Prediger ebenso wie die frühe Weisheit und übernimmt solche Mahnungen:

7,10   Laß deinen Geist nicht zu schnell in Ärger geraten,
denn Ärger ruht im Busen der Toren
11,1   Schicke dein Brot über's Wasser,
so kannst du es wiederfinden, sei's auch nach vielen Tagen;
dazu 5,3–6; 7,22; 10,4f.; 11,6; 12,1–8.

Alle diese Sprüche könnten ebenso in Prov 10–29 stehen.
Typisch für den Prediger dagegen sind zwei Gruppen von Mahnungen, die er nur selbst verfaßt haben kann:

2,1   Versuch's einmal mit der Freude und genieße!
7,15   Am guten Tag sei guter Dinge, und am bösen Tag bedenke:
diesen hat Gott gemacht wie jenen!
Dazu 9,7–10; 10,8–10. Aber das sind eher Ermunterungen als Mahnungen.

Das gleiche gilt für eine Gruppe von Warnungen im Blick auf das Gottesverhältnis:

4,17   Sei behutsam, wenn du zu seinem (Gottes) Haus gehst;
hören ist besser als Opfer!
5,1   Sei nicht vorschnell mit deinem Mund, etwas von Gott zu reden...

Dazu 7,11; 7,17; 9,10. In diesen Texten hat sich der Prediger der Form des Spruches bedient, um seine skeptischen Vorbehalte auch gegenüber religiöser Rede zum
Ausdruck zu bringen, weil sie vielleicht nicht echt sein könnte.

Es fehlen in Koh ganz die Mahnungen der Erziehungsweisheit. Die Form des
Glückwunsches gebraucht er mehrmals, 4,2; 6,3 und öfter; einige Königssprüche stehen denen in den Prov nahe: 4,13–16; 8,2–4; 10,4f.; 10,16f.; 10,20.

Zu dem, was der Prediger aus der frühen Weisheit übernommen und weitergeführt hat, gehören nur die Sprüche der frühen Weisheit in Prov 10–29, nicht die
Lehrgedichte in Prov 1–9, auch nicht der Komplex der Gegensatzsprüche der
Gerechte – der Frevler, auch nicht die Mahnungen der Erziehungsweisheit. Was er
übernimmt und weiterführt, ist bewußt begrenzt auf die funktionale Weisheit.[81]
Der Grund dafür ist die Erkenntnis, die seine Weisheit insgesamt bestimmt: daß das
menschliche Erkennen das Ganze des Seienden und Geschehenden nicht erfassen
kann, daß alle menschliche Weisheit in allen Bereichen begrenzt ist. Auf diese Grenze
weist die Sterblichkeit des Menschen.

III. Sprüche in den Geschichts- und Prophetenbüchern

O. Eißfeldt hatte (Der Maschal im Alten Testament, 1913) in diesen Büchern 23
Sprüche gefunden, die er für Volkssprichworte hielt, um nachzuweisen, daß es diese
schon in frühen Texten des Alten Testaments gab. H. J. Hermisson hat das bestritten
(bis auf wenige Ausnahmen), da er als Verfasser der Sprüche nur Weise an Schulen
(oder am Hof) annahm. Durch C. R. Fontaine (1982) wurde die Diskussion wieder
aufgenommen. F. geht davon aus, daß der eigentliche Sitz im Leben der Sprüche ihre
Anwendung im Leben des Volkes war, und weist an fünf Texten aus den Geschichtsbüchern nach,[82] daß die hier begegnenden Sprüche in jeder Beziehung genau in die
Situation passen, von der hier erzählt wird und die Sprüche in diesen Situationen
jeweils eine bestimmte Funktion haben, z.B. kann ein Spruch zur Schlichtung eines
Streites dienen. Damit ist nachgewiesen, daß die Sprüche ihre eigentliche Funktion
im mündlichen Gebrauch hatten und daß sie in dieser frühen Zeit im Volk lebten.
Sie stimmen mit den in den Proverbien gesammelten Sprüchen formal überein mit
der Unterscheidung von Indikativ- und Imperativsprüchen, inhaltlich in den gleichen
Spruchgruppen. Die weitaus meisten sind Sprüche der Beobachtung und Erfahrung:

Ri 8,21	Wie der Mann, so seine Kraft; vgl. Ez 16,44
Jer 23,28	Was hat Stroh mit Korn gemein?
1. Sam 24,14	Von Frevlern geht Frevel aus
Jer 31,29	Die Väter haben Härlinge gegessen...
Hos 8,7	Wer Wind sät, erntet Sturm
1. Kön 20,11	Wer den Gürtel ablegt...

Dazu Ri 8,2; Jes 37,3; 1. Sam 16,7; 10,12; Jer 17,11; 13,12; 13,23; 17,9; 31,29. Hierzu
R. B. Y. Scott (1961) und W. McKane, Komm., S. 22–30.

Alle diese Sprüche entsprechen Gruppen von Sprüchen, die sich auch in den Proverbien finden. Sie bestätigen, daß es Sprichwörter schon in der Frühzeit Israels
gab.[83]

IV. Weisheitsworte in den Psalmen

Im Buch der Psalmen begegnen drei Gruppen von Sprüchen und Spruchmotiven, die denen in den Proverbien gleichen.

Vier Texte in der Sammlung der *maàlot*-Psalmen sind Erweiterungen von Einzelsprüchern zu kleinen Gedichten:

127,1–2 Wenn der Herr nicht das Haus baut...; ein Jahwe-Spruch
127,3–5 Siehe, Söhne sind eine Gabe Jahwes...; ein Glückwunsch
128,1–4 Wohl dem, der... Glückwunsch; wie Ps 1
133,1–3 Siehe, wie fein und lieblich...; ein Segensspruch. Vgl. hierzu afrikan. „Es muß Einigkeit herrschen zwischen Geschwistern einer Mutter," S. 159.

Da sie alle der Sammlung Ps 120–134 angehören, ist anzunehmen, daß sie die Gestalt, in der sie überliefert sind, erst bei der Einfügung in die Wallfahrtslieder erhielten und dem Sitz im Leben dieser Gattung angeglichen wurden. 127,1f. entspricht Prov 10,22, vgl. Sir 11,10; V.1 hat eine nahe Parallele in einem sumerischen Götterlied, W. von Soden und A. Falkenstein, 1953, S. 66f.: „Nisaba, wo du es nicht festsetzt, baut der Mensch kein (Haus), baut er keine Stadt..."

Alle vier Texte sind Erweiterungen von Sprüchen, die in die Frühzeit der Weisheit in Israel zurückreichen. Sie wurden mündlich tradiert, bis sie in der erweiterten Form in die Sammlung der Wallfahrtslieder Ps 120–134 aufgenommen wurden. Damit wird unsere Kenntnis um einen Jahwe-Spruch, einen Segensspruch und zwei Glückwünsche erweitert.

Psalm 1 und 119. Einer späten Zeit gehören Ps 1 und 119 an, die einmal den Psalter (ohne 120–150) rahmten. Ps 1 entfaltet den Gegensatz des Ergehens des Frommen und des Frevlers *(inclusio)* in einem Vergleich. Dem Dichter des Psalms war ein Gegensatzspruch vorgegeben, der zweiseitige Vergleich begegnet mehrfach. Ein Musterbeispiel dafür, wie ein Spruch zu einem Gedicht erweitert werden kann. Der Vergleich ist in einen Glückwunsch gekleidet. Ps 119: Die 176 Verse in alphabetischer Anordnung kann man als eine der tora zugewandte Andacht bezeichnen. Die Verbindung von Psalm und *torā* wie die von Weisheit und *torā* gehört der nachexilischen Zeit an. In Ps 119 besteht eine Beziehung zur (späten) Weisheit nur in dem Motiv des Gegensatzes des Gerechten zum Frevler.[84]

Dieses Gegensatzmotiv hat sich auch mit den Klagen des Einzelnen verbunden; es genügt, Ps 14 = 53 zu nennen, wo es den ganzen Psalm bestimmt. Auch Ps 37 ist hier zu nennen, der ganz von diesem Motiv bestimmt ist. Es ist aufschlußreich, die Nachdichtung in dem Lied Paul Gerhardts „Befiehl du deine Wege..." zu vergleichen. Die gleiche Mahnung zur Frömmigkeit zieht sich durch das Lied; aber der Gegensatz von Frommen und Gottlosen fehlt in dem Lied von Paul Gerhardt völlig!

Psalm 49, eine Vergänglichkeitsklage, ist in V. 2–5 eingeleitet durch eine Aufforderung zum Hören, wie sie der späten Weisheit Prov 1–9 eignet: „Hört an... mein Mund soll Weisheit reden!"[85]

V. Weisheit im Buch Hiob

Drei Komplexe im Buch Hiob stehen der Weisheit nahe: der kurze Weisheitsspruch findet sich nur in Kap. 28, aber zu einem Gedicht erweitert. Der Kern des

Gedichts ist ein mehrgliedriger Spruch, bestehend aus Frage V. 12 = 20 und Antwort V. 23, ein Rätselspruch:

Wo wird Weisheit gefunden und wo ist der Ort der Erkenntnis?
Verborgen ist sie vor den Augen alles Lebendigen...
Gott weiß den Weg zu ihr, und er kennt ihre Stätte.

Die Antwort ist positiv in 24–27, negativ in einem Gleichnis 1–11, aufgelöst in 15–19, entfaltet: auch die höchsten Werte können sie nicht aufwiegen. Gott allein kennt ihren Ort, er, der Schöpfer 24–27. – Das Kapitel folgt auf den Abgang der Freunde und ist seinem Inhalt nach ein polemisches Gedicht: nicht die Freunde verfügen über die Weisheit, allein Gott verfügt über sie. In der Sprache und aus dem Denken der frühen Weisheit wird die objektivierte Weisheit, die in Prov 1–9 gelobt wird, abgewiesen. Die Weisheit ist nicht verfügbar wie es die Freunde in ihrem dogmatisch festgelegten Reden voraussetzen.

Im Gesprächsteil des Hiobbuches vertreten die Freunde Hiob gegenüber die Lehre vom Tun und Ergehen des Frevlers und des Frommen wie in dem Block der Gegensatzsprüche in Prov 10 ff. Hier wird diese Lehre breit entfaltet bis hin zu dem Urteil am Ende: Hiob muß ein Frevler sein zufolge dieser Lehre. Dem stellt Hiob in 21 das Argument der Erfahrung entgegen: Wo ist denn das wirklich so, wie ihr behauptet? – Erfahrungsweisheit gegen doktrinäre Starre.

Die Elihu-Reden 32–37

Sie sind ein Nachtrag zum Hiobbuch, der Vortrag eines Weisheitslehrers in einem Kreis von Weisen, vor dem er den Fall Hiob behandelt, eingeleitet 34,2 wie in Prov 1–9 mit der Aufforderung zum Hören: „Hört, ihr Weisen, meine Rede...!"[86] Das Reden Hiobs wird von ihm als frevelhaft verurteilt; am Schluß wird Hiob gewarnt und zur Umkehr gemahnt. Elihu redet vor dem Forum der Weisheit, die über die gültigen Maßstäbe verfügt. In sicherem Besitz dieser Maßstäbe schwingt Elihu sich zum Richter über Hiob auf. Er ist der typische Vertreter einer objektivierten und daher verfügbaren Weisheit.

Die drei Textteile im Hiobbuch, die sich auf die Weisheit beziehen, berechtigen nicht dazu, das Buch Hiob als Weisheitsschrift zu bezeichnen. Die Freundesreden, die eine dogmatische Vergeltungslehre entfalten, haben „nicht recht von Gott geredet". Der Dichter des Hiobbuches lehnt diese Vergeltungslehre ab.

In den nachgetragenen Elihu-Reden ist diese Vergeltungslehre noch verstärkt. – Das 28. Kapitel dagegen ist in der Form eines Gedichts, dessen Kern ein Spruch ist, eine Polemik, die gegen die Freunde für die Unverfügbarkeit der Weisheit eintritt.

Der Selbstsicherheit der Weisheit setzt der Dichter des Hiobbuches die Unbegreiflichkeit menschlichen Leides entgegen in einer Dichtung die in ihrer Gestaltung der Struktur der Klage entspricht, in der sich das Leiden ausspricht. Die drei Personen der dramatisierten Klage entsprechen deren drei Gliedern: Gott-Klage, Ich-Klage, Feind-Klage. Der Klage gegenübergestellt ist im Gotteslob die Ehrfurcht vor dem verborgenen Gott.

An vielen Stellen außerhalb der Sammlung Prov 10–31 gibt es Sprüche.
In den Geschichts- und Prophetenbüchern begegnen sie in ihrer ursprünglichen Überlieferungsform in erzählenden Zusammenhängen in Situationen,

in denen sie angewandt wurden, besonders Aussagesprüche. Diese Sprüche gehören alle, ausnahmslos, der frühen Weisheit an, deren einzige Form der kurze Spruch ist. In den Geschichts- und Prophetenbüchern kommen weder Lehrgedichte noch Erziehungssprüche vor.

Prov 1–9, das von den für die späte Weisheit charakteristischen Lehrgedichten bestimmt ist, läßt neben diesen ein Nachleben der kurzen Sprüche erkennen, die aber nur einzeln und in Verbindung mit anderen Formen vorkommen. Der Befund zeigt, daß die Lehrgedichte der Spruchweisheit gefolgt sind und daß sie diese voraussetzen.

Das Buch des Predigers steht der frühen Spruchweisheit sehr viel näher als Prov 1–9. Der Prediger übernimmt aus der Tradition viele einzelne Sprüche, die er zum Teil erweitert oder umgestaltet. Die Lehrweisheit aber fehlt bei ihm ganz. Auch hat er ein Verständnis der Weisheit, das im Kern der frühen instrumentalen Weisheit entspricht und redet polemisch gegen eine Richtung, die über die Weisheit zu verfügen meint. Auch kommen bei ihm Gegensatzsprüche der Gerechte – der Frevler nicht vor.

In den Psalmen kommt beides vor: ein Weiterleben der frühen Spruchweisheit in den vier Gedichten in den Wallfahrtspsalmen und der Gegensatz von Frommen und Frevlern aus der späten Weisheit, dazu die Einleitung des 49. Psalms in der Sprache der Lehrgedichte.

Im Buch Hiob ist ein deutliches Zeugnis für das Weiterleben der frühen Weisheit einmal in dem Kern des Gedichtes Kap. 28 erhalten, der in einem Spruch besteht, dann in der Polemik des Dichters gegen die späte Weisheit mit ihrer dogmatischen Entgegensetzung von Frommen und Frevlern.

Dies alles miteinander bestätigt, daß von einer frühen Weisheit in Form von Sprüchen eine späte in Lehrgedichten und anderen Formen zu unterscheiden ist, denn beide leiten eine je gesonderte Traditionslinie ein. Die späte Weisheit setzt in Prov 1–9 ein und zeigt sich dann in den Freundesreden im Hiobbuch, in den Elihureden und als Motiv in einigen Psalmen. Die frühe Spruchweisheit wird fortgeführt in einzelnen Sprüchen in Prov 1--9. Sie wird bewußt weitergeführt durch den Prediger, der die späte Weisheit abweist und polemisch von ihr redet. Sie begegnet zu kleinen Gedichten erweitert in den Wallfahrtspsalmen und in Spuren auch noch bei Jesus Sirach, der als ganzes ausgesprochen späte Weisheit ist. Wie die frühjüdische Weisheit und der Spruchbestand in den synoptischen Evangelien zeigt, ging die mündliche Entstehung und Tradierung von Sprüchen in der nachkanonischen Zeit weiter.

Der Wandel vom Weisheitsspruch zum Lehrgedicht

Der Unterschied zwischen zwei Gruppen von Sprüchen, deren eine instrumental, deren andere abstrakt vom Weisen und von der Weisheit redet (s.S. 71), zeigt einen Wandel im Verständnis des Weisen und der Weisheit

an. In einem Teil der Sprüche wird Weisheit im Sinn einer Befähigung zu...
verstanden, also in Bezug auf etwas, was der Weise tut oder sagt, so wie auch
von der Weisheit Salomos gesprochen wird (S. 10), ebenso in der Josepher-
zählung, besonders in Kap. 41.

Im anderen Teil fällt dieser Bezug fort; diese Sprüche reden von einem
Weisesein, einer Weisheit an sich, im Sinn einer abstrakten, objektivierten
Weisheit. Als solche konnte sie gelehrt werden; deshalb erhielt dieser
abstrakte Begriff der Weisheit seinen besonderen Ort im Unterricht, die
Weisheit wurde zur Lehre.

Dieser Wandel führte dann zu einer Wandlung der Sprachform. Für die
Lehre reichte der kurze Spruch nicht mehr aus, an die Stelle des Spruches
tritt das ausführliche Lehrgedicht, wie es in Prov 1–9 und in den vorderorientalischen Weisheitsschriften vorliegt.

Eine Geschichte der Entstehung der Sprüche läßt sich nicht konstruieren.
Wohl aber läßt sich an einer Stelle ein deutlicher Wandel feststellen, nämlich
im Bedeutungswandel des Wortes „weise", wie er in den Gegensatzsprüchen
der Tor – der Weise und den Charakterisierungen des Weisen so deutlich
heraustritt. Aus ihm läßt sich der Wandel vom kurzen Spruch zum Lehrgedicht am besten erklären, damit auch der Übergang vom mündlichen zum
schriftlichen Entstehen. Der weite Abstand des abstrakten Weisheitsbegriffes
in 1–9 von dem instrumentalen zeigt sich auch darin: Um den Gebrauch des
Wortes ḥākām in 1–9 zu erklären, genügt es nicht, nur nach den Sätzen zu
fragen, in denen das Wort vorkommt. In 10–29 begegnet das Wort in einzelnen, in sich abgeschlossenen Sätzen, in 1–9 bildet es größere Zusammenhänge, es wird zum Thema des Prologs und der meisten Lehrgedichte. Nur
an der Oberfläche sieht es so aus, als verbinde die Vokabel ḥākām die beiden
Teile 1–9 und 10–31; in Wirklichkeit zeigt sich in seinem Gebrauch ein
grundlegender Unterschied in den beiden Teilen.

Skizze der Formgeschichte der Weisheit

Die früheste Form ist der kurze, in sich geschlossene, einzeilige Spruch
(besonders in Prov 10–31). Diese Sprüche sind mündlich im Volk entstanden
und wurden mündlich tradiert. In ihnen liegt die Wurzel der Weisheit Israels
vor. Sie begegnen einzeln und in der Situation, in der sie angewandt wurden,
in Texten der Geschichts- und Prophetenbücher. Sie haben zwei Ausprägungen, die in getrennten Sammlungen überliefert wurden: Indikativsprüche
(Aussagen) und Imperativsprüche (Mahnungen, besonders 22–24).

Zum Frühstadium gehören auch Sprüche außerhalb von Prov 10–31, die
sich verstreut in Prov 1–9, Prediger, Hiob, Psalmen finden. Mündliches Entstehen und mündliche Überlieferung von Sprüchen der einfachen Form gingen nach Abschluß der Sammlungen weiter.

Die Sammlung der Sprüche ging in mehreren Akten vor sich: Zuerst entstanden kleinere Sammlungen (z.T. noch an den Überschriften kenntlich). Sie wurden zu größeren zusammengefügt; ihre endgültige Gestalt erhielten sie im Buch der Sprüche in der Kunstform des Parallelismus. Dadurch erhielten sie eine dem Gedicht ähnliche Gestalt. So wurden die Sprüche zur Literatur.

Die Sammlung der Sprüche von Prov 10–31 wurde mit einer ursprünglich selbständigen anderen Sammlung verbunden, die später entstand. Sie enthält längere Lehrreden oder Lehrgedichte, Prov 1–9. Sie sind in Schulen von Lehrern (Weisheitslehrern) verfaßt. Sie sind schriftlich entstanden und dienten dem Unterricht, wie die vorderorientalischen Weisheitsschriften, zu denen sie viele Beziehungen haben. In ihnen wurden besonders die Mahnworte weiterentwickelt. Der Lehrer redet seine Schüler an und fordert sie zur Annahme der Weisheit auf. Die Weisheit ist hier abstrakt und objektiviert.

Zum Spätstadium gehören auch Mahnworte zur Erziehung an anderen Stellen, Lob der Weisheit und der Komplex der Gegensatzsprüche der Gerechte – der Frevler (besonders in 10–15).

In einem Übergangsstadium erhielten kurze Sprüche verschiedene Erweiterungen, es kommen kleine Gedichte hinzu (andere als die Lehrgedichte), etwa um kleine Sammlungen abzuschließen. Die Spruchsammlung wird zu Literatur. Aber diese kleinen Gedichte (dann auch größere) sind Erweiterungen von Einzelsprüchen und gehören zu diesen. Einen Übergang kann man auch darin sehen, daß Worte der späten Weisheit die Form von Einzelsprüchen erhalten.[87]

Zur Nachgeschichte gehören die Weisheitsschriften außerhalb des Buches der Proverbien. Sie sind bestimmt durch Verbindung mit anderen Formen und Motiven. Mischformen und mancherlei Abwandlungen. – Neben der zusammenhängenden Weisheitsrede begegnet der einfache Spruch noch in vielen der späten Weisheitsschriften.

Weisheitssprüche als Jesusworte

Die Sprüche (Logien) in den synoptischen Evangelien in ihrem Verhältnis zu den Sprüchen im Proverbienbuch

Wie ist diese Nähe zwischen Evangeliensprüchen und Proverbien zu erklären? Diese Frage hier gründlich zu untersuchen, würde zu weit führen; es kann aber zu ihr Stellung genommen werden, indem auf die Untersuchungen dreier Theologen hingewiesen wird.

I. Rudolf Bultmann [88]

Die These Bultmanns, daß viele Sprüche in den synoptischen Evangelien aus der „jüdischen Weisheit" übernommen sind, ist nach wie vor nicht bestritten. Der Untertitel „Jesus als Weisheitslehrer" könnte irreführen; die spezifische Lehrweisheit (besonders die Lehrgedichte Prov 1–9) spielt in der Untersuchung Bultmanns keine Rolle, er hat es allein mit der Spruchweisheit zu tun. Mit dem Untertitel könnte der Eindruck erweckt werden, die Sprüche seien von Weisen = Lehrern verfaßt; aber Bultmann sagt immer wieder, daß es sich um Volkssprichworte handelt.

S. 113 formuliert B. sein Ergebnis so: „Diese (d.h. die vorangehenden) Beispiele erweisen die Pflicht, die synoptischen Logien im Zusammenhang mit der „jüdischen Weisheit" zu verstehen und damit zu rechnen, daß sie zum Teil aus ihr entnommen sein können."

Dabei ist wichtig, daß B. damit die in der Form der „Logien" entsprechenden Einzelsprüche meint, nicht aber die Weisheitsgedichte Prov 1–9, da diese in den Evangelien so gut wie keine Spuren hinterlassen hat.[89]

Für den Unterschied ist vor allem wichtig, daß die Lehrgedichte (oder Lehrabhandlungen) ebenso wie ihre vorderorientalischen, ägyptischen und mesopotamischen Vorbilder schriftlich an Weisheitsschulen, die Sprüche aber in einer frühen Phase mündlich entstanden sind und mündlich tradiert wurden. Bultmann setzt (seinem Lehrer H. Gunkel folgend) die mündliche Entstehung der Einzelsprüche voraus. Auch wenn Sammlungen schon vorlagen (daß Jesus solche kannte, ist unwahrscheinlich), ist die mündliche Tradition von Sprüchen daneben weitergegangen. Daß Bultmann eine mündliche sowie eine schriftliche Phase der Überlieferung voraussetzt, ermöglicht ihm, „Form und Geschichte der Logien" (S. 84ff.) genauer bestimmen zu können. Er geht davon aus: „Die Grundformen des alttestamentlichen und jüdischen *māšāl* sind in den Logien deutlich zu erkennen"; so die Gliederung in Indikativ-(Aussagen) und Imperativ-(Mahnungen)-Sprüche; darüber hinaus Erweiterungen und Abwandlungen, unterschieden nach mündlicher oder schriftlicher Phase. Sie werden von Bultmann genauer bestimmt als bei den meisten Erklärern der Proverbien. Bei den Aussageworten unterscheidet Bultmann persönlich oder sachlich formulierte, die verschiedenen Möglichkeiten der Erweiterung eines Spruches, die verschiedenen Motive für Umgestaltungen, z.B. bei der Abwandlung von profanen zu religiösen Sprüchen. Dies alles gilt für die Sprüche in den Proverbien ebenso wie für die Logien in den Evangelien.

Bultmann sieht mit Recht: die Frage nach der „Echtheit" der Logien kann nur sehr differenziert beantwortet werden. Meist stellt er nur die Möglichkeit nebeneinander, ohne sich festzulegen: Unabhängig von der Entscheidung im Einzelfall ergibt sich: Ein erheblicher Teil der Verkündigung Jesu steht nicht nur in der Form, sondern auch dem Inhalt nach der Spruchweisheit Israels nahe. Wenn Bultmann dann fortfährt: „Noch prekärer ist die Frage, welche der Logien Jesus sich angeeignet haben könnte" (S. 109), meine ich, könnte das auch anders gesagt werden: Es war nicht nötig, daß Jesus sich diese Worte aneignete; er kannte sie von früh auf, weil er mit ihnen aufgewachsen war. Sie lebten als Volkssprichworte in dem Kreis der einfachen Leute, an deren Leben und Denken Jesus teilhatte. Sie waren, bevor er öffentlich auftrat, sein geistiger Besitz und sind es durch die Zeit seines Wirkens hindurch geblieben. Vieles davon ist in seine Verkündigung eingegangen, vieles von dem Menschenverständnis, vieles aber auch von dem Reden von Gott in der Spruchweisheit.

Zu der vieldiskutierten Frage nach der sogenannten „Echtheit" der Jesusworte (ich lehne den Begriff ab), ob sie Jesus selber gesprochen habe oder sie ihm später zugesprochen wurden, tritt die andere Frage: Was bedeutet es, daß Jesus viele Worte in der synoptischen Tradition in der Form des Spruches nicht neu geprägt hat, sondern sie so, wie er sie in seiner Jugend gehört und bewahrt hat (Lk 25,2) in seine Verkündigung übernahm, weil sie dieser entsprachen?

Stimmt man dem zu, so erwächst daraus die Aufgabe, die bisher noch kaum in ihrer Bedeutung gesehen wurde: umfassend und bis ins Detail danach zu fragen, wie sich die Verkündigung Jesu zu der frühen Spruchweisheit Israels verhält.

Dabei ist Bultmann auf jeden Fall darin zuzustimmen, daß wie die Sprüche in den Evangelien so auch die in den Proverbien eine mündliche vor der schriftlichen Phase des Entstehens hatten.

II. Max Küchler

Küchler geht in seinem Werk „Frühjüdische Weisheitstraditionen" 1979 (S. 157-175) auf die „Fragen zu Form und Gattung" ein: „Das Weisheitslogion ist eine der ältesten und wichtigsten literarischen Formen, welche das weisheitliche Bemühen um die Erfassung oder Bewältigung der Wirklichkeit hervorgebracht hat... Es setzt Einsicht in Sachverhalte voraus, welche sich... erst aus langer beobachtender Erfahrungstradition ergibt. Einsicht, Treffsicherheit und Sprachgewandtheit des Weisen kommen im Logion auf ihre kürzeste Form; Einsichtigkeit, Prägnanz und Schönheit charakterisieren das weisheitliche Logion" (S. 157 f.)

Küchler folgt Bultmann darin, daß er Spruch, Mahnwort und Fragewort als Grundgattungen bestimmt. Er definiert: Das Sprichwort ist ein vielgebrauchtes, auf die Erfahrungswelt gerichtetes Wort in geprägter Form, das grundsätzlich eine Einzelerfahrung konstatiert, gerade durch das Belassen des Gegenstandes in seiner Vereinzelung eine gewisse Allgemeinheit erlangt und meist eine lehrhafte Tendenz aufweist" (S. 161). Zwischen dem Sprichwort und dem Mahnwort steht der Lehrspruch S. 162); er unterscheidet sich von dem Mahnwort durch den Indikativ, vom Sprichwort dadurch, daß er eine Mahnung impliziert. Beim Mahnwort folgt er der näheren Bestimmung durch D. Zeller, Die weisheitlichen Mahnsprüche bei den Synoptikern, 1977. „Der weniger kategorische Ton grenzt das Mahnwort von Gebot und Verbot ab; die individuelle Ausrichtung unterscheidet es von der Gebotsparänesen" (S. 163).

In einem Anhang am Ende des Buches überschreibt K. einen Abschnitt „Jesuanische Weisheit" (S. 572–586), er beschließt ihn mit einer Liste der „weisheitlichen Logien Jesu bei den Synoptikern" (S. 587–592). Er gliedert dort die jesuanische Weisheit: „Jesus als frühchristlicher Weisheitslehrer" und „Jesus als die endgültige Weisheitsgestalt". Danach kann man die jesuanische Gruppe als „Lehr- und Lerngemeinschaft" sehen (S. 574–576). Der Jesus der Synoptiker braucht in seinen Streitgesprächen viele Argumente, die von der alltäglichen Erfahrung her einleuchten. Er kann auch Regeln formulieren, die ihre weisheitliche Bestimmtheit nur aus der generationenlangen Erfahrung haben. Es sind 108 weisheitliche Logien, mit Parallelen 196 Vorkommen (S. 579).

Eine Schwierigkeit liegt darin, daß K. diese Texte als „weisheitliche Logien" bezeichnet, daß für ihn also die Sprüche eo ipso von Weisen verfaßt sind und Jesus für ihn ein „frühchristlicher Weisheitslehrer" ist. Wenn dann K. aber formuliert: „Er

(Jesus) kann auch Regeln formulieren, die ihre weisheitliche Bestimmtheit nur aus der generationenlangen Erfahung haben", so klingt das doch eher nach einer Bestimmung als Volksweisheit. Hier wäre die Spruchweisheit als Volksweisheit und die Lehre der Weisen deutlicher zu unterscheiden.

Daß beides nicht deutlicher unterschieden wird, wirkt sich auch in der Auswahl der Sprüche aus, die K. für „jesuanisch" ansieht. Von diesen 108 Texten ist es mir bei 18 von ihnen fraglich, ob sie als Sprüche bezeichnet werden können. Z.B. Ankündigungen für die Zukunft wie Mk 13,13: „Wer ausharrt bis ans Ende, wird gerettet werden", sind keine Sprüche. Andererseits sind einige Sätze, die K. nicht nennt, mit Sicherheit Sprüche, so wie: „Er läßt seine Sonne scheinen über Böse und Gute und läßt es regnen über Gerechte und Ungerechte."[91]

Man wird die Zahl nicht genau festlegen können, wohl aber ist eine deutliche Unterscheidung zu treffen: alle diese Sprüche, die in den synoptischen Evangelien als Worte Jesu vorkommen, gehören der frühen Weisheit an, in der die Weisheit die Form eines kurzen Spruches hat. Es fehlt jede Spur von Lehrgedichten wie in Prov 1–9, von Sprüchen der Erziehungsweisheit, von dem Motiv Lob der Weisheit. Daraus folgt, daß Jesus diese Sprüche aus der mündlichen Tradition kannte, jedenfalls die meisten. Diese Unterscheidung vollzieht K. nicht. Da einige dieser Sprüche in die Kunstform des Parallelismus gefaßt sind, z.B. Mt 7,6 „Gebt das Heilige nicht den Hunden und werft eure Perlen nicht vor die Schweine!", dazu Mt 10 24; 10,16 u.a.; ist es möglich, daß er daneben kleine Sammlungen von Sprüchen kannte, die nicht in das Proverbienbuch aufgenommen waren. Jedenfalls: Was an Jesusworten bei den Synoptikern zu erkennen ist, gehört der einfachen Volksweisheit an.[92]

Fragt man nach dem Verhältnis der in den Evangelien vorkommenden zu den Sprüchen in Prov 10–29(31), richtet sich die Frage auf die Form und den Inhalt. Die Übereinstimmung in der Form ist auf den ersten Blick deutlich: die Form des kurzen, in sich geschlossenen Spruches und die Einteilung in Indikativ- und Imperativsprüche. Was den Bereich der Sprüche betrifft, so gibt es hier kaum Unterschiede. Es ist die gleiche Szene, in der sie gesprochen werden, die gleichen Lebensbereiche, in denen sie vorkommen, die gleichen Figuren, die in ihnen auftreten, mit geringen Ausnahmen.

Aber auch in den inhaltlich bestimmten Gruppen überwiegt die Übereinstimmung. Die Aussagesprüche sind weit in der Überzahl, es sind meist Beobachtungen und Erfahrungen, besonders Beobachtungen am Menschen. Hierin liegt die inhaltlich wichtigste Übereinstimmung. Hieraus folgt: solche Beobachtungen am Menschen, solche Erfahrungen des Menschlichen, die in seinem Volk durch Jahrhunderte in der Form von Sprüchen tradiert wurden, nimmt Jesus in hohem Maße in seine Verkündigung auf; sie sind ihm wichtiger als theologische, kultische oder sonstige Traditionen. Sein Menschenverständnis ist geprägt von dem, was in den Sprüchen zu Wort kommt. Dies ist einer der wichtigsten Tatbestände, die das Alte mit dem Neuen Testament verbinden.[93]

III. W. A. Beardslee[94]

Beardslee unterscheidet eine praktische und eine spekulative Weisheit (das entspricht etwa meiner Unterscheidung zwischen instrumentaler und abstrakter Weisheit), die praktische hat für die Evangelien eine erheblich höhere Bedeutung, die spekulative ist kaum zu spüren. Gegen Bultmann sagt B. mit Recht, die Sprüche bringen keine allgemeinen Wahrheiten zum Ausdruck; es handelt sich jeweils um einen besonderen Vorgang des alltäglichen menschlichen Lebens: „The proverb implies a story",[95] etwas Geschehendes. Das zeigt sich auch, wenn Motive alttestamentlicher Sprüche Parallelen in den Gleichnissen Jesu haben wie z.B. der Platz am Tisch, der Freund um Mitternacht, der unfruchtbare Feigenbaum. Die Sprüche haben darin einen aktuellen Charakter, daß sie jeweils das rechte Wort zur rechten Zeit sind. Dabei setzen sie ein „common body of human experiences"[96] voraus, deren Gültigkeit allgemein anerkannt wird; sie weisen auf ein allen Menschen gemeinsames Motiv. Zugleich weisen die Sprüche den Hörer im Gegensatz zu einer spekulativen Weisheit sehr bestimmt auf seine gegenwärtige Wirklichkeit.

IV. Zusammenfassung

Ich habe mit dem Hinweis auf die drei Arbeiten nur auf die Aufgabe aufmerksam machen können, die sich aus der Tatsache des Teilhabens eines erheblichen Komplexes von Sprüchen an den Worten Jesu in den Evangelien ergibt. Es hat sich dabei ergeben, daß dieses Teilhaben auf die frühe Weisheit Israels, die Spruchweisheit zu beschränken ist; nur diese kommt in den Evangelien vor, nicht die späte abstrakte oder spekulative Lehrweisheit. Jesus ist also in den Evangelien nicht als ein Lehrer dieser abstrakten Schulweisheit (Prov 1–9) dargestellt, sondern als ein aus der Spruchweisheit seiner Väter Empfangender. Sein Menschenverständnis ist hierdurch geprägt wie auch vieles, was er in seiner Verkündigung von Gott sagt. Dieses Erbe verbindet das Neue mit dem Alten Testament.

Was das theologisch bedeutet, ist von dieser Voraussetzung her zu erfragen. Es bedeutet ja nicht nur, daß viele Sätze, die man bisher für „originale" Jesusworte hielt, Sprüche sind, die schon sehr lange als Sprüche seines Volkes gesprochen und gehört worden waren, sondern darüber hinaus, daß sie auch in der Verkündigung Jesu den Charakter solcher ererbter und mündlich weitergegebener Sprüche behielten. Sie waren Ausdruck eines Menschenverständnisses und eines Redens von Gott, das aus dem Zusammenleben des Volkes erwuchs und in ihm etwas ausrichtete. Dazu gehört, daß sie aus Situationen dieses Zusammenlebens zu erklären sind. Sie sind mißverstanden, wenn man aus ihnen allgemein gültige und zeitlos gültige Regeln oder Gebote oder Feststellungen macht. Man kann sie nur verstehen, wenn man bei jedem dieser Sprüche an die Situation denkt oder nach der Situation fragt, in die hinein er einmal gesprochen worden ist.

V. Skizze einer Gruppierung der Sprüche in den Evangelien

Der Mensch, Körper und Geist, gesund und krank, Essen und Trinken

>   Mt 12,2a Das Auge ist des Leibes Licht
>   12,34 Aus der Überfülle des Herzens spricht der Mund
>   15,14 Kann ein Blinder einen Blinden führen?
>   Dazu Mk 2,17; 2,19; 2,21 f.; 7,27; 9,56.

Leben und Tod, die Grenze des Menschen

>   Mk 8,36 Was nützt es dem Menschen, die ganze Welt zu gewin-
>   nen...?
>   Mt 24,28 Wo ein Aas ist, da sammeln sich die Adler.
>   Mt 6,27 Wer kann sein Leben um eine einzige Elle verlängern?
>   Dazu Mt 10,28 f.; 8,35; Mt 5,36.

Verhalten: richtiges und verfehltes

>   Mt 7,17 Jeder gute Baum gibt gute Früchte...
>   26,32 Wer das Schwert nimmt, kommt durch das Schwert um.
>   6,24 Niemand kann zwei Herren dienen.
>   Dazu Mt 12,35; Mk 4,21; 7,15; 14,38; Lk 16.10

Arbeit

>   Mt 10,10 Der Arbeiter ist seines Lohnes wert
>   9,27 Die Ernte ist groß, der Arbeiter sind wenige

Der Rang

>   Mt 10,24 Ein Schüler ist nicht über seinem Meister noch ein Knecht
>   über seinem Herren
>   20,16 Viele erste werden letzte sein = Mk 10,31
>   Dazu Mt 22,14; 23,12; Mk 64; Lk 22,27.

Besitz, arm und reich, wenig und viel

>   Mt 25,29   Dem der hat, wird gegeben...
>   Dazu Mk 4,25; Lk 7,47; 12,15; 10,42; 12,48.

Verborgen und offen

>   Mt 5,14 f.   Eine Stadt, die auf dem Berge liegt...
>   Dazu Mk 4,21 f.; Mt 10,26.

Macht und Gewalt

Mt 3,27   Niemand kann in das Haus des Starken...
Dazu Mk 3,23; 9,40.

Sprüche vom Tun Gottes

Gott läßt seine Sonne scheinen über Böse und Gute...
Mt 10,29 f.   ... nicht eines wird ohne Zutun deines Vaters auf die
           Erde fallen; dazu Mt 6,26
Mk 10,27   Alles ist möglich bei Gott
Dazu Mk 12,27; 10,9; Lk 16,15; Mk 12,17 (der König).

Ein Spruch des Charakterisierens

Mt 25,24   ... ein harter Mensch, der erntet, wo er... und sammelt,
           wo er...

Ein Komparativspruch angedeutet

Lk 5,39   ... denn er sagt sich: der alte ist besser...
Dazu 23,31.

Imperativsprüche

Bei den Mahnworten sind von den allgemeinen Mahnungen solche zu
unterscheiden, die dem besonderen Kreis Jesu und seiner Jünger angehören.

Allgemeine Mahnungen

Mt 71   Richtet nicht, damit ihr nicht gerichtet werdet!
   10,16   Seid klug wie die Schlangen und ohne Falsch wie die
          Tauben!
Mk 4,24   Mit welchem Maß ihr meßt, mit dem wird man euch
          messen.
Dazu Mt 74; 12,37; Mk 7,12; 23; 9,35; 10,9; 12,17; Lk 4,23; 148–10; 14,12–14.

Mahnungen des Meisters an den Kreis der Jünger wie Mt 5, 39–45: „Ich
aber sage euch...!" Hier spricht der Redende einen kleinen Kreis an, dem
entspricht die Reihenbildung mehrerer inhaltlich ähnlicher Imperative. Das
sind dann keine Sprüche mehr, in denen alle angeredet sind.

Gott und Mensch in der frühen Spruchweisheit

I. Das Menschenverständnis der Spruchweisheit

Es gibt kein Buch im Alten Testament, das so ausführlich und so differenziert das Verständnis des Menschen im alten Israel entfaltet wie das Buch der Proverbien. Voraussetzung ist dabei das Unterscheiden der frühen Spruchweisheit von der späteren Entwicklung der Weisheit besonders in den Lehrgedichten Prov 1–9. In diesen tritt das Interesse am Menschen stark zurück.

Die Sprüche reden so vom Menschen wie die Schöpfungserzählung Gen 2–3 von seiner Erschaffung redet in den verschiedenen, sein Dasein umfassenden Bezügen. Nach diesen Bezügen läßt sich gliedern, was vom Menschenverständnis der Sprüche zu sagen ist: die Gestalt des Menschen, sein Lebensraum, seine Lebensmittel, die Arbeit (der Auftrag Gottes), die Gemeinschaft.

1. Der Mensch, das Geschöpf

Die Gestalt des Menschen, aus Erde geformt

Der Mensch bleibt in seinem Dasein der Erde verhaftet, aus der er gebildet ist, zu der er wieder zurückkehrt. Die Möglichkeiten seines Lebens auf ihr und deren Grenzen sind mit seiner Erschaffung gegeben. Sein Körper, seine Glieder, seine Sinne ermöglichen das ihm auf der Erde bestimmte Leben, zugleich begrenzen sie es: „Alles hat seine Zeit, Geborenwerden und Sterben..." (Koh). Die Sprüche der Beobachtung am Menschen reden staunend und manchmal ehrfürchtig vom Körper, seinen Gliedern, seinen Sinnen:

20,12 Das hörende Ohr und das sehende Augen,
    beide hat sie Jahwe gemacht
20,27 Der Atem des Menschen ist eine Leuchte des Herrn,
    sie durchglüht alle Kammern des Leibes
Koh 11,7 Süß ist den Augen das Licht
    und köstlich ist es, die Sonne zu sehen

Alle Glieder des Körpers, alle seine Sinne begegnen in den Sprüchen. In diesem staunenden Wahrnehmen stehen die Sprüche den Psalmen nahe, die vom Menschen als Geschöpf reden; es ist das gleiche Menschenverständnis wie in Ps 8 und 139.

Der Mensch, das denkende und handelnde Wesen

Die Grundgliederung der Sprüche ist die in Aussagen und Mahnungen. Die Aussagen geben in der Hauptsache Beobachtungen und Erfahrungen wieder, die Mahnungen wollen auf das Handeln einwirken. Denken und Handeln gehören in gleicher Weise zum Menschsein, das eine erfordert das andere. Deshalb ist hier ein empirisches Denken gemeint; es richtet sich auf die Wirklichkeit, in der sich zurechtzufinden dem Menschen aufgegeben ist. Die frühe Weisheit ist nicht abstrakt und schon gar nicht spekulativ; sie ist der Wirklichkeit zugewandt. Schon deswegen ist das Verständnis der Weisheit als Suche nach Ordnung unwahrscheinlich. Die Weisheit ist dem Menschen als eine Möglichkeit mitgegeben, seinen Weg im Leben zu finden und zu gehen. Sie ist instrumental; er kann mit ihr etwas ausrichten in seinem eigenen Leben und in dem der Gemeinschaft, der er angehört. Da sie aber kein Besitz ist sondern eine Möglichkeit, stehen im Leben der Gemeinschaft oft die Weisen und die Toren, das törichte und das weise Handeln einander gegenüber, wovon die Sprüche viel zu sagen haben.

Die Aussagesprüche, in denen Beobachtung und Erfahrung bewahrt und weitergegeben werden, erkennen dem Menschen die Gabe zu, diese zu reflektieren, über sie nachzudenken, sie zu beurteilen und abzuwägen und damit eine begrenzte Autonomie des Denkens (von der Begrenzung redet eine eigene Spruchgruppe). Der Mensch braucht dafür keine Schulweisheit; er braucht sich nicht belehren zu lassen, um einen Vogel bei seinem Flug zu beobachten und sich etwas dabei zu denken. Die Selbständigkeit des Denkens spielt in den Sprüchen eine wichtige Rolle. Bei den Komparativsprüchen „besser als…" z.B. wird nie eine Begründung gegeben; der hierin Angeredete soll das selbst beurteilen, — Da diese Befähigung zu selbständigem Denken dem Menschen bei seiner Erschaffung mitgegeben ist, ist sie universal. Sie ist nicht auf Israel beschränkt und nicht auf eine Klasse der Weisen.

Der Mensch in seiner Zeitlichkeit

Der Mensch ist in den Grenzen seiner Zeitlichkeit verstanden, auf seinem Weg von der Geburt zum Tod. Ein zeitloses „Wesen des Menschen" kennen die Sprüche nicht. Deswegen ist ein gutes Wort ein zum rechten Zeitpunkt gesprochenes Wort; deswegen ist Weisheit etwas, was wachsen kann und jede Phase im menschlichen Leben ist gleich wichtig an seinem Ort zwischen Geburt und Tod. Die Zeitlichkeit des Menschen tritt auch darin hervor, daß ein großer Teil der Aussageworte in Gegenüberstellungen besteht. Freude und Leid im Wechsel gehören zu den Beobachtungen und Erfahrungen, die die Sprüche festhalten. Man kann weder das eine noch das andere aus der Zeit lösen, das sagt in reflektierter Form das Gedicht des Predigers Koh 3. Der Mensch wird nie auf eine gleichbleibende Seinsweise festgelegt, er bewegt sich immer in einem von zwei Polen bestimmten Kraftfeld: „geboren werden und sterben".

2. Der Mensch als Geschöpf unter Geschöpfen, der Lebensraum

Auch das ist der Mensch in unmittelbarer Entsprechung zu Gen 1–3. Der Mensch wird von seinem Schöpfer in den Garten gesetzt und lebt dort zusammen mit den Bäumen, den Pflanzen des Feldes, mit den Blumen und mit den Tieren. Der Garten, das ist seine Welt. Das kommt am deutlichsten in den Vergleichen zum Ausdruck, die für die Sprüche so wichtig sind. Der Garten ist seine Welt, in der er seine Beobachtungen und Erfahrungen macht. Die bunte Vielfalt in den Vergleichen bezeugt, wie hier der Mensch und seine Welt zusammengehören. In den Vergleichen redet das Geschaffene, reden die Geschöpfe mit bei dem, was die Sprüche sagen wollen. Der Mensch ist Glied eines Ganzen, mit dem er in seinem Denken und Empfinden verbunden ist; er findet Entsprechungen zu ihm, weil ja doch alles, was er beobachtet und woran er denkt, zu dem Ganzen gehört. Auch hier zeigt sich der Unterschied zwischen der frühen und der späten Weisheit: nur bei der instrumentalen Spruchweisheit gibt es solches Vergleichen, bei der abstrakten Weisheit nicht.

3. Die Früchte des Gartens, die Lebensmittel

Der Schöpfer gibt seinen Geschöpfen die Früchte des Gartens frei, daß sie reichliche Nahrung haben. Ohne den Segen des Schöpfers gäbe es kein Leben; „der Segen des Herrn allein macht reich..." und als Gabe seines Segens wird die Nahrung von den Menschen empfangen. Darum spielt die Nahrung, das Essen und Trinken, in den Sprüchen eine wichtige Rolle so wie in den Sprüchen vieler anderer Völker auch. Sie stehen nicht nur als etwas Untergeordnetes am Rand, sie werden gewürdigt als Gabe des Schöpfers, ohne die es kein Leben gäbe. Die Sprüche reden vom Hungern und Sattwerden, bei dem es unter Umständen um Tod und Leben geht. Sie werden so ernst genommen, daß die Mahnung dem Hungrigen zu essen, dem Durstigen zu trinken zu geben, immer wiederkehrt; daß aber auch die Gier zu essen und die Gier zu trinken als unwürdig bezeichnet werden kann. Es besteht ein Zusammenhang zwischen der hohen Bedeutung des Mahles in den anderen Teilen der Bibel und den Sprüchen von Essen und Trinken, von Hunger und Durst. Wenn auch das Verhalten bei Mahlzeiten in den Sprüchen einen Platz hat, so kommt auch darin die Achtung der Nahrung als der Gabe des Schöpfers zum Ausdruck.

4. Die Arbeit und ihr Ertrag

Die Arbeit ist im Auftrag des Schöpfers begründet; das ist in den Sprüchen zwar nicht direkt ausgesprochen, es ist aber vorausgesetzt. Hierbei spielt eine wichtige Rolle die Gegenüberstellung des Fleißigen und des Faulen. Die vielen Sprüche hierzu heben zwei Aspekte hervor: Auf der einen Seite weisen sie darauf hin, daß die doch so natürliche und gar nicht so schlimme Faulheit zum Scheitern eines Lebens und zum Untergang einer Familie führen kann. Auf der anderen Seite gibt gerade dieses Reden vom Faulen eine Gelegenheit zu humorvollem Spott. Es ist gerade der scheinbare Widerspruch zwischen diesen beiden Aspekten, der die Weisheit dieser Sprüche ausmacht. Beides hat seine Zeit; so ist der Mensch, daß er des einen wie des anderen Redens bedarf. Würde der humorvolle Spott fehlen und nur ernsthaft zum Fleiß gemahnt werden, dann wäre der Mensch, wie er wirklich ist, verkannt, und eine nur ernste Mahnung zum Fleiß wäre nur lästig. Deswegen hat auch die Mahnung zum Fleiß in einer Reihe ansprechender Gedichte, in denen es um die Bewahrung der Nahrung geht, ihren Ausdruck erhalten.

Auch bei der Gegenüberstellung von reich und arm sprechen verschiedene Aspekte mit, deren Beziehung zueinander man sehen muß. Die Erfahrung, daß der Faule verarmt und der Fleißige Vermögen erwirbt, reichte nicht aus. Armut war nicht immer Folge von Faulheit und Reichtum nicht immer Folge von Fleiß. Man muß damit leben: es gibt Arme und Reiche; 22,2: „Reicher und Armer begegnen einander, Jahwe hat alle beide geschaffen". Es wird in den Sprüchen nicht versucht, dieses Verhältnis prinzipiell zu erfassen und zu beurteilen; dieses faktisch bestehende Verhältnis und das Verhalten dazu wird offen gelassen. Es wird auf die Grenze des Reichtums gewiesen und die mögliche Fragwürdigkeit schon seines Entstehens. Eine Mahnung wird an den Reichen gerichtet, dem Armen abzugeben und ihm zu helfen; auch der Arme ist Gottes Geschöpf. Und auf die Reichen wie auf die Armen wartet der Tod. Den Armen wird gesagt, daß unter Umständen geringer Besitz besser sein kann als Reichtum; der Reiche bleibt sein Leben lang erpreßbar.

5. Der Mensch in der Gemeinschaft

Auch das bisher Gesagte bezieht sich auf den Menschen in der Gemeinschaft, denn die Sprüche hatten in der frühen Phase eine hauptsächlich soziale Funktion.

Es geht dabei um eine Kultur des Zusammenlebens im Gegenssatz zu einer objektivierten Kultur, in der sich das kulturelle Leben auf die Kulturgüter verlagert hat, wobei der einzelne Mensch in der Hauptsache passiv (Konsument) ist. In den Sprüchen vollzieht sich Kultur in allen Bereichen des Zusammenlebens. Die Sprüche hatten deswegen eine so hohe Bedeutung, weil in ihnen die Erfahrungen der Väter im gemeinsamen Leben dem gegenwärtigen Geschlecht zu Gehör kamen. In den Sprüchen des Charakterisierens etwa geht es um kritische Menschenkenntnis, die ein Regulieren des Zusammenlebens förderte. Im Gegenüberstellen von Weisen und Toren werden Maßstäbe gesetzt, die für sich sprechen sollen, weil sie aus Erfahrung gewachsen sind. Weise ist der Verantwortungsbewußte, der Zurückhaltende, der Schweigende; der Tor der Zügellose, der sich nicht beherrschen kann, der seine Worte nicht überlegt, aber dabei alles glaubt, was ein anderer sagt. Es geht bei diesem Gegenüber um das Fördern und das Schädigen der Gemeinschaft.

Zum Zusammenleben gehört selbstverständlich der Schutz der Geringen, der Schwachen, der Rechtlosen; es gehören dazu die Werke der Barmherzigkeit. Darin stimmen die Sprüche im alten Israel mit solchen in Ägypten, in Mesopotamien, in Afrika oder Ostasien überein. Es kann dazu gemahnt, es braucht nicht geboten zu werden; es kann nicht durch Gesetze erzwungen werden. Es ist — in allen diesen Sprüchen — etwas Natürliches und Selbstverständliches. Eine Gemeinschaft in der das nicht geschieht, hat sich selbst schon aufgegeben.

6. Die Sprache

Zur Gemeinschaft gehört die Sprache. Denn Wort ist im Alten Testament primär Geschehendes, nicht Gesagtes, und die Grundfunktion der Sprache ist die Anrede. Der Wert des Wortes in den Sprüchen wird nach dem bemessen, was es ausrichtet. Dementsprechend handeln die Sprüche von einem guten und von einem bösen, von einem fördernden und einem schädigenden Wort. Die Sprüche werden nicht geprägt, um einen abstrakten Gedanken zu formulieren (darin unterscheidet sich der Aphorismus vom Spruch), sondern um etwas zu bewirken.

So wird denn in den Sprüchen betont unterschieden zwischen einem Wort, das zur rechten Zeit, und einem, das zur Unzeit gesagt wird; zu einem Wort gehört die Situation, in der es gesprochen wird, erst durch sie bekommt es sein Gewicht und seine Bedeutung. Das gilt für das gute wie für das böse Wort: „Eine richtige Antwort ist ein Kuß auf die Lippen" — „Manches Mannes Geschwätz verwundet wie Schwertstreich". Es ist nicht zufällig, daß von dem Gegenüber des guten und des bösen Wortes auch schon in Gen 2–3 gesprochen wird.

Das gute Wort kann auch das schöne Wort sein. In mancher Beziehung stehen die Sprüche in ihrer gedichteten Form der Dichtung nahe, und zwar nicht erst in der Kunstform des Parallelismus. Schon die Vergleiche bringen sie der Dichtung nahe. Das gute, treffende Wort soll auch ansprechend sein, daß man es gern hört und leicht behält. Auch Humor und Witz haben an ihm Anteil da, wo sie hingehören. In der abstrakt lehrhaften Sprache dagegen fehlt der Humor.

II. Das Wirken Gottes in der frühen Weisheit

R. N. Whybray (1979) zählt von 10,1–22, 16 375 Einheiten. Von ihnen sind 55 Jahwe-Sprüche; 15,33–16,9 bilden den Kern, neun Jahwesprüche, unterbrochen nur in 16,8; dazu in 10.12–15 fünf Königssprüche. Von den übrigen Jahwesprüchen in 10,1–22,16 sind es 25, die ein danebenstehendes Wort interpretieren. Diese Anordnung dient dazu, säkulare Sprüche theologisch zu interpretieren.

W. ist darin zuzustimmen, daß von den Sammlern bzw. Redaktoren wie an anderen Stellen auch sachlich zusammengehörende Sprüche zusammengestellt wurden. Möglich ist auch die Absicht eines Sammlers oder Redaktors, eine Gruppe von Jahwesprüchen in die Mitte der größeren Sammlung 10,1–22,16 zu stellen. Aber diese Zusammenstellung ist ein redaktioneller Vorgang, sie zeigt die Absicht eines Sammlers; mit der Entstehung der einzelnen Sprüche hat sie nichts zu tun; es ändert sich damit nichts daran, daß jeder Spruch zunächst eine Einheit für sich ist. Das wird bestätigt, wenn man die einzelnen Jahwesprüche je für sich sieht; sie sind äußerst verschieden und gehören innerhalb der Jahwesprüche verschiedenen Gruppen an. Fragt man nach Zusammenhängen, muß man danach fragen, was die einzelnen Sprüche von Gott sagen. Danach ergeben sich die Gruppen 1. Jahwe als Schöpfer der Menschen; 2. Das Wirken Jahwes als Grenze menschlicher Möglichkeiten; 3. Jahwes strafendes Eingreifen; 4. Das Handeln Jahwes an den Gerechten und den Frevlern; 5. Furcht Jahwes.

1. Jahwe als Schöpfer der Menschen

P. Doll hat in seiner Studie „Menschenschöpfung und Weltschöpfung in der alttestamentlichen Weisheit", 1985, S. 9–28 nachgewiesen, daß die Proverbien nur in den Sprüchen der älteren Weisheit Kap. 10–29 von Menschenschöpfung reden, in den Lehrgedichten 1–9 dagegen nur von Weltschöpfung (in Prov 3 und 8). Er nimmt dabei die traditionsgeschichtliche Unterscheidung von Welt- und Menschenschöpfung auf, die C. Westermann für Genesis 1–11 und R. Albertz für die Psalmen u.a. nachgewiesen hat. In allen drei Textbereichen hat sich gezeigt, daß die Menschenschöpfung einer älteren, die Weltschöpfung einer jüngeren Traditionslinie angehört. Dieser Unterschied entspricht dem religionsgeschichtlichen Tatbestand, daß vom Erschaffen des Menschen insbesondere in den frühen, noch schriftlosen Kulturen geredet wird, von der Weltschöpfung vorwiegend in den Hochkulturen (besonders deutlich in Ägypten). Den Nachweis dafür habe ich in meinem Genesiskommentar zu Gen 1–11 geführt). — Für die Weisheit bedeutet das, daß die frühere Weisheit nur vom Schöpfer des Menschen spricht bzw. davon, was der Schöpfer für die Menschen bedeutet. Erst die spätere Weisheit der Lehrgedichte nimmt die Weltschöpfungstraditionen auf, die sie aus dem Motiv des Lobes des Schöpfers in den Psalmen übernommen hat, weil es den Verfassern der Lehrgedichte zur Erhöhung der Bedeutung der Weisheit dient; das Lob der Weisheit ist eines der wichtigsten Motive in den Lehrgedichten.

Ein weiterer Unterschied besteht darin, daß das, was die Sprüche vom Menschenschöpfer sagen, für diese Sprüche notwendig ist (als Begründung);

dagegen hat das Reden von der Weltschöpfung in 3 und 8 als *eigentliche* Intention die Erhöhung der Bedeutung der Weisheit.

2. Jahwe als Schöpfer des Menschen, sozialkritische Funktion

17,5	Wer den Armen verspottet, der schmäht dessen Schöpfer
14,31	Wer einen Geringen bedrückt, schmäht dessen Schöpfer, aber ihn ehrt, wer sich eines Armen erbarmt.

abgewandelt in

Mal 2,10a	Haben wir nicht alle einen Vater, hat nicht ein Gott uns erschaffen?
Hiob 31,15	Hat nicht im Mutterleib mein Schöpfer ihn erschaffen?
34,19	... der nicht die Reichen vor den Armen bevorzugt, denn das Werk seiner Hände sind sie alle!
22,2	Reich und arm begegnen einander, alle beide sind sie das Werk Jahwes.
29,13	Der Arme und der Bedrücker begegnen einander, den Augen beider gab Jahwe das Licht.

Diese Worte werden nur verständlich von der Funktion her, die sie im mündlichen Frühstadium hatten (hierzu P. Doll, S. 16f.) „Auch wenn Prov 22,2 einen einfachen Zusammenhang konstatiert, so kann es in einer Situation, in der dem Adressaten eben dieses verborgen ist und ihm gesagt werden muß, von lebenswichtiger Bedeutung sein" (S. 18).

Die Sprüche sind in einer nur wenig abgewandelten Form in Mal 2,10 und Hiob 31,15; 34,19 mit ihrer Situation überliefert, sie bestätigen die Anwendung der Sprüche im mündlichen Gebrauch. Eine weitere Situation habe ich angeführt (berichtet von Las Casas) bei Doll, S. 27.

In einer anderen Gruppe können Worte vom Wirken des Menschenschöpfers einfache Beobachtungen am Menschen sein:

20,12	Das hörende Ohr und das sehende Auge, alle beide hat Jahwe gemacht.
27	Der Atem des Menschen ist eine Leuchte Jahwes, sie durchglüht alle Kammern des Leibes.
27,19	Wie Angesicht neben Angesicht so sind die Herzen der Menschen verschieden.
Koh 11,7	Süß ist den Augen das Licht, und köstlich ist es, die Sonne zu sehen!

Es ist der Schöpfer, der den Menschen so wunderbar geschaffen hat. Das betroffene Staunen über das Kunstwerk des menschlichen Körpers mit seinen Organen und seinen Sinnen ist eine Auswirkung des Lobes des Schöpfers: „Lobe den Herren, der künstlich und fein dich bereitet..." Diese Sprüche stehen Ps 139 nahe. Alle diese Werke bringen Lebensfreude und Freude am menschlichen Körper zum Ausdruck.

3. Gott und sein Wirken als Grenze menschlicher Möglichkeiten

16,1   Der Mensch kann wohl bei sich überlegen;
       aber das rechte Wort gab ihm Jahwe ein.

9   Des Menschen Herz denkt sich seinen Weg aus;
       aber Jahwe lenkt seinen Schritt.

19,21 Viel sind der Pläne im Herzen des Mannes;
       aber der Ratschluß Jahwes kommt zustande.
       Vgl. Amenemope: „Ein Ding sind die Worte, die der Mensch
       sagt, ein ander Ding ist, was der Gott tut" (S. 171).

21,31 Das Roß ist gerüstet für den Tag der Schlacht,
       aber der Sieg kommt von Jahwe.

21,1   Wasserbächen gleicht das Herz des Königs in der Hand Jahwes,
       er leitet es, wohin er will.

20,24 Die Schritte des Menschen lenkt Jahwe;
       wie könnte der Mensch seinen Weg verstehen?
       Vgl. sumerisch: „Den Willen Gottes kann man nicht verstehen;
       der Weg eines Gottes kann nicht erkannt werden" (S. 163).

21,30 Keine Weisheit, keine Einsicht, kein Ratschluß
       kann bestehen gegenüber Jahwe.

15,11 Unterwelt und Abgrund liegen offen vor Jahwe,
       wieviel mehr die Herzen der Menschen!
       Vgl. äg. Onchsheshonky „Gott sieht in das Herz" (S. 175).

Zwei weitere Sprüche, auch von dem „aber Jahwe..." bestimmt, sagen, daß diese Grenzen unter Umständen auch für die Überzeugung gelten, daß man auf dem richtigen Weg sei:

16,2   Dem Menschen dünken alle seine Wege recht,
       aber Jahwe prüft die Geister.

21,2   Dem Menschen dünkt sein Weg stets recht;
       aber Jahwe prüft die Herzen.

Es sind überwiegend der Form nach Gegensatzsprüche: einem Tatbestand oder einer Absicht aufseiten des Menschen steht ein „Aber" Gottes entgegen. Dieses „Aber" weist auf die Grenzen, die dem Menschen gesetzt sind. Es ist das Wirken des Schöpfers, an dem die menschlichen Möglichkeiten ihre Grenzen haben. Wieder entspricht dieser Hinweis auf die Grenzen des Menschen der Urgeschichte: der von Gott geschaffene Mensch hat seine Grenze in seiner Sterblichkeit und in seiner Fehlsamkeit.

Es handelt sich um eine universale, in der gesamten Menschheit begegnende Erkenntnis, von schriftlosen Völkern an über die Hochkulturen (z.B. in Ägypten das Auge des Horus) bis in die Neuzeit; ein Gedicht von Goethe ist so benannt. Es sind nicht Worte einer spezifisch israelitischen Weisheit, sondern Israel hat in ihnen teil an einem der Menschheit eignenden Wissen, daß den menschlichen Möglichkeiten Grenzen gesetzt sind. Auch hier die Entsprechung zum Urgeschehen: der Turm zu Babel.

Alle diese Sprüche wurden je in besondere Situationen hinein gesprochen, in denen es notwendig war, dies auszusprechen an die Adresse eines, der gerade diese Grenze zu vergessen oder zu mißachten im Begriff war. Nur deswegen wurden diese Sprüche tradiert, weil in der Mißachtung der Grenzen eine schwere Gefährdung des Menschen liegt. Wir begegnen dieser Gefährdung z.B. in der Verkündigung des Propheten Jesaja, in seiner Ankündigung des Zusammenbruchs des (zu) Hohen. Die Verkennung oder Mißachtung der Grenzen des Menschen begegnet in der Geschichte Einzelner oder Völker immer wieder. Das bloße Wissen um die Grenzen reicht da nicht aus: es muß im richtigen Augenblick dem die Grenzen Verkennenden gesagt werden.

Je mächtiger der Mensch wird, je mehr er erreicht und je mehr er kann, je mehr er sich scheinbar dem Schöpfer annähert in seinen Fähigkeiten, desto blinder und törichter wird er in dem einen Punkt der Selbstüberschätzung. An diesem Punkt ist das Reden von Gott als Grenze aller menschlichen Möglichkeiten lebensnotwendig für die Menschheit:

> 15,11   Unterwelt und Abgrund liegen offen vor Jahwe,
> wieviel mehr die Herzen der Menschen!

So kann es der Spruch sagen, weil Jahwe der Schöpfer des Menschen ebenso wie der Schöpfer des Alls ist. Hierin kommen die beiden Gruppen der Sprüche, die von Jahwe reden, zusammen: Jahwe, der Schöpfer des Menschen — Jahwe, die Grenze des menschlichen Verstehens. Außerdem berührt sich 15,11 nahe mit den Psalmen vom Schöpfer des Menschen (139): „Herr, du erforschest mich und kennest mich…" Und wie in Gen 1–11 stehen einander die Möglichkeiten und die Grenzen des Menschen gegenüber.

Daß die Erkenntnis der Welt, die Erkenntnis des eigenen Ich und die „Pläne im Herzen des Mannes" ihre Grenzen haben, ist unbestreitbar. Eben deswegen kann ein Satz wie „der Mensch denkt, Gott lenkt" banal klingen. Aber das ist nur deswegen so, weil der zum bloßen Wissen erstarrte Satz die Funktion verloren hat, die er im alten Israel hatte: nämlich als ein treffendes Wort in eine Situation hinein, in der er notwendig ist, in der er etwas ausrichten kann. Und das gilt gerade für Sätze, die als bloße „Wahrheiten" unanfechtbar sind. Sie erhalten ihre Wirkkraft dort, wo dieses allgemein Gültige nicht beachtet wird.

4. Gott straft und vergilt mit Gutem

Daß Gott die bösen Taten straft und die guten belohnt, gehört in den Religionen der Menschheit allgemein zum Wirken der Götter. Es ist ein so konstantes Element der Göttlichkeit, daß über alle sonstigen Verschiedenheiten hinweg darin ein wohl vollständiger Konsens besteht. Deswegen ist es im Alten Testament auch schon ein wesentliches Element des Urgeschehens in den Erzählungen von Schuld und Strafe (C. Westermann, Genesis I).

22,12   Die Augen Jahwes bewahren, was sie gesehen
          und so bringt er die Worte des Treulosen zu Fall;

und entsprechend:

16,11   Wenn eines Menschen Wege Jahwe gefallen,
          so versöhnt er auch seine Feinde mit ihm.
22,11   Wer reinen Herzens ist, den liebt Jahwe
24,17f.   Freu dich nicht über den Fall eines Feindes...
          (21f.)
          Jahwe könnte es sehen und Mißfallen daran finden;
          dazu 22,22f., 23,10f.

Was Jahwe ein Greuel ist

Diese Gruppe von Sprüchen gehört mit Vorbehalt dazu, eine kultische Bestimmung wird darin abgewandelt zu einem verstärkenden Ausdruck der Mißbilligung.

‚Greuel‘ ist ein kultischer Begriff, jede Abgötterei ist Jahwe ein Greuel. Dann wurde der Begriff ausgeweitet: zum Greuel wurde alles erklärt, was Jahwe mißfällt, so im Handel falsches Maß und Gewicht (11,1; 20,10; 20,23). Darüber hinaus dann auch „die falschen Herzens sind" (11,20); „lügnerische Lippen" (12,22); „böse Anschläge" (15,26); „jeder Hochmütige" (16,5).

Wenn im kultischen Gebrauch etwas als „Greuel" bezeichnet wurde, so geschah das in einem einfachen Aussagesatz, wie bei den Charakterisierungen, z.B. „Lügnerische Lippen sind Jahwe ein Greuel" (12,22a). Aber solche Sätze eigneten sich besonders für die Bildung eines Spruches im Parallelismus, also 12,22b: „...die aber Treue üben, gefallen ihm wohl;" ebenso 11,20; 15,26; 16,5. Da allen diesen Sätzen die eingliedrige Bestimmung zugrunde liegt, zeigt sich hier besonders deutlich, daß die Erweiterung zum Parallelismus sekundär ist. Die Form diente dann auch dem Gegensatz der Gerechte – der Frevler 15,9: „Ein Greuel ist Jahwe der Weg der Frevler, wer der Gerechtigkeit nachjagt, den hat er lieb."

Aber von einem Handeln oder Reden Jahwes an sich sprechen alle diese Sprüche nicht.

5. Gegensatzsprüche: das Handeln Gottes an den Gerechten und den Frevlern

Diese Gruppe gehört zu dem Komplex der Gegensatzsprüche vom Gerechten und vom Frevler, also zu einer sekundären Schicht in 10–31. Der Gegensatz zwischen diesem wird hier auf ein Handeln Gottes zurückgeführt, was aber zu der Verstärkung des Gegensatzes dient; der absolute Gegensatz zwischen ihnen besteht ohnedies.

10,3   Jahwe läßt den Hunger der Frommen nicht ungestillt;
       die Gier der Frevler aber stößt er zurück.

15,25 Jahwe reißt weg das Haus der Stolzen,
       aber die Grenzen der Witwe setzt er fest.

29   Jahwe ist fern von den Frevlern,
       das Gebet der Gerechten aber erhört er.

10,29 Das Walten Jahwes ist der Gerechten Zuflucht,
       den Übeltätern aber Verderben.

Der Gegensatz zwischen Gerechten und Frevlern tritt in den Sprüchen, die das Handeln Gottes und die Gottesbeziehung einbeziehen, in besonderer Schärfe heraus. Während das Walten Jahwes den Gerechten Zuflucht ist, ist es für die Frevler Verderben (10,29). Der Hunger der Frommen wird gestillt, die Gier (!) der Frevler aber stößt er zurück (10,3). Das Gebet der Gerechten erhört Jahwe, den Frevlern aber bleibt er fern (15,29). Von den Gottesfürchtigen wird alles Gute gesagt; während die bösen Menschen nicht verstehen, was recht ist, verstehen die Gottesfürchtigen alles (2,85). Wer in der Furcht Jahwes bleibt, dem geht es wohl, wer sein Herz verhärtet, gerät ins Unglück (28,14).

Bei diesen Entgegensetzungen steht von vornherein fest: die einen tun nur Gutes, die anderen nur Böses; dem entspricht das Schicksal beider. Es bleibt ein theoretischer Gegensatz, konkrete Züge, konkrete Situationen kommen dabei nicht vor. In all diesen Sprüchen wird eine feststehende Lehre entfaltet. Was sie von Gott sagen, ist von vornherein in diese Lehre eingebunden; Gott kann gar nicht anders als den Frommen und den Frevlern anzutun, was ihnen gebührt. Auch die Form dieser Gegensatzsprüche ist die des Ausschließens; die beiden letzten Glieder des Spruches sind aus dem Gegensatz heraus geformt, z.B. 10,27: „Die Furcht Gottes verlängert das Leben, aber die Jahre des Frevlers werden verkürzt" (ebenso in den Freundesreden im Buch Hiob); oder 15,23: „Jahwe ist fern von den Gottlosen, das Gebet des Frommen aber erhört er." Daß sich Gott auch einmal eines Frevlers, eines Sünders, erbarmen könnte, kommt hier nicht vor. Das Erbarmen Gottes ist absolut reserviert für die Gerechten. Es ist eine harte Lehre, die in diesen Gegensatzsprüchen vertreten wird. Sie gehört der frühen Weisheit nicht an.

6. Furcht Jahwes

Von der Furcht Jahwes reden verschiedene Gruppen von Sprüchen. Einige wenige begegnen in den Gegensatzsprüchen der Gerechte — der Frevler (10,27; 2,85; 14,25; 29,25), meist aber unabhängig von diesen. Bei der Mehrzahl der Stellen, in denen Jahwefurcht oder Jahwe fürchten vorkommt, ist es die richtige und notwendige Einstellung oder Haltung ihm gegenüber, man kann es meist auch mit Frömmigkeit übersetzen, denn „Furcht" ist hier im Sinne von Ehrfurcht zu verstehen.

14,26   In der Furcht Jahwes ist ein starker Verlaß,
      noch den Kindern ist sie eine Zuflucht.

27   Die Furcht Jahwes ist eine Quelle des Lebens,
      so daß man den Schlägen des Todes entgeht.

16,6   Durch Güte und Treue wird Schuld getilgt,
      durch die Furcht Jahwes bleibt man dem Bösen fern.

19,23   Die Furcht Jahwes führt zum Leben,
      da schläft man gesättigt, erfährt kein Unheil.

22,4   Der Lohn der Demut und Jahwefurcht
      ist Reichtum und Ehr und Leben.

23,17f. Dein Herz ereifere sich... um die Jahwefurcht allezeit,
      wenn du sie bewahrst...

28,14   Wohl dem Manne, der allezeit in der Furcht Jahwes bleibt,
      wer aber sein Herz verhärtet...

14,27: „Die Frömmigkeit ist eine Quelle des Lebens...", sie ist ein starker Verlaß (14,26), eine Zuflucht (14,26), sie führt zum Leben (19,23), man ist durch sie gesichert (19,23), wohl dem, der in ihr bleibt (28,14), man bleibt durch sie dem Bösen fern (16,6), sie hat Ehre und Leben zum Lohn (2,24), man soll sie bewahren (23,17f.), es wird zu ihr gemahnt (24,21f.).

Der Gottesfurcht ganz nahe steht das Vertrauen, manchmal sind beide synonym (16,20; 25,25). Wohl dem, der auf Jahwe vertraut (16,20), er wird reichlich gelohnt (28,25); er wird behütet (29,25), Jahwe ist ein Schild (30,5f.). Das Walten Jahwes ist dem Gerechten Zuflucht (10,29), der Name Jahwes ist ein starker Turm, dort ist der Fromme geborgen (18,10).

Das Wortfeld des Vertrauens wie auch die damit verbundenen Vergleiche gehören alle, ohne Ausnahme, zum Bekenntnis der Zuversicht in den Psalmen. Fast alle Sätze dieser Spruchgruppe könnten in einem Vertrauenspsalm stehen. „Furcht Jahwes" dagegen ist nicht in den Psalmen verwurzelt, sondern ein für die fromme Weisheit der Spätzeit typischer Begriff: er verbindet die Frömmigkeit mit der Weisheit.

14,16   Der Weise fürchtet Gott und meidet das Böse,
      der Tor läßt sich sorglos darauf ein.

15,33   Die Furcht Jahwes ist die Schule der Weisheit
      und der Ehre geht Demut voraus.

22,19   ...damit du dein Vertrauen auf Jahwe setzest,
belehre ich dich heute über diesen Weg.

Die Verbindung der Jahwefurcht mit der Weisheit ist dann stärker ausgeprägt im Prov 1–9. Es liegt hier ein eindeutiger Tatbestand, die Geschichte der Sprüche betreffend, vor. In der Spätzeit verbinden sich Weisheit und Frömmigkeit in der Zeit vom Exil ab. Während in den Proverbien der Frühzeit das profane Reden überwiegt, wird in der Spätzeit die Frömmigkeit ein Hauptthema der Sprüche; der typische Ausdruck für die Frömmigkeit wird dabei „Furcht Jahwes"; die Frömmigkeit nimmt die Form des Weisheitsspruches an, „die Furcht Jahwes ist der Anfang der Weisheit." Statt „Furcht Jahwes" kann gesagt werden „Vertrauen zu Jahwe" und damit gelangt die Sprache des Bekenntnisses der Zuversicht in die Weisheitssprüche. Darin geht die Sprache der Psalmen unmerklich in die Sprache der frommen Weisheit über.

7. Zusammenfassung

Was in den Sprüchen (Prov 10–31) von Gott gesagt wird, unterscheidet sich in auffälliger und erstaunlicher Weise von dem, was sonst im Alten Testament von ihm gesasgt wird. Ein Geschehen zwischen Gott und seinem Volk Israel; eine „Geschichte Gottes mit seinem Volk" mit allem, was dazu gehört, scheint es hier nicht zu geben. Keines der großen Daten dieser Geschichte wird erwähnt, weder der Auszug aus Ägypten noch die Offenbarung am Sinai, noch der Bund, weder die Einwanderung in das Land noch das Gesetz und vom Gottesdienst wird nur ganz am Rand geredet, Priester oder das Heiligtum werden nie genannt. Vielleicht noch gewichtiger ist, daß in den Sprüchen Gott niemals redet. Weder kommt ein Verb vor, das Reden Gottes bezeichnet noch wird je ein Wort zitiert, das Jahwe gesprochen hat oder nicht. Auch ist niemals ein Mensch genannt, der ein Wort Gottes übermittelte. Daß von Gott in den Sprüchen anders geredet wird als sonst im Alten Testament, kommt hierin am schärfsten zum Ausdruck. Auch wird niemals zu Gott geredet (ein Gebet nur in einem späteren Zusatz), Gebete werden nicht erwähnt oder zitiert, auch kein Anrufen Gottes. Der Grund dafür kann nur sein, daß die Sprüche eine Sprache des Alltags gebrauchen, die allein zwischen Menschen ihren Ort hat; die Worte Gottes und die an Gott gerichteten Worte haben je ihren eigenen Sprachbereich.

Dem entspricht es, wenn in den Sprüchen, in denen Jahwe genannt wird, eine Gruppe nur von Gott dem Schöpfer spricht, oder genauer, sie entspricht dem, was in der Urgeschichte von Gott gesagt wird. Es wird von Gott als dem Schöpfer gesprochen, der als solcher auch Herr seiner Geschöpfe ist. Dazu gehören die Sprüche, die von Gottes Wirken als der Grenze menschlicher Möglichkeiten reden; sie reden universal von den Grenzen des Menschen. Wie im Urgeschehen Gen 1–11 gehören nahe dazu die Sprüche, in denen Gott die Frevel der Menschen straft, um ihn in seinen Grenzen zu halten, den Erzählungen von Schuld und Strafe in Gen 1–11 entsprechend. Damit bezeugen diese Sprüche von Prov 10–31, in denen etwas von Gott gesagt wird, daß das Reden von Gott dem Schöpfer und seinem universalen Wirken im alten Israel verbreiteter gewesen sein muß, als man es in einer heilsgeschichtlichen Auslegung des Alten Testaments annahm: diese Sprüche haben in der mündlichen Phase ihrer Überlieferung eine weite Verbreitung gehabt.

Wenn nun für das Reden von Gott in der Frühzeit der Weisheit nur die Sprüche in Frage kommen, die dem Reden von Gott in Gen 1–11 entsprechen, muß hier eine Entsprechung bestehen. Dabei kommt es zum Tragen, daß die Sprüche als solche einen universalen Charakter haben. Die Sprüche können überall in der Menschheit begegnen ebenso wie das Reden von der Schöpfung oder der Flut. Mit der Menschenschöpfung ist ja, wie wir sahen, der Mensch in allen seinen Daseinsbezügen gemeint (in Lebensraum, Lebensmitteln, Arbeit, Gemeinschaft, Sprache). Diese Daseinsbezüge, die allen Menschen gemeinsam sind, sind es, von denen die Sprüche in ihrer ganzen Fülle und Vielfalt reden: dem auf diese Daseinsbezüge begrenzten Reden in den Sprüchen entspricht ein Reden von Gott, dem Schöpfer des Menschen, der seinen Geschöpfen in diesen Daseinsbezügen zugewendet, ein Gott der Menschen ist.

Das heißt aber, die so von Gott (dem Schöpfer) redenden Sprüche sind keine „theologischen" Sätze in dem Sinn, wie das Wort „theologisch", „Theologie" sonst gebraucht wird. Sie haben keine spezifisch theologische Funktion in einem spezifisch theologischen Zusammenhang. Sie reden so von Gott, wie jeder Mensch von ihm reden könnte ohne dabei aus dem alltäglichen, profanen Reden herauszutreten.

Hier liegt eine gewisse Entsprechung zu dem Phänomen des „religionsinternen Pluralismus" vor, den R. Albertz in der Religionsgeschichte Israels bei vorstaatlichen Kleingruppen gefunden hat, deren alltägliche religiöse Sprache nicht mit der offiziellen Religion übereinstimmt (R. Albertz, Persönliche Frömmigkeit und offizielle Religion..., Stuttgart 1976). Auch in der Weisheit wird anders von Gott geredet als in der offiziellen Religion.

Exkurs: Weisheit und Theologie

Eine Theologie im üblichen Veständnis kann man aus den Sprüchen nicht erschließen, denn „Theologie" ist nicht ihr Gegenstand; wo sie von Gott reden, ist das kein spezifisch theologisches Reden. Man kann nur das, was die Sprüche von Gott sagen, in seiner Eigenart dem gegenüberstellen, was die anderen Bücher des Alten Testaments von Gott sagen. Die Sprüche beziehen sich auf einen Gott, der allen Menschen gegenüber Gott ist. Dieser universale und auf die Schöpfung bezogene Gott bestimmt alles, was die Sprüche von ihm sagen. Dieser Tatbestand warnt davor, dem aus theologischer Reflexion erwachsenen Reden von Gott eine zu umfassende Bedeutung zuzuerkennen. Dagegen muß das Reden vom Schöpfer im alten Israel eine größere Bedeutung gehabt haben, als man gewöhnlich annimmt. Die einfachen Leute jedenfalls haben so von Gott gesprochen, wie es die Sprüche zeigen; nicht wie z.B. die deuteronomischen Theologen von ihm reden.

Darüber hinaus kann man eine Folgerung für die christlich-abendländische Theologie ziehen. Eine Theologie, die sich hauptsächlich in abstrakten Begriffen bewegt, entfernt sich damit notwendig von der Sprache der einfachen Leute und deren Reden von Gott; damit zugleich aber verliert sie den universalen Aspekt, der zum Reden von Gott in den Sprüchen gehört. Es sollte eine Warnung sein, daß die späte, abstrakte Weisheit in ihrem Reden von Gott in Spekulation übergeht.

Schluß

I. Die Bedeutung des universalen Aspekts der Sprüche

Die Sprüche, die als solche die Scheidung von religiös und profan noch nicht kennen, sind in dem, was sie von Gott sagen und in dem, was sie vom menschlichen Verhalten (Handeln) sagen, im Verlauf einer langen Traditionsgeschichte zum Teil in den Bereich Religion übernommen worden, sie sind Bestandteile religiöser Texte bzw. Sammlungen oder Bücher geworden wie im Alten Testament, im Islam, in der christlichen Kirche. Als Bestandteil eines Kanons wurden sie Bestandteile „heiliger Schriften" wie im Koran oder in der Bibel. Aus dem universalen Aspekt der Spruchweisheit ergibt sich, daß etwa (nicht nur!) bei den Mahnungen / Warnungen eine weitgehende Übereinstimmung zu beobachten ist. Z.B. wird in den Sprüchen überall auf der Welt vor Menschen gewarnt, die sich selbst nicht beherrschen können. Es wird überall auf der Welt dazu gemahnt, Schwachen, Armen, Leidenden, Hungrigen, Rechtlosen zu helfen, ihnen beizustehen. Das ist zunächst als ein Faktum anzuerkennen.

Zu fragen ist, ob nicht in diesen vielen gemeinsamen Sprüchen eine diesen allen gemeinsame Auffassung des förderlichen Verhaltens von Menschen zu Menschen zugrundeliegt, wie auch des von allen abgelehnten oder verurteilten schädigenden Verhaltens, also ein allen gemeinsames „Wissen, was gut und böse ist". Wenn die Erkenntnis dieses Tatbestandes auch meist verschüttet ist, könnte doch eine Besinnung darüber, daß in diesem fundamentalen „Wissen was gut und böse ist" viel mehr Gemeinsames als Trennendes liegt, eine hohe Bedeutung erhalten für eine näher zusammenrückende Menschheit. So sieht es auch W. A. Beardslee (s.o. S. 127): Die Sprüche setzen ein „common body of human experiences" voraus, deren Gültigkeit allgemein anerkannt wird.

Es liegt auch etwas Gemeinsames in der Art, wie in den Sprüchen von Gott geredet wird. In diesem Reden fehlt das spezifisch Theologische und es fehlt das spezifisch Kultische, also das, was die Religionen der Menschheit voneinander unterscheidet und voneinander trennt. Von Gott wird in den Sprüchen nur gesagt, was den Alltag der von ihm Redenden berührt, was von ihm zu sagen notwendig erscheint für das Leben, das sie führen. Wenn gemahnt wird, den Schwachen, denen die in Not sind, zu helfen, dann wird dem entsprechend gesagt: Gott wird es dem lohnen, der dem Schwachen hilft, oder: Gott ist auf der Seite der Notleidenden. Von Gott wird als dem Schöpfer geredet und als dem, der den Möglichkeiten des Menschen Grenzen setzt. Das Reden von Gott als dem, der die Menschen und die Welt erschaffen hat oder dem, der den Menschen in seinen Möglichkeiten begrenzt, ist den meisten Religionen gemeinsam, es trennt die Religionen nicht, sondern verbindet sie.

Sieht man beides zusammen: einen common sense im Bereich menschlichen Handelns, der sich in den Sprüchen ausspricht, und ein Reden von Gott, das wie die Reden vom Urgeschehen in Gen 1–11 die Religionen nicht trennt, sondern verbindet, dann erhält damit die Spruchweisheit eine Bedeutung, die in ihren Auswirkungen erst noch erschlossen werden muß. Unser Begriff des Humanum ist schon ein Bestandteil der Sprüche Israels in ihrem universalen Aspekt. So auch L. Navé (im Anhang S. 177): „La sagesse biblique semble se construire sur le terrain d'une sagesse humaine commune..."

II. Der mündige Mensch

Eine Eigenart der Sprüche, die bisher wenig beachtet wurde, ist eine durchgehende Tendenz, den in den Sprüchen Angeredeten die Freiheit zu geben, selbst zu beobachten und wahrzunehmen, selbst zu urteilen, sich frei zu entscheiden, und zwar so, daß das eigene Interesse an solchen Entscheidungen berücksichtigt wird. Das kommt besonders in den Begründungen zum Ausdruck, die oft sagen: das, wozu gemahnt wird, liegt in deinem eigenen Interesse!

Diese Eigenart hat ihren Grund darin, daß sowohl die Aussagen wie auch die Mahnungen / Warnungen niemals von oben herab gegeben werden; der den Spruch Sprechende beruft sich niemals auf einen autoritären Standort; der Redende steht auf der gleichen Stufe wie der Hörende, er redet ihn als einen mündigen Mitmenschen an.

Anders ist das bei den Mahnungen im Zusammenhang der Erziehung, die die Überlegenheit des Lehrenden voraussetzt und darauf beruht, daß sie den Lernenden durch sie fördert. Aber die Kennzeichnung dieser Sprüche im Bereich der Erziehung stellt diese Besonderheit deutlich heraus.

Deswegen kann ich G. von Rad nicht zustimmen, wenn er die Weisheit Israels insgesamt als „didaktische Weisheit" bestimmt und bezeichnet, eine Weisheit also, in der der Redende eo ipso der Belehrende, der Hörende eo ipso der zu Belehrende ist. Ich kann einer solchen Gleichsetzung von Lehre und Weisheit, die ja in vielen Auslegungen vertreten wird, umso weniger zustimmen, als in den Texten der Proverbien der Vorgang des Lehrens unverkennbar als solcher gekennzeichnet ist in Prov 1–9 und Texten von 22–24. Das sind in der Tat didaktische Texte, dies ist didaktische Weisheit.

In den sonstigen Texten der Proverbien, den Sprüchen, die nicht zur Erziehungsweisheit gehören, bezieht sich die Freigabe des eigenen Urteils auf die beiden Arten der Sprüche, deren Unterscheidung den Gesamtbestand der Texte umfaßt: die Indikativ- und die Imperativsprüche.

Die Bedeutung dieser Unterscheidung ist mir, bevor ich diese Untersuchung unternahm, nie bewußt geworden; erst als ich fand, daß sie alle mir bekannten Spruchsammlungen bestimmt, die israelitischen, die vorderorientalischen und auch die der schriftlosen Völker, ging sie mir auf. Denn daraus folgt doch wohl, daß nicht nur der kurze Spruch als solcher, sondern auch seine Zweigliederung in Indikativ und Imperativspruch, zu dem universalen Charakter der Sprüche gehört. Der Mensch ist in ihnen als denkender und handelnder verstanden; dieses Menschenverständnis gehört dann zum Selbstverständnis des Menschen als Geschöpf. Als Denkender und als Handelnder ist er der mündige Mensch. Damit korrigieren die Sprüche die neuzeitliche Auffassung, die am stärksten und wirksamsten bei Descartes zum Ausdruck kommt. „Cogito, ergo sum". Nein, nur Denken und Handeln zusammen (die Arbeit!) machen das Menschsein aus.

Mehrfach wurde in der Untersuchung die Frage nach dem Verhältnis der Imperativsprüche zu den Geboten und Gesetzen berührt. Gesetze kommen erst in einem späteren Stadium der Kulturentwicklung auf; sie setzen Institutionen voraus, die die Gesetze „in Kraft setzen". Die zweigliedrige Form der Gesetze bringt das Zusammengehören von Legislative und Exekutive zum Ausdruck. Bei den Geboten ist das anders. Ihre Form stimmt zum Teil mit der der Mahnworte überein. (Z.B. bei den Batak, s.u. im Anhang). Anders ist, daß in den Geboten Gott der Gebietende ist.

Die allgemeinen Mahnungen außerhalb der Lehrfunktion sind nicht autoritär. Sie werden in allen Bereichen des Zusammenlebens gesprochen und gehört. Da sie mündlich tradiert wurden, waren sie in noch schriftlosen Gruppen allgemein schon von Kind auf bekannt. Sie hatten eine soziale Funktion, sie dienten dem friedlichen Zusammenleben und waren in dieser Funktion allgemein anerkannt. Sie hatten nichts Bedrohendes an sich. Die Gesetze dagegen, die als geschriebene Corpora nur wenigen zugänglich waren und ihre Geltung nur aus Institutionen erhielten, (Zweigliederung: Fall und Folgebestimmung) haben im alten Israel nur eine begrenzte Bedeutung gehabt. Auch als es die Gesetze schon gab, behielten die Imperative ihre regulative Bedeutung. Die Darstellung des Paulus, daß die Menschen sich von Gott bedroht fühlten und sich nach einer Befreiung von dem sie knechtenden Gesetz sehnten, trifft jedenfalls für das vorexilische Volk Israel nicht zu. Die Evangelien bestätigen das damit, daß in ihnen eine große Zahl von Worten, die den Imperativsprüchen der Proverbien entsprechen, als Worte Jesu überliefern.

III. Weisheit, Wissenschaft und Philosophie

1. Zeit und Ort

Weisheit gab es, solange es Menschen gibt. Darum wird sie im Alten Testament und auch sonst der Schöpfung, genauer der Erschaffung des Menschen zugeordnet; der Mensch ist so geschaffen, daß er gut und schlecht unterscheiden kann. Sie kann daher auch nicht örtlich beschränkt werden; überall, wo es Menschen gibt, gibt es auch die Möglichkeit weisen Redens und weisen Handelns. Weisheit in der Form des Spruches gibt es über die ganze Erde hin.

Wissenschaft und Philosophie dagegen setzen eine Entwicklung voraus. Sie haben sich in einem relativen Spätstadium der Menschheitsgeschichte und durch bestimmte Voraussetzungen bedingt in verschiedenen Bereichen gesondert entwickelt in den Hochkulturen.

Die „mündliche Literatur" der Spruchweisheit hatte ihre Blütezeit in noch schriftlosen Kulturen; mit dem schriftlichen Sammeln der Sprüche begann deren Nachgeschichte. Wissenschaft und Philosophie setzen nicht nur die Erfindung der Schrift, sondern darüber hinaus ein hohes Kulturniveau voraus. Dazu gehört auch eine erhebliche soziale Differenzierung; Wissenschaft und Philosophie werden (mit wenigen Ausnahmen) von einer besonderen, begüterten und geschulten Gruppe in Gemeinwesen betrieben. Die Weisheit und der Weisheitsspruch (mündlich) lebten im Gemeinwesen als ganzem, alle Glieder des Gemeinwesens hatten Anteil an ihr.

Das Aufblühen von Wissenschaft und Philosophie hat bewirkt, daß die Weisheit in der ihr eigenen Form des Weisheitsspruches immer mehr zurücktrat und an Bedeutung verlor; sie wurde zur niederen Literatur, zur Sprache der kleinen Leute. Sie wurde verdrängt von der schriftlichen Literatur, von der Philosophie, von der Wissenschaft. Dies wiederum hatte zur Folge, daß die universale Bedeutung, die der Weisheit eignete, aus Erfahrung und Nachdenken vieler Generationen an vielen Orten erwachsen, vergessen wird.

Sowohl die Philosophie, wie auch die Wissenschaften erhielten dann zwar auch eine weltweite Bedeutung und weltweite Anerkennung, es fehlte ihnen aber die Kontrolle die in der Frühzeit durch die in Ketten von Generationen und von der noch undifferenzierten Gesellschaft erwachsene Weisheit ausgeübt hatte.

Darum können weder Wissenschaft noch Philosophie die Weisheit ersetzen.

2. Die Wissenschaft und die Weisheit

Wir leben in einem Zeitalter der Inflation der Wissenschaften. Ihre Differenzierung war notwendig und hat zu gewaltigen Erfolgen geführt. Sie ist der stärkste Faktor im Zusammenleben der Menschen auf der ganzen Erde geworden. Die immer weiter gehende ungehemmte Differenzierung hat für die Menschheit und die Erde bedrohliche Folgen bekommen. Die Wissenschaften haben in ihrer Differenzierung den Blick für das Ganze verloren. Die Weisheit hatte den Blick für das Ganze. In ihr ging es um das Menschsein als ganzes und um die Welt des Menschen als ganze.

Bei der immer wachsenden Inflation der Wissenschaften kann es nicht bleiben. Jede Inflation auf jedem Gebiet kommt an einen Punkt, wo es nicht mehr weitergeht. Es ist aber keine Instanz da, die auf diese Grenze hinweist und imstande wäre, eine Gegenbewegung des Denkens vom Ganzen her und zum Ganzen hin zu bewirken.

Es ist keiner da, der die Vollmacht hätte, zu sagen, daß die Wissenschaft keine Weisheit ist und keine Weisheit zu produzieren imstande ist. Denn Weisheit kann man nicht lehren, Weisheit muß wachsen. Es ist keiner da, der sagt, daß die Unterscheidung zwischen Weisheit und Torheit quer durch alle Wissenschaften hindurch geht und daß es für die Menschheit lebensnotwendig ist, Torheit, sofern sie in den Wissenschaften betrieben wird, Torheit zu nennen. Daß es hier viel Differenzierung gibt, die völlig sinnlos ist und nur dazu dient, das Ganze immer mehr aus dem Blick zu verlieren, daß Spezialistentum ambivalent ist, weil jede Spezialisierung klug oder töricht sein kann. Es wird sich wohl jeder, der ernsthaft darüber nachdenkt, klar sein, daß mit der immer weitergehenden Spezialisierung in den Wissenschaften die Menschheit als ganze immer dümmer wird. Die Überbewertung der Wissenschaften und die Unterbewertung der Weisheit kann schweren Schaden anrichten. Hinter der Überbewertung der Wissenschaften aber steht die Überbewertung der Fähigkeiten des menschlichen Geistes. Ihr stellt die Weisheit eine kritische Einschätzung dieser Fähigkeiten entgegen, wo sie von dessen Grenzen spricht. Dieser Hinweis auf die Grenzen des Menschen ist einer der Gründe dafür, daß die frühe Weisheit Israels im Kanon bewahrt wurde.

3. Weisheit und Philosophie

Die Philosophie ist der frühen Weisheit darin näher als die später verselbständigte Wissenschaft, daß sie in ihren Anfängen ein Nachdenken über das Ganze der Welt und über das Ganze des Menschseins war, besonders ausgeprägt in der zentralen Bedeutung des Seinsbegriffes in der griechischen Philosophie. Anders aber ist sie darin, daß das Sein oder das Seiende in einem hohen Maß vergeistigt und die Materie demgegenüber geringer geachtet wird. Für die Weisheit Israels konnte es diesen Dualismus nicht geben, weil beides Schöpfung und darin beides gleich bewertet ist. Diese Grundeinstellung der Philosophie hatte und hat die Folge, daß die Zuwendung zur Philosophie fast immer auf einen kleinen Teil der Gesellschaft beschränkt blieb, in der sich dann eine esoterische Sprache entwickelte, die ein einfacher Bauer oder Handwerker nicht verstehen, deren Sinn er auch nicht einsehen konnte, auch da nicht, wo man einem Volk mit Gewalt eine „Philosophie" einzuhämmern versuchte.

Das aber bedeutet einen schroffen Gegensatz der Philosophie zur Weisheit. Eine Philosophie, die nur einer kleinen geistigen Elite verständlich ist, ist keine Weisheit und kann keine Weisheit sein. Die Würde der Weisheit, die in den Sprüchen zu Wort kam, liegt gerade darin, daß sie jedem Menschen in einem Volk zugänglich ist, daß sie alle sozialen und Bildungsunterschiede zu überbrücken imstande sein muß. Sie hat es immer mit allen Lebensbereichen zu tun, sie hat ihre Wurzeln im Leben des Volkes und trägt die in Generationen gewachsene Erfahrung der Väter zu den Nachkommen hinüber. Die Weisheit hat tiefere Wurzeln als die Philosophie, in der ein System das andere ablöst, ein -ismus den anderen -ismus und eine Elitärsprache die andere.

In unserer gegenwärtigen Lage, in der es um das Überleben der Menschheit und des Planeten Erde geht, kann man wohl fragen, ob Philosophie und Weisheit einander wieder näher kommen könnten, die Philosophie sich wieder der Schöpfung als ganzer zuwenden und zurückfinden kann zu einer Sprache, die von allen verstanden werden kann, sich nicht elitär absondert, sondern verbindet.

Die Frage nach dem Verhältnis zur Philosophie hat noch einen anderen Aspekt, der aber hier nur angedeutet werden kann.

In den späten Weisheitsschriften verbindet sich die Weisheit der Spätzeit, ganz besonders in der „Weisheit Salomos" mit der Sprache und den Gedanken griechischer Philosophie, es ist eine synkretistische Schrift. In der frühen Kirchengeschichte wurde der Einfluß griechischen Denkens immer stärker bis hin zur Rezeption der Philosophie des Aristoteles in die christliche Theologie. Damals wurden die Weichen gestellt, die in die Richtung der Scholastik führten, die zwar großartige Leistungen hervorgebracht hat, aber in einer theologischen Systematik, die der Bibel fremd war. In dieser scholastisch-systematischen Philosophie mußte das einfache Reden der Bibel, mußte auch die frühe Weisheit Israels, die einen Teil der Bibel bildet, zum Schweigen kommen. Hierin hat auch die Reformation keinen grundlegenden Wandel geschaffen. Es ist zu fragen, ob nicht in einer ökumenisch bestimmten Kirche die frühe Weisheit, die ja einen universalen Charakter hat, neu gehört werden sollte.

IV. Prediger 3,1–11 (Übersetzung Luthers), Der Mensch in seiner Zeitlichkeit

Ein jegliches hat seine Zeit,
und alles Vornehmen unter dem Himmel hat seine Stunde,
geboren werden und sterben
pflanzen und ausrotten, was gepflanzt ist,
würgen und heilen, brechen und bauen,

weinen und lachen, klagen und tanzen,
Steine zerstreuen und Steine sammeln,
herzen und ferne sein vom Herzen,
suchen und verlieren, behalten und wegwerfen,
zerreissen und zunähen, schweigen und reden,
lieben und hassen, Streit und Friede hat seine Zeit.

Man arbeite, wie man will, so hat man keinen Gewinn darum.
Ich sah die Mühe, die Gott den Menschen gegeben hat,
daß sie darin geplagt wurden.
Er aber tut alles fein zu seiner Zeit
und läßt ihr Herz sich ängsten,
wie es gehen solle in der Welt;
denn der Mensch kann doch nicht treffen
das Werk, das Gott tut, weder Anfang noch Ende.

Der Text ist so aufgebaut, daß der zusammenfassende Satz Vers 1 in je einer besonderen Gegenüberstellung in Vers 2–8 entfaltet wird; bis hierhin spricht der Prediger die Sprache der Sprüche; jeder dieser Sätze könnte so oder ähnlich in den Proverbien stehen. In Vers 9–11 fügt der Prediger diesen einzelnen Sätzen eine Reflexion an, in der er seine eigene Sprache spricht; aber auch diese Reflexion beruht auf einem Spruch, nämlich einem der Spruchgruppe, die von der Grenze des Menschen im Wirken Gottes reden. Das Ganze ist so gemeint, daß der Prediger seine Leser (denn 3,1–11 ist als ganzes ein schriftlich entstandenes Gedicht) dazu anregt, die einzelnen Sätze in 1–8 von der Reflexion in 9–11 her zu durchdenken.

Der Prediger versteht die Zeitlichkeit des Menschendaseins ebenso polar wie die Sprüche: „Geborenwerden hat seine Zeit und Sterben hat seine Zeit". Zur Zeitlichkeit gehört das Sein von der Geburt her ebenso wie das Sein zum Tode hin. Das Leben ist von beidem im Wechsel bestimmt: dem Lebendigsein mit seiner Lebenserwartung, mit dem Aussein auf Leben, der Freude am Leben, der Sehnsucht nach erfülltem Leben wie von dem Zugehen auf den Tod, ob unbewußt oder bewußt in der Angst vor dem Tod. Weil Geborenwerden seine Zeit hat und Sterben seine Zeit hat, beschreibt das Menschendasein einen Bogen: aufsteigend von seiner Geburt her und absteigend zu seinem Tod hin. Das ist die biblische Auffassung vom Menschen; sie steht im Gegensatz zu einer Auffassung, die das Menschsein als gerade Strecke verstehen will, für die das Aufsteigen und das Absteigen keine Rolle spielt, sondern der Mensch in jedem Augenblick in gleicher Weise Mensch ist, so daß das Menschsein zeitlos bestimmt und in zeitlosen Begriffen erfaßt und beschrieben werden kann.

Die Zeitlichkeit des Menschen wird in den Gegenüberstellungen in Vers 2–8 entfaltet: Zum Menschenleben gehört Lachen und Weinen, wie es die Einzelsprüche sagen, aber so, daß man beides nicht miteinander verrechnen kann, ebensowenig wie das Pflanzen und Ausrotten, das Bauen und Brechen, das Würgen und Heilen, das Herzen und Fernesein vom Herzen, das Zerreißen und Zunähen, das Schweigen und das Reden.

In der abschließenden Reflexion 9–11 redet der Prediger von Gott und seinem Wirken: „Er aber tut alles fein zu seiner Zeit". Indem er so von Gott redet, redet er von der Grenze des Menschen, auch das wie in den Einzelsprüchen. Nur Gott, der Schöpfer, übersieht das Ganze und hat das Ganze in seinen Händen, Anfang und Ende.

Anhang

I. Vergleiche mit Sprichwörtern anderer Zeiten und anderer Räume

Ein solcher Vergleich ist bisher kaum durchgeführt worden, weil seit der Entdeckung der vorderorientalischen und ägyptischen Weisheitsschriften die Weisheit Israels ausschließlich mit diesen verglichen bzw. von ihnen abgeleitet worden ist.

Bei meiner Untersuchung der Sprüche traf ich auf einen Tatbestand, der mir vorher bei der Auslegung von Genesis 1–11 wichtig geworden war: ich fand Entsprechungen und Gemeinsames zwischen Texten des Alten Testaments, bei denen eine Frühphase mündlichen Entstehens und mündlicher Überlieferung anzunehmen ist, und Texten außerhalb des Kreises der vorderorientalischen Kulturen in noch schriftlosen Kulturen, Texte wie die Erzählungen von der Schöpfung und der Flut. Sie sind nicht an die Grenzen bestimmter gesonderter Kulturen gebunden, sondern an vielen verschiedenen Stellen in der ganzen Menschheit zu beobachten. Zu solchen der Menschheit gemeinsamen Sprachformen gehören auch die Sprüche.

Es liegen offenkundige Übereinstimmungen zwischen den Sprüchen in den Proverbien (10–31) und Sprichwörtern vieler Völker vor. Um nur die wichtigsten zu nennen: Die Grundform des kurzen, in sich geschlossenen Spruches, die Gliederungen in Indikativ- und Imperativsprüche, gleiche Gruppen von Sprüchen an vielen weit voneinander entfernten Stellen, Vergleiche, die überall zu den Sprüchen gehören. In einem Aufsatz von 1971[97] habe ich auf Übereinstimmungen zwischen Sprüchen in den Proverbien und einer Sammlung von Sprüchen des Ewe-Volkes in Afrika hingewiesen.[98] Die Übereinstimmungen und Ähnlichkeiten beweisen, daß in den Sprüchen ein der Menschheit gemeinsames sprachliches Phänomen vorliegt.[99]

Die Absicht dieser Zusammenstellung beschränkt sich darauf, auf die Sprüche außerhalb des vorderorientalischen Raumes aufmerksam zu machen, und zwar nur in Beispielen. Es ist zu wünschen, daß es zu einer Zusammenarbeit zwischen Forschern auf den verschiedenen Gebieten kommt. Der universale Charakter des Sprichwortes ist wohl gerade in unserer Zeit so wichtig, daß sich eine solche Zusammenarbeit lohnen würde.

II. Afrikanische Sprichwörter[99a]

Beim Lesen des Kapitels über die Sprichwörter in dem Werk von Ruth Finnegan, Oral Literature in Africa (Oxford 1970), erhält man zuerst den Eindruck, einen Blick in eine andere Welt zu tun, eine fremde Welt, die dennoch in irgendeiner Weise vertraut erscheint. Fremd insofern, als wir hier den Eindruck von einem Leben menschlicher Gemeinschaften erfahren, für die die Sprüche einen der am häufigsten begegnenden Bestandteile des Zusammenlebens bilden, einen Bestandteil, ohne den es nicht denkbar ist. Das Zusammenleben als ganzes ist von Sprüchen durchwirkt und belebt, alle Bereiche des Zusammenlebens haben daran teil. Die Sprüche haben Funktionen, viele und sehr verschiedene, die sie für das Zusammenleben notwendig machen; sie werden in einer unüberschaubaren Fülle von Situationen gebraucht, man kann sie nicht daraus fortdenken.

Fremd ist uns diese Welt auch, weil wir diese Funktion des Sprichwortes im Zusammenleben einer Gruppe nicht mehr kennen, sie sind ein Relikt geworden. Ihre Existenz haben sie für uns in Sammlungen und in gelegentlichen Zitaten; als solche können sie manchmal dekorativ, manchmal sogar geistreich sein, aber gebraucht werden sie nicht; es ginge auch ohne sie. Sie gehören, wenn überhaupt, zur „niedrigen Literatur". Ihre Wertung aber darf nicht nach Maßstäben erfolgen, die unserer Vorstellung von Sprichworten entsprechen. Vertraut aber erscheinen uns diese Sprüche, weil vieles an ihnen an das biblische Buch der Sprüche erinnert.

Von J. Fichtner an wird die Weisheit Israels als eine besondere Ausprägung der altorientalischen Weisheit angesehen, damit aber auch einer Weisheitsliteratur, die nur schriftlich denkbar ist und in Völkern, die schon Jahrhunderte oder Jahrtausende eine schriftliche Kultur besaßen. Damit war die Frage nach einer möglichen früheren Phase, in der die Sprüche mündlich entstanden und Funktionen in der mündlichen Überliefrung im Leben des Volkes hatten, für die Linie dieser Forschung von vornherein abgeschnitten. In der Tat wurde in den meisten Untersuchungen zu den Proverbien bzw. zur Weisheit Israels die Frage nach einer möglichen Frühphase mündlicher Überlieferung überhaupt nicht gestellt. Noch das Buch von H.D. Preuss, Einführung in die alttestamentliche Weisheitsliteratur, 1987 ist ungebrochen von dieser Auffassung beherrscht; die Frage nach einer Frühphase mündlicher Überlieferung von Sprüchen in Israel wird nicht erwogen, die Spruchweisheit in den schriftlosen Völkern wird nicht einmal erwähnt, obwohl schon einige Untersuchungen vorliegen, die in diese Richtung weisen.

Liest man dann das Kapitel über die Sprüche in dem Buch von R. Finnegan, Oral Literature in Africa, so ist man zunächst überrascht, immerfort auf Merkmale und Motive zu treffen, die mit den Sprüchen im Proverbienbuch übereinstimmen. Vorausgeschickt sei dabei, daß es unergiebig und vergeblich wäre, nach wörtlicher Übereinstimmung einzelner Sprüche oder einzelner Sätze zu suchen (obwohl es die auch gibt); man kann nur nach gemeinsamen Gruppen von Bereichen, Strukturen, Motiven und Formen fragen.

Die Bedeutung der Sprüche

Die Sprüche haben eine hohe Bedeutung für fast alle Völker Afrikas. Dabei sind Gemeinsamkeiten über die Grenzen der Völker hinweg zu beobachten; wo einmal die Sprüche eines Volkes von den sonstigen erheblich abweichen, ist das in der Lebensweise dieser Völker begründet.

Die Bedeutung der Sprüche erkennt man erst, wenn man sie nicht mehr in ihrer Aufreihung in Sammlungen je in ihrer Isolierung als schriftliche Sprüche sieht, sondern als eine der Ausdrucksformen einer noch mündlich überlieferten ,Literatur', die ihre Bedeutung aus ihrem Kontext im Zusammenleben der Menschen erfährt, eine Ausdrucksform in einem umfassenden zugleich literarischen und sozialen Zusammenhang, z.B. „A counseller who understands proverbs, soon sets matters right", oder: „The Chagas have four big possessions: land, cattle, water and proverbs". Finnegan faßt zusammen: „Proverbs are essential to life and language, without them the language would be but a skeleton without flesh, a body without soul. Proverbs are something of the soul of the people".[100]

Funktionen in der Anwendung der Sprüche

Die Sprüche sind zu einem erheblichen Teil ohne Kenntnis ihrer Funktionen und der Situationen ihrer Anwendung nicht zu verstehen. „Kein Sprichwort ohne seine Situation". Hierin liegt der wichtigste Unterschied zu den Sprüchen im Buch der Proverbien. Da in diesen die Sprüche ausnahmslos ohne die Situation ihrer Anwendung überliefert sind, kann man sie nur jeweils aus ihrem Text erklären; so wird nach möglichen Situationen der Anwendung gar nicht erst gefragt. Hier können die afrikanischen Sprichwörter die Auslegung der Sprüche in den Proverbien darin fördern, daß für ihre Bedeutung die Anwendung wesentlich ist und wenigstens die Frage nach ihr im vorschriftlichen Stadium ermöglicht.

Der Spruch erhält seine soziale Bedeutung dadurch, daß der Sprecher dem in ihm Angesprochenen eine Möglichkeit des besseren Verstehens seiner Situation eröffnet. Dabei wird die indirekte und nur andeutende Redeweise des Spruches wichtig; sie läßt eine taktvolle Beeinflussung des in ihm Angeredeten zu.

Bei Streit- und Rechtsfällen kann eine Analogie helfen, Konflikte zu lösen, ein Einvernehmen herbeizuführen von einer weiteren Perspektive her und aus einem Abstand, der eine Distanz wahrt. Im Rechtsleben hat er fast überall eine besondere Bedeutung.

Aus dieser weiteren Perspektive kann man auch mit einem Sprichwort einen Rat geben oder jemanden warnen: „Your mouth will turn into a knife" (wie in den Proverbien) oder „We do not like the pride of a hen's egg" (denn die Eier in einem Nest sind alle gleich): ein indirektes Warnen eines Angebers. Andererseits kann der in einer Anspielung verschleierte Sinn auch der Polemik dienen.

Eine andere Funktion ist die Kunst gepflegter Kommunikation, das kultivierte Gespräch. Die Sprüche bilden einen Hauptteil der mündlichen Literatur. Eine Rede kann durch den treffenden Gebrauch von Sprüchen glänzen. In jedem Fall kommt es nicht auf den zeitlosen Sinn des Spruches an, sondern auf die treffende Bedeutung, die der bekannte Spruch in einer neuen Situation erhält.

Zwei verschiedene Funktionen in der Erziehung

In der bisherigen Auslegung der Proverbien wird vielfach angenommen, Erziehung und Unterricht sei die einzige Funktion der Sprüche, oder die Weisheit als ganze sei „didaktische Weisheit" (so bei G. von Rad u.a.). Das ist schon an sich sehr unwahrscheinlich; die afrikanischen Parallelen zeigen, daß die Erziehung eine unter vielen Funktionen der Sprüche ist und daß überdies dabei zwei verschiedene Funktionsweisen zu unterscheiden sind. Die Sprüche dienen der absichtlichen und dabei z.T. institutionellen Unterweisung, das zeigt sich z.B. dort, wo sie eine bestimmte Rolle in Initiationsriten spielen. Daneben aber haben sie eine latente Funktion in der unbeabsichtigten Einübung in den Regeln des Zusammenlebens als Sozialisation der Glieder einer begrenzten Gesellschaft im Alltagsgeschehen.

Außerdem können Sprüche etwas wie die „Philosophie" (im Sinn des englischen Wortes) eines Volkes darstellen, indem sie die Beobachtungen und Erfahrungen eines Volkes zu Mensch und Welt sammeln: „Proverbs represent the soul of a people". Das entspricht der Gruppe „Beobachtung am Menschen" in den Aussageworten der Proverbien.

Meist sind die Sprichworte gemeinsames Gut des ganzen Volkes, manchmal teilweise „älteren Menschen" vorbehalten. Wer den Spruch als erster formte, weiß man fast nie; zum Sprichwort wird er erst durch die allgemeine Akzeptanz. Auch wenn man manchmal einen Spruch als Ausspruch eines berühmten Mannes kennt, geht er dann doch in das Sprachgut des ganzen Volkes ein.

Zur Form

Die Grundunterscheidung von Indikativ- und Imperativsprüchen ist überall bekannt. — Die Form der Sprüche ist ganz von den Funktionen im mündlichen Gebrauch bestimmt, überall sind die Sprüche kurze, knappe Worte in fester Form, fast überall gibt es Merkmale einer gehobenen, „gedichteten" Sprache, Rhythmus, Assonanz u.a. Überall findet sich bildhafte Sprache, Vergleiche, Metaphern, andeutende, anspielende Sprache, überall kommen feste, konstante Strukturen vor, so wie „Es ist wie...", „Er sagte". Die einfachste Struktur ist: Gegenstand — Bemerkung dazu, oder zwei Sätze bilden einen Gegensatz: „The body went — the heart did not go". Oder zwei Sätze, die den Spruch bilden, sind einander in der Form angeglichen (*balanced form*); das könnte eine Vorform des *parallelismus memborum* sein. Oder Sätze, die nur aus einer Negation bestehen „X tut nicht"; „kein X tut"; „Wenn — dann"; „besser — als" (wie in den Proverbien). Weitere formale Mittel sind: Hyperbel, Frage, Kontrast, Widerspruch, Abkürzung.

Mit wenig Ausnahmen stimmt das mit der Formbildung der Sprüche in den Proverbien überein oder ist ihr ähnlich.

Zum Inhalt

Ein Spruch kann einen buchstäblichen und einen übertragenen Sinn haben, das ist für die Flexibilität in der Anwendung wichtig. Man kann sie nicht auf einen Sinn festlegen. Insofern steht das Sprichwort dem Rästel nahe: Es muß herausgefunden werden, wie das gesprochene Wort in die Situation paßt, in die hinein es gesprochen wird.

Überall hat der Humor Anteil an der Bildung der Sprüche. Das ist ebenso bei den Sprüchen in Prov 10–31; dagegen in den Sprüchen der Erziehungsweisheit und der objektivierten Weisheit Prov 1–9 hat der Humor nichts zu suchen.

An der Wirksamkeit der Sprüche sind in hohem Maß die Vergleiche beteiligt. Z.B.: „A chief is like a dust-heap, where everyone comes with his rubbish and deposits it". Die Umwelt des Alltags, Menschen, Tiere, Pflanzen, Witterung reden in den Vergleichen bei den Sprüchen mit. Die Sprüche können sich auf jede denkbare Situation beziehen in unbegrenzt vielen Anspielungen und Metaphern. Manchmal kommt ein Spruch einer Erzählung nahe, wenn er nämlich in der ganz kurzen, oft nur andeutenden Schilderung einer Szene besteht.

Die andere Seite dieser Vielfalt ist, daß die Sprüche kaum begriffliche Abstraktionen enthalten.

Der Nachdruck liegt auf Beobachtungen und Erfahrungen am Menschen, ebenso wie in den Proverbien: Mann und Frau, Arbeit und Ernte, arm und reich, faul und fleißig, das menschliche Verhalten in allen seinen Möglichkeiten, aber auch das Verhalten der Tiere (meist in Vergleichen), Herrschaft und Dienst, Gastfreundschaft und vieles andere. Nicht selten ist die Berührung mit Volkserzählungen, aber nur in Anspielungen, daher schwer erkennbar.

Eine zentrale Rolle spielt in den Sprüchen das Charakterisieren einzelner Typen im Leben der Gemeinschaft, ebenso wie in den Proverbien. Vielfach wirken die Sprüche durch die Fähigkeit des Sprechenden, bekannte Sprüche in unerwarteten Situationen anzuwenden.

Einzelne Sprüche in Auswahl (R. Finnegan, a.a.O. S. 389–425)

Erfahrungen und Beobachtungen am Menschen

Manches Schweigen hat eine mächtige Stimme (S. 396)
Er aß Nahrung und sie tötete ihn (397; Folge eines Verhaltens)

Das Herz eines Mannes ist ein See (404)
Geduld ist es, die sich aus dem Netz herausbringt (407)

Sprüche über Tiere

Keine Fliege fängt für eine andere (356)
Kein Stinktier hat je den eigenen Gestank gerochen (369; 421)
Die Stärke des Krokodils liegt im Wasser (397)
Niemand bringt einem Leopardenjungen bei, wie es zu springen hat (405)
Autorität ist der Schwanz der Wasserratte (er geht leicht ab) (419)
Ein Schmetterling, der zwischen den Dornen fliegt, wird sich die Flügel zer-
                                                                reißen (419)
Die Wildkatze ehrt sich selbst durch ihren Schrei

Die Umwelt

Es gibt keinen Mühlstein, der die Oberhand über den Müller hat (397)
Selbt im Niger gibt es Inseln (405)
Die Erde wird nicht dicker (335)
Wenn es regnet, tropft der Regen immer in der gleichen Richtung vom Dach
                                                                        (395)

Charakterisierung: der Tor, der Faule, der Schurke, der Schwätzer (405)

Der Herr „Weiss nicht" nahm Deckung vor dem Regen im Teich (402)
                                                                (der Tor)
Er melkt die Kuh, die noch ihr Kalb trägt (398)
Er hat die Freundlichkeit einer Hexe (398)
Er hat keine Brust (399; er kann kein Geheimnis für sich behalten)
Das Kind, das sich weigert, einen Auftrag auszuführen, sagt: ich weiß den
                                                                Weg nicht
Den Stolz eines Hühnereis mögen wir nicht! (410; eggs are equal)
Wenn man einem Toren ein Sprichwort sagt, muß man ihm dessen Sinn erst
                                                            erklären (415)

Charakterisieren eines Verhaltens

Man arbeitet daran (nämlich an dem Lehm), solange er noch frisch ist (399)
Der König ging, das Herz ging nicht mit (400)
Hurry! Hurry! has no blessing (400)
Eine Frau schnell zu lieben heißt eine Frau nicht zu lieben (402)

Sprüche der Wertung: „besser als..."

Besser vom Fürsten gehaßt zu werden als vom Volk

Gegensätze

Gewöhnliche Leute sind gewöhnlich wie Gras,
gute Leute aber sind kostbarer als das Auge (402)

Macht, Regierung, Reichtum

Ein Chef ist wie ein Abfallhaufen,
jedermann kommt zu ihm mit seinem Abfall und kippt ihn aus (396)
Selbst der Niger hat Inseln (396; jede Macht hat Grenzen)
Autorität ist der Schwanz einer Wasserratte (405; er geht leicht ab)
Ein Ratgeber, der Sprichwörter versteht, bringt eine Angelegenheit schnell
in Ordnung (409)

Reichtum ist wie Tau

Erziehung

Königssöhne haben es nicht nötig, daß man ihnen Gewalt beibringt (405)
Niemand bringt einem Leopardenjungen bei, wie man springt

Mann und Frau

Heiratest Du eine schöne Frau, dann heiratest Du Schwierigkeiten (419)
Zwei Frauen sind zwei Töpfe voll mit Gift (405)

Mahnung/Warnung, indirekt

Dein Mund wird zu einem Messer werden und deine Lippen abschneiden!
Es gibt keinen Mühlstein, der die Oberhand über den Müller bekommt

Königssprüche

Für eine Zusammenstellung solcher Königssprüche verweise ich auf F.W. Golka, Die Königs- und Hofsprüche und der Ursprung der israelitischen Weisheit, VT 36,1,1986, S. 13–36. In diesem Aufsatz wendet sich Golka gegen die von vielen vertretene These, die Königssprüche in den Proverbien seien alle am Königshof entstanden; so besonders H.J. Hermisson, Studien zur israelitischen Spruchweisheit, 1968, S. 71: „Bei den Königssprüchen können wir uns kurz fassen, denn als Volksgut kommen sie durchwewg nicht in Betracht". G. weist im I. Teil seines Aufsatzes an den afrikanischen Königssprüchen nach, „daß diese mit großer Wahrscheinlichkeit bis absoluter Sicherheit im Volksmund entstanden sind" (S. 34), ähnlich liege es dann in den Proverbien. Dieser Nachweis ist überzeugend.[101]

Das Verhältnis der Sprüche des Proverbienbuches zu den afrikanischen Sprüchen

Übereinstimmung in der Form

Sie sind so erheblich (s.o.), daß man Einzelnes kaum zu nennen braucht. Die Form entspricht der Funktion der Sprüche, dem mündlichen Entstehen und dem mündlichen Weitergeben in der Anwendung. Allein schon diese Übereinstimmung macht es sicher, daß auch die Sprüche dieser gleichen Form in den Proverbien des Alten Testaments in einer frühen Phase mündlich entstanden und mündlich tradiert wurden. Die wenigen Beispiele im Alten Testament[102] erhalten ihr Gewicht erst durch den Vergleich mit Sprüchen schriftloser Kulturen, aus denen wir die Situationen, in denen die Sprüche angewandt wurden, in überreichem Maße erfahren.

Auch im einzelnen sind Entsprechungen in der Form zu beobachten: In den afrikanischen wie in den Sprüchen Israels gibt es Indikativ- und Imperativ-Sprüche, Aussagesprüche und Mahnungen/Warnungen. Aber während in den afrikanischen Sprüchen wie in denen der Proverbien der älteren Sammlungen 10–29 die Aussagesprüche bei weitem die Imperativsprüche überwiegen, erhalten in der späteren Weisheit 1–9 und entsprechend in den orientalischen Weisheitsschriften die Imperative das Übergewicht, so sehr, daß sie manchmal die Aussagesprüche ganz verdrängen. Das läßt sich aus dem Vergleich mit den afrikanischen Sprüchen erklären: In diesen haben die noch mündlichen Sprüche vielfältige Funktionen, die einen Aussagespruch erfordern; in der späten Weisheit ist Unterricht und Erziehung die wichtigste oder einzige Funktion geworden, daher überwiegen hier die Imperativsprüche.

Die afrikanischen Sprüche haben mit denen Israels die gehobene, „gedichtete" Sprache gemeinsam (auch mit den Sprüchen vieler anderer Völker); auch die Mittel, mit denen diese Sprache erreicht wird: Rhythmus, Wortstellung, Assonanz, Ausgewogenheit der beiden Vershälften (eine Frühform des Parallelismus), die kurze, knappe Form, die mit Worten spart. Die späte Weisheit dagegen wird wortreich, gesprächig und liebt Wiederholungen, wie das Prov 1–9 in hohem Maß zeigen.

Zu Form und Inhalt gehört die bildhafte Sprache, Vergleiche, Metaphern in großer Fülle. Darin stimmen die afrikanischen mit den Sprüchen Israels überein, wie auch in den kleinen Mitteln: Gebrauch der direkten Rede, Übertreibung, Kontraste, Widersprüche.

Übereinstimmung im Inhalt

Auffallend ist zunächst, daß der Inhalt der Sprüche hier wie dort unerschöpflich reichhaltig ist: die ganze Lebenswelt der hier Redenden kommt in ihnen vor. Die Gruppen von Sprüchen stimmen fast ausnahmslos überein: Sprüche über Pflanzen und Tiere, Erde und Umwelt, Charakterisierung von Typen: der Tor, der Faule, der Böse hier wie dort. Charakterisierung eines

Handelns oder Verhaltens, Erziehung, Mann und Frau, Macht, Regierung, Reichtum. Ein wichtiger Unterschied ist, daß in Afrika Sprüche besonders oft im Zusammenhang des Rechtswesens und der Rechtsverhandlung begegnen, in Israel das Rechtswesen wie sonst auch im Vorderen Orient seine eigene Sprache bekommen hat.

Ein besonderer Nachdruck liegt in Israel wie bei den afrikanischen Sprüchen auf Beobachtungen und Erfahrungen am Menschen; hier wie dort sprechen die Sprüche vom Armen und vom Reichen, vom Toren, vom Faulen und vom Fleißigen, von Herrschaft und Dienst, von Arbeit und Ernte, von Mann und Frau. Bezeichnend ist, daß hier wie dort von einer beabsichtigten (z.T. institutionellen) eine indirekte Erziehung durch das Mitleben in der Gemeinschaft unterschieden wird. Daß Beobachtungen und Erfahrungen, die ein Mensch in seinem Leben macht, bewahrt und überliefert werden müssen, ist eine der Grunderkenntnisse, auf denen alle Tradition beruht; hier in der einfachsten Form des kurzen Spruches. Dabei wird auch einsichtig, daß der so beschriebene Vorgang des Entstehens und Weitergebens eines Spruches ein menschheitlicher Vorgang ist.

III. Mahnworte der Tobabatak auf Sumatra

In einer Mainzer Dissertation von 1967 hat A. A. Sitompul die Mahnworte der Proverbien mit denen eines Batak-Volkes verglichen.[103] Dem Vf. standen dafür schriftliche Quellen zur Verfügung, daneben ein Übermittler der mündlichen Tradition der Sprüche, die dort noch heute lebendig ist. Für die Proverbien im Alten Testament ergibt sich daraus, daß hier wie in sehr vielen schriftlosen Völkern die mündliche Tradition der Sprüche noch lange Jahre oder Jahrhunderte weitergehen konnte, nachdem schon schriftliche Sammlungen von Sprüchen vorlagen. Dieser Tatbestand ist auch an vielen anderen Stellen, besonders in Asien und Afrika nachzuweisen. Der Vf. hat von den Sprichwörtern der Batak nur eine Hauptgruppe untersucht, die Mahn- und Warnsprüche. Auf die andere Hauptgruppe, die Aussageworte, weist er nur hin und führt gelegentlich einige Beispiele an (z.B. S. 56). Bei den Batak wie in den Proverbien gab es die beiden Hauptgruppen: Aussage- und Imperativsprüche (Mahnungen und Warnungen).

Ein dritter Tatbestand kommt hinzu: Die Sprüche der Batak zeigen eindrücklich, daß das Genus Spruch die Höhe seiner Bedeutung in der vorliterarischen Epoche eines Volkes hatte. In ihr machten sie einen ganz großen Teil der vorliterarischen „Literatur" aus, sie hatten dabei Funktionen auf vielerlei Gebieten des Volkslebens (S. 14): „Die Lebensordnung im Bereich der Batak... dient dem Schutz und der Festigung des Sippenverbandes von Generation zu Generation... Heil oder Unheil der Sippengemeinschaft sind abhängig von der Verwirklichung der gegebenen Lebensordnung durch alle Sippenglieder". Wenn das Leben der Sprüche auf die Sammlungen reduziert ist, kann man nur noch von einer Nachgeschichte der Sprüche reden; das zeigt auch die schriftliche Überliefrungsform, in der die Sprüche aus ihrem Kontext gelöst sind und einer ohne Zusammenhang auf den anderen folgt wie auch in den Proverbien. Aus den Sprüchen der Batak wird der Sitz im Leben der Imperativsprüche (Mahn- und Warnwort) deutlicher als er in den Proverbien erkennbar ist: er hat hier eine vielfache Funktion angefangen von der Unterweisung der Kinder z.B. Spr 32, S. 26: „Sei vorsichtig, (daß) du nicht strauchelst, nimm dich in acht, daß du nicht in ein Loch fällst!" (das aber in übertragenem Sinn auch Erwachsenen gesagt sein kann) über die Unterweisung Aufwachsender, auch der Eltern, junger Ehepaare in der Rechtsbelehrung usw. Eindeutig geht aus diesen Sprüchen hervor, daß die Imperativ-Sprüche ihren ursprünglichen Ort in der Unterweisung haben; in vielen Fällen sind sie ebenso wie in den Proverbien (22–24; 1–9) mit dem gleichen Ruf zum Hören im Imperativ eingeleitet.

Einige Beispiele der Mahn- und Warnworte

Es gibt Sprüche, die übereinstimmen in Ägypten, bei den Bataks, in den Proverbien.

Spr 12, S. 20 „Ein Grenzstein darf nicht versetzt werden,
der gadu-gadu (Damm zwischen Reisfeldern)
darf nicht verschoben werden."
(Hier wie auch sonst oft zeigt sich ein Parallelismus zweier zusammengehörigen Mahnungen.) Die Übereinstimmung ergibt sich aus den gleichen Lebensbedingungen. Die Ackerbaukultur erfordert solche Mahnungen.

Weitere Beispiele: Sprüche gehören zum Gemeingut des batakischen Volkes; in allen Lebensbereichen finden sie Anwendung (S. 16).

Spruch 1 Berühre nicht den Hinterfuß eines Pferdes
(wörtlich und übertragen)
2 Spiele nicht mit glühenden Kohlen!
(wörtlich und übertragen)
3 Trübe nicht die Öffnungen deiner Quelle!
4 Gib Kindern nicht einen Pferdekopf!
5 Zeige nicht einem Irrsinnigen Blumen!
(vgl. die Warnung, einen Toren zu belehren)
7 Man soll nicht Gewalt üben und das Recht hintan setzen
8 Setze dich nicht hin, um dich (bösen) Gedanken hinzugeben; stehe nicht auf, um (falsche) Worte zu reden!
9 Schlage nicht den, der dich rücksichtsvoll behandelt!
wirf nicht nach dem, der dir entgegenkommt!
15 Man darf sich nicht auf die Dicke der Wade und auf die
Kraft des Armes verlassen!
33 Gehe nicht zu aufrecht, damit du nicht strauchelst!
(Hochmut kommt vor den Fall)

35 Man muß Pela-Blätter wie Palia-Blätter benutzen;
es muß Einigkeit herrschen zwischen Geschwistern
einer Mutter, damit man Gabe (Segen) und langes Leben
hat („Siehe wie fein und lieblich ist es...")

39 Habe keinen beschädigten Zaun, damit man durch ihn
nicht hereinschlüpfen kann
Sage nichts Übertriebenes, damit man dich später nicht
daran erinnern kann.

40 Wenn der Häuptling (König) einen schickt, darf man ihm
keinesfalls ungehorsam sein. Wenn man ihm nicht folgt,
so stürzt man sich ins Unglück.

41 Spiele nicht mit einem Messer, denn ein Messer schämt
sich, wenn es nichts zu fassen hat (eine an Kinder gerich-
tete Mahnung, die im übertragenen Sinn auch Erwachsenen gilt).

Oft ist ein Mahnwort identisch mit einem Gebot (S. 17): „Du (darfst) nicht
streiten!" „Du (darfst) nicht stehlen." „Du (sollst) nicht lügen." „Du (darfst
nicht töten." Auch in der grammatischen apodiktischen Form stimmen sie
mit den Geboten des Dekalog überein. (Vgl. hierzu E. Gerstenberger.)

Sinn und Bedeutung der Vergleiche werden in den Batak-Sprüchen oft
deutlicher als in den Sprüchen der Proverbien: Das Verhältnis Bild-Sache,
also die illustrierende Funktion der Vergleiche versagt hier ganz. Es wird in
den Vergleichen ein Vorgang zwischen Menschen neben einen Vorgang in
der umgebenden Wirklichkeit gestellt. Das „so ist es" wird aus der Umwelt
(meist Tiere und Pflanzen) bestätigt.

Die Nähe dieser Mahnworte zu denen in den Proverbien kann nicht über-
sehen werden.

IV. Formen und Bereiche sumerischer Sprichworte

Mit dem Vorbehalt, daß nur eine kleine Zahl der sumerischen Sprichworte herangezogen ist, lassen sich zu den Formen und Bereichen dieser
Sprüche die folgenden Beobachtungen machen. Ich folge dabei der Zusammenstellung von H.H. Schmid, Wesen und Geschichte der Weisheit, 1966,
S. 226–229; dort die Quellenangaben. Die Formen sind meist die gleichen,
die auch in Prov 20–31 den Hauptbestandteil der Sprüche bilden. So gesammelt finden sie sich sonst in keiner mesopotanischen Weisheitsschrift. Da die
sumerischen Spruchsammlungen als die ältesten im mesopotanischen Raum
angesehen werden, ist diese Übereinstimmung mit einem Frühstadium der
Sprüche in den Proverbien ein Hinweis auf ein relativ hohes Alter auch für
Teile von Prov 10–29 (31). Neben dieser Übereinstimmung bleiben viele
Unterschiede; sie lassen die Besonderheiten beider heraustreten.

Die Aussagesprüche

Die Aussagesprüche stehen oft dem Erzählen nahe; manche Sätze sind wie kleine Ausschnitte aus einer Erzählung. Sie sagen was (so) ist oder was geschieht; sie sind noch nicht speziell als Sprüche geformt und geprägt, so daß sie dadurch als außerhalb des Kontextes stehend kenntlich wären. Das ist ebenso bei vielen afrikanischen Sprichworten. Ein ausgesprochener Parallelismus ist nicht nachzuweisen. Daraus läßt sich schließen, daß sie einem kulturgeschichtlich frühen Stadium, einem früheren als die Proverbien, angehören.

Erfahrungen und Beobachtungen am Menschen

Das, was mein ist, hat (andere) Dinge fremd gemacht.
Von dem, was man gefunden hat, spricht man nicht; man spricht (nur) von dem, was man verloren hat.
Es ist eine Sache von kurzer Dauer.

Dieser Spruch ist typisch. Es wird nicht gesagt, *was* von kurzer Dauer ist, das ergibt sich aus der Situation, in der dieses Wort gesprochen wird. Sprüche wie diese können nur mündlich entstanden und weitergegeben worden sein.

Ein armer Mann ist immer gespannt, was er zu essen bekommen wird.

Der Satz entspricht der Untergruppe der Beobachtungen am Menschen: Sattsein und hungern. Er kann verschiedene Funktionen haben.
Ein hungriger Mann bricht in ein mit Ziegeln gebautes Haus ein.

Sag eine Lüge (und dann), sag die Wahrheit: man wird es als Lüge ansehen. Vgl.: Wer einmal lügt, dem glaubt man nicht...

Wenn du liebst — du trägst ein Joch!
Vorzeitig gereifte Frucht bringt Kummer ein (wörtlich und übertragen, wie häufig in afrikanischen Sprichworten).

Dies alles sind allgemeinmenschliche Beobachtungen und Erfahrungen, die Sprüchen in anderen Völkern ähnlich oder gleich sein können. Sie erhalten ihre Treffschärfe erst durch die Anwendung.

Menschliche Erfahrungen des Wirkens Gottes

Die Zerstörung kommt von seinem eigenen Gott; er weiß keinen Retter. Wenn es sein Gott, der eigene Gott war, von dem die Zerstörung ausgeht, kann er ihn nicht als Retter anrufen: es steht aussichtslos mit ihm.

Gürte dich selbst; dein Gott ist deine Hilfe! Dieser häufig begegnende Spruch impliziert eine Mahnung: „Hilf dir selbst, dann hilft dir Gott!“ Die Feinheit dieses Spruches liegt im Verhältnis von Aussagesatz und Imperativ zueinander.

Wenn du dich anstrengst, ist dein Gott deiner; wenn du dich nicht anstrengst, ist dein Gott nicht dein (d.h. nicht auf deiner Seite).

Es ist nicht der Reichtum, der dich unterstützt, es ist dein Gott! Eine allgemein religiöse Aussage, die ebenso auch in den Proverbien stehen könnte. Hier gehört das Wirken Gottes ganz unreflektiert zum Alltag.

Ob du klein bist oder groß — es ist (dein) Gott, der dir hilft. Ein eigenartiges Wort vom verborgenen Wirken Gottes, als Grenze des Menschen, das im Buch des Predigers stehen könnte, aber auch in den Proverbien:

Den Willen Gottes kann man nicht verstehen; der Weg eines Gottes kann nicht erkannt werden.

Vergleiche

Das Boot liegt zu tief; es hat bewirkt, daß die Kisten über Bord gingen. Wer zuviel will, muß mit Verlusten rechnen.

Besitztümer sind Sperlinge im Flug, die keinen Platz finden, sich niederzulassen. Der Vergleich stellt die Flüchtigkeit (eine Metapher!) des Reichtums dar. Die Beobachtung eines Tieres dient dem Ausdruck der Eigenart des Besitzes. Der Vogel kann sich hier oder da niederlassen, man weiß nicht, wo. Ein schöner, durchdachter Tiervergleich. Der gleiche Spruch findet sich im Amenemope; hier ist es eine Gans.

Ware, die beschädigt ist, ist nicht mehr von Interesse. Das Wort kann direkt, aber auch als Vergleich verwendet werden: Was beschädigt ist, verliert seinen Wert, auch im menschlichen Miteinander.
Er hat gehandelt wie ein Blinder. Ein Vergleich, der die Form eines Berichtes bzw. eines Ausschnittes aus einem Bericht hat. Das könnte ein Tadel oder ein Vorwurf sein, aber auch eine so eingekleidete Warnung. Auch dieser Vergleich erhält seine Funktion erst aus der Situation, in der er gesprochen wird.

Eine Frucht, die vorzeitig reift, bringt Kummer. Ein Vergleich der das vorzeitige Reifen bei einem Menschen oder einer menschlichen Handlung meint.
Ein in einen Vergleich gekleideter Gegensatzspruch:
Ein Boot mit einem ehrenhaften Ziel segelt stromab mit dem Wind, Uru hat für es einen zuverlässigen Landeplatz ausgesucht. — Ein Boot mit betrügerischer Absicht segelt stromab mit dem Wind, er (Uru) wird es am Strand zum Scheitern bringen.
Ein Gegensatzspruch, der denen in den Proverbien ähnlich ist; er setzt dem Tun und Ergehen des Gerechten das Tun und Ergehen des Frevlers entgegen.

Charakterisierung

Die sumerischen Sprüche entsprechen in den Ausprägungen Beobachtung
oder Erfahrung — Vergleich — Gegensatzspruch — Charakterisierung den
gleichen Gruppen in den Proverbien.
  Wer in Gerechtigkeit wandelt (oder: gewandelt ist) erzeugt Leben.
  Du gibst nicht zurück, was du geliehen hast!
Die Charakteresierung ist in einen Vorwurf gekleidet, der gegen den Charak-
terisierten erhoben wird.
  Du bist nicht lax gewesen angesichts des Übels, das vorhanden ist!
Es wird einer charakteresiert, der dem Übel energisch entgegengetreten ist.
Es könnte die Funktion eines Lobes, aber auch die einer Mahnung haben.
  Food, that's the thing! Drink! that's the thing!
Es wird einer charakterisiert, der zu gierig auf Essen und Trinken aus ist; das
geschieht, indem ein Wort von ihm zitiert wird. Ein typischer Spruch!

Imperativsprüche, Mahnungen und Warnungen

Mahnungen und Warnungen können die Form eines Imperativs oder Veti-
tivs haben, sie können aber auch in einer Aussage impliziert sein.
  Er erwirbt mancherlei Dinge; muß sorgfältig auf sie achten. Der Aussage-
satz impliziert eine Mahnung oder Warnung; es ist beabsichtigt, daß der
Angeredete selbst auf die Folgerung kommt.
  Le plaisir dans le poisson, la fatigue dans le chemin.
  Wer viel Bier trinkt, muß Wasser trinken; wer zu viel ißt, wird nicht schla-
fen.
  Machst du dich auf und nimmst dem Freund sein Feld, so kommt der
Feind zurück und raubt das deine!
Eine Warnung vor Raub oder Diebstahl.
  In Frageform: Wer wird auf die Erklärung hören, die du geben wirst?
Gemeint ist: Versuch es erst gar nicht, deine Tat zu erklären; die Tat spricht
deutlicher als die Erklärung!

Imperativ und Vetitiv (z.T. begründet mit dem Hinweis auf die Folgen)

  Tu nichts Böses, dann wirst du nicht dauerndes Unheil erfahren!
  Begeh kein Verbrechen, dann wird dich Furcht nicht verzehren.
  Verleumde niemanden, so wird die Trauer dein Herz nicht erreichen!
  Hacke nicht irgendetwas (jetzt) ab; es wird später Frucht tragen!
Der Spruch entspricht der Erzählung vom unfruchtbaren Feigenbaum (eine
Reihe von Erzählungen in den synoptischen Evangelien gehen auf ein
Sprichwort zurück).
  A shepherd should not try to be a farmer (vgl. Schuster bleib bei deinem
Leisten!

Zwei Mahnungen widersprechen einander:

Wir sterben alle, darum laßt uns prassen!
Wir werden lange leben, laßt uns sparen!

   Solche einander widersprechenden Mahnungen begegnen auch in den
Prov (26,4,5). Sie sind typisch für die Spruch-Mahnungen: es kommt jeweils
auf die Situation und die Voraussetzungen an. Allein die Tatsache, daß einander widersprechende Mahnungen vorkommen, hätte zu der Folgerung führen müssen, daß die Sprüche mündlich entstanden und mündlich tradiert
wurden.

Der Bereich der sumerischen Sprüche

Der Mensch, Körper und Glieder
Hunger und Durst, Essen und Trinken, Wasser und Brot, Kuchenbacken,
Bier, Vorrat, Gebrauchen und Sparen, Schlafen und Wachen, Kleidung.
Innenleben: Einstellung, Liebe, Verantwortung, Leiden, Wahrheit und Lüge,
Ehrlich und unehrlich, Stärke und Schwäche, Lob und Tadel, Krankheit, der
Blinde, Strenge, Erklären des Verhaltens, Freund und Feind.

Haus und Haushalt
Feuer und Kohle, prassen und sparen, Verlieren und Finden, Arbeit und Vergnügen, Bemühung, Anstrengung, Wirken und Gelingen des Werkes, Ackerbau, Feldbestellung, Fruchtbarkeit, Getreide, Hirt und Vieh, der Vorarbei-
ter, der Knecht, Schiff und Fluß, Pflanzen und Tiere.

Handel und Ware
Wege, ehrlich — unehrlich, Geld leihen, Geld zurückerstatten, Reichtum,
Besitz, Eigentum, bewahren und verlieren, arm und reich, mein und dein.

Das böse Handeln
der Frevler, Diebstahl, Raub eines Ackers, Betrug, Verbrechen und Folge,
der Fluch, das Böse, das Übel, eine vom Unheil geschlagene Stadt.

Das Wirken Gottes
Es ist für den Menschen oder gegen ihn, er hat Freude an ihm oder es wider-
steht ihm. Er baut auf und er zerstört. Er hilft, wenn man sich selbst
anstrengt; Gott, nicht der Reichtum fördert einen Menschen. Den Willen
Gottes kann niemand verstehen.
   Es ist das einfache Leben von Ackerbauern, das sich in den Sprüchen
abzeichnet. Da es sich nur um eine sehr kleine Auswahl aus den sumerischen
Sprüchen handelt, ist der Vergleich mit Prov 10–31 nur begrenzt möglich.
Aber in diesem kleinen Ausschnitt ist die Übereinstimmung erstaunlich
weitgehend. Am deutlichsten zeigt es sich daran, daß viele Bereiche hier wie
dort nicht vorkommen: die große Politik mit Herrschaft, Kampf und Krie-
gern (ein Unterschied: der König und das Verhältnis zu ihm fehlt in den
sumerischen Sprüchen). Es fehlt aber auch der Kult als Institution, es fehlen

die objektivierte Kultur und Kunst, Großbauten, Festungen, Beamte und Verwaltung.

Insofern stehen die sumerischen Sprüche den Proverbien näher als die spätere mesopotanische und ägyptische Weisheit, aber auch den Sprüchen primitiver, schriftloser Völker.

H. Cazelles, Les nouvelles études sur Sumer et Mari, in: M. Gilbert (Hrsg.), La sagesse de L'Ancien Testament, 1979, 17–27. Er referiet S. 20 ff. R. Marzal, Gleanings from the wisdom of Mari, Coll. Studia Rohl II, Rome 1976, spec. 15–45. In den hier wiedergegebenen Texten könnten sieben Sprüche sein:
La chienne qui en allant ici et là ne donne naissance qu'à des avortons.
Le feu consume le roseau et ses compagnons prêtent attention.
C'est sous la paille que l'eau coule, dazu vier weitere.

Während es sich hier um reine Spruchweisheit handelt, enthalten die Tafeln von Abu Salabikh (c 2500) die ältesten Lehrreden (B. Alster, La Sagene de Shuruppak, Inscriptions from Tel Abu Salabikh, A Sumerian Proverb Collection, 1974; Studies in Sumerian Proverbs, 1975). Eine der Tafeln beginnt:
Début de l'enseignement fait par le prince, le fils royal... à son fils: Amende toi à tes yeux... Mon fils, que je te donne des instructions, fais-y attention... Ne néglige pas mes instructions, ne transgresse pas la parole, que je te dis..."

Die Sprichworte von Mari, die H. Cazelles, S. 20 f. nennt, entsprechen in der Form denen in Prov 10–31. Es sind alles Aussageworte, sie gehören alle zu der Gruppe der Erfahrungen am Menschen. Sie sind aber eingliedrig. Sie gebrauchen Vergleiche und fordern zu eigenem Nachdenken auf. Sie haben ihren Ort im Leben der Gemeinschaft.

Im Unterschied zu diesen Sprichworten enthalten die Tafeln von Shuruppak Lehrreden, den ägyptischen Instruktionen entsprechend, mit dem Leitmotiv der Aufforderung des Lehrers an den Schüler zum Hören. Das entspricht exakt dem Nebeneinander von Sprüchen und Lehren in Prov 10–31 und 1–9; auch darin, daß in den Lehren die Imperative überwiegen, die Sprüche aber alle Aussageworte sind.

Auch darin liegt eine Entsprechung vor, daß in die Lehrreden Sprüche verarbeitet sind wie in den äg. Lehrreden: Sprüche können der Unterweisung dienen. Diese Übereinstimmung bestätigt, daß die Sprichworte und die Lehrreden auch in Sumer je selbständige Traditionen waren, nur dadurch miteinander verbunden, daß in die Lehrreden auch Sprichworte aufgenommen wurden. Gute Beispiele dafür bei Chr. Kayatz, 1968, S. 58. — Man sollte dann, wenn man von Weisheitstexten redet, deutlich zwischen den beiden unterscheiden.

V. Die Lehre des Amenemope
(nach Beyerlin ATD-E. 1, 1975, S. 75–88)

Zur Einleitung und zum Schluß

„Beginn der Lebenslehre: der Unterweisung für das Heil". Das Buch will eine Lehre, eine Unterweisung sein, Regeln für die Hofleute, für den Umgang mit den Großen, um mündlich und schriftlich Antwort geben zu können, damit er im Munde der Menschen geehrt wird. Der Schluß fügt hinzu: Diese 30 Kapitel des Buches sollen erfreuen und belehren, um die Unwissenden wissend zu machen, so daß er dann auch einmal ein Lehrer werden kann. Dies ist eine eindeutige Bestimmung: das Buch ist Lehre, es will Wissen vermitteln.

Damit ist zugleich gesagt, daß die Lehre des Am. kein Weisheitsbuch im Sinn einer Philosophie sein will. Vergleicht man es etwa mit Qohelet, so wird klar: Für Koh paßt diese Bestimmung des Am als Lehre überhaupt nicht. Qohelet ist ein Weisheitsbuch. Der Prediger will Erkenntnisse, die er gewonnen hat (und andere vor ihm) niederschreiben und sie damit weitergeben, sie auch dem Urteil anderer aussetzen, sie steht darin einem philosophischen Werk nahe. Er will aber nicht ein Wissen an Lernende, an Schüler weitergeben. Qohelet ist ein Weisheitsbuch (ein philosophisches Buch), Amenemope ist ein Lehrbuch, wie es selbst am Anfang und am Schluß sagt.

Zur Form

Die Lehre des Amenemope besteht zwischen Einleitung und Schluß aus 30 Kapiteln (auf die Zahl, vgl. Prov 22,20 gehe ich hier nicht ein), die aber nur z.T. Sinneinheiten sind.

Das erste Kap. ist in seinem Kern eine *Aufforderung zum Hören:* „Gib deine Ohren, höre, was gesagt wird, gibt dein Herz daran, es zu verstehen...". Damit wird bestätigt, daß es im Folgenden um Lehre geht so wie auch in den Lehrgedichten (oder Lehrreden) Prov 1–9 ganz von der vielfach wiederholten Aufforderung zum Hören bestimmt ist.

Die Aufforderung zum Hören wird damit begründet, daß es zum Erfolg führt: „dann wirst du finden, daß es zum Erfolg führt". Das entspricht dem Charakter der Lehre, ebenso in Prov 1–9.

Mit dem 2. Kapitel beginnt *die eigentliche Lehre*, sie besteht von hier an bis zum Schluß in der Hauptsache aus Imperativen (Mahnungen und Warnungen, vielfach erweitert), die ohne Zusammenhang aneinander gereiht werden. Darin entspricht es Prov 22,17–24,31, dem von Imperativen beherrschten Teil der Proverbien. Mahnungen begegnen zwar auch in Prov 1–9, aber diese sind meist anderer Art, anders ist auch die Form längerer Gedichte. Eine deutliche Parallele ist nur der Teil mit den Mahnworten 22–24. Hier finden sich auch die meisten Parallelen zu einzelnen Sprüchen.

Damit wird die Zweckangabe des Buches, nämlich Wissen zu vermitteln, näher bestimmt. Es geht in ihr um das, was man tun soll, wie man sich verhalten soll. Alles was sonst noch in den 30 Kapiteln gesagt wird, tritt dahinter zurück. Lehre also zielt auf das Verhalten; dazu stimmt die Begründung: sie soll zum Erfolg führen (wie heute noch in den Inseraten von Lehrinstituten).

Daraus läßt sich auch auf die Angeredeten schließen. Überall auf der Welt richtet sich der weisende Imperativ primär oder vorwiegend an junge Menschen, die zum Lernen aufgefordert werden, an die Aufwachsenden. (auch das ist mit Sicherheit anders bei dem Buch Qohelet, das sich an Erwachsene wendet).

Wenn die Texte in Amenemope *ohne Zusammenhang aneinandergereiht* werden, so entspricht das den Spruchsammlungen, wo das auch so ist. Darin unterscheidet sich Amenemope von den längeren Lehrgedichten oder Lehrreden ebenso wie von thematisch einheitlichen Weisheitsschriften: es steht der älteren Überlieferungsform noch näher.

Die einzelnen Mahnungen/Warnungen in Auswahl

Mahnungen zum Schutz der Schwachen und Behinderten:

2. Kap. Hüte dich, einen Elenden zu berauben und einen Schwachen zu vertreiben!...

25. Kap. Verlache nicht einen Blinden und verhöhne nicht einen Krüppel, erschwere nicht das Geschick eines Lahmen!
Verspotte nicht einen Mann, der in der Hand Gottes ist!

28. Kap. Greife nicht eine Witwe heraus, indem du sie auf dem Felde herausfischst!...
Übergehe nicht den Fremden mit dem Bierkrug, gib ihm vielmehr doppelt...
Gott liebt den, der den Geringen achtet, mehr als den, der den Vornehmen ehrt!

Warnung davor, die Grenzen des Ackers zu verrücken:

6. Kap. Verrücke nicht den Markstein auf der Grenze der Äcker und verschiebe nicht die Meßschnur von ihrer rechten Stelle. Sei nicht gierig nach einer Elle Acker und verletze nicht die Grenze einer Witwe.

Warnung vor Streitsucht

3. Kap. Fange keinen Streit mit dem Heißmäuligen an und greife ihn nicht mit Worten an, zögere vor einem Gegner... der Gott wird ihm zu antworten wissen.

9. Kap. Mache dir nicht den Heißen zum Gesellen und suche ihn nicht auf zu einem Gespräch!

22. Kap. Reize nicht deinen Streitgegner... übereile dich nicht, vor ihn zu treten; setze dich in die Arme Gottes so wird dein Schweigen sie zu Fall bringen.

Warnung vor Bedrückung und Bestechung beim Gericht

20. Kap. Mindere nicht einen Menschen im Gericht und dränge nicht die Gerechtigkeit beiseite! nimm keine Bestechung von einem Starken an, bedränge nicht einen Schwachen!

13. Kap. Lege kein Zeugnis ab mit falschen Worten und fälsche nicht
mit deiner Feder!

Geschwätzigkeit

9. Kap. Die Rede eines, dessen Herz geschädigt ist, ist rascher als
Wind und Regen, er ist wie ein Fährmann, der Worte webt:
er kommt und geht mit Streit!

2. Kap. Du, Heißer, was ist mit dir? Er schreit und seine Stimme
dringt bis zum Himmel.

4. Kap. Der wahre Schweiger hält sich abseits.

21. Kap. Leere dein Inneres nicht vor aller Welt aus, und schädige nicht
dein Ansehen", laß nicht deine Rede bei den Leuten herumge-
hen. Besser ist ein Mann, dessen Nachricht in seinem Leibe
bleibt, als der, der sie zum Schaden sagt.

5. Kap. Halte dich an einen Schweiger, so wirst du Leben finden.

Warnung vor Falschheit

10. Kap. Trenne nicht dein Herz von deiner Zunge, dann werden all
deine Pläne Erfolg haben.
Gott haßt das Verfälschen von Worten, sein Abscheu ist der,
der im Inneren krank ist.

7. Kap. Hänge dein Herz nicht an Schätze!
Wenn dir Schätze durch Raub gebracht werden, so bleiben sie
nicht über Nacht bei dir... oder sie haben sich Flügel
gemacht wie Gänse und sind zum Himmel geflogen!

11. Kap. Begehre nicht die Habe eines Abhängigen und hungere nicht
nach seinem Brot; die Habe eines Abhängigen bleibt einem in
der Kehle stecken, sie ist ein Brechmittel für den Hals.

Tischregeln, Verhalten zu Vorgesetzten

23. Kap. Iß nicht Brot vor einem Beamten und mach dich nicht zuerst
ans Essen!
Blicke auf den Napf der vor dir steht, und laß ihn seine
Bedürfnisse stillen!

9. Kap. Laß deine Zunge heil sein, deinem Vorgesetzten zu antworten
und hüte dich davor, gegen ihn zu agitieren!

Gottes Tun

25. Kap. Verachte nicht einen Blinden... (s.o.) Der Mensch ist Lehm
und Stroh, der Gott ist sein Baumeister. Er zerstört und er
erbaut täglich, er macht 1000 Geringe nach seinem Belieben
und macht 1000 Menschen zu Aufsichtspersonen, wenn er in

der Stunde seines Lebens ist. Wie freut sich, wenn er den Westen erreicht, wenn er dann heil wird in der Hand Gottes!

Zusammenfassend: die Mahnungen in Amenemope stehen denen in den Prov 22–24 nahe. Viele haben exakte Parallelen in den Proverbien, so die Warnung, Grenzsteine zu verrücken, Mahnungen zum Schutz der Schwachen, Warnung vor Falschheit, vor Unterdrückung der Schwachen im Gericht, vor falschem Zeugnis und viele andere. Die parallelen Stellen zu den Proverbien sind bei Beyerlin jeweils angegeben. Abgesehen von den Tischregeln ist literarische Abhängigkeit nicht anzunehmen; ein Teil dieser Mahnungen, wie z.B. die Warnung vor dem Verrücken der Grenzsteine, finden sich auch in sumerischen, auch in afrikanischen und in asiatischen Sprüchen. Sie entsprechen alle einer gemeinsamen Kulturstufe und deren Bauelementen; die universale Verbreitung solcher Mahnworte (vgl. S. 159) zeigt sich hier besonders deutlich.

Natürlich gibt es neben Übereinstimmendem auch Unterschiede; dazu gehört, daß in Amenemope eine größere soziale Differenzierung wahrzunehmen ist als in Prov 22–24: mehrfach wird von Vorgesetzten und Untergebenen gesprochen. Zu den Unterschieden gehört auch, daß der Gegensatz des Heißen zum Ruhigen besonders betont wird (A. Alt).

Ein wichtiger Unterschied in der Form ist, daß die Mahnungen in Amenemope überwiegend erweitert sind; selten steht der einzeilige oder zweizeilige Spruch ganz für sich. Daraus ist zu schließen, daß die Sammlung der Amenemope Sprüche von der ursprünglich mündlichen Form schon weiter entfernt ist durch eine schon längere schriftliche Überlieferung als Prov 22–24, wo die einzelnen Mahnungen meist für sich stehen. In den kurzen Begründungen liegt noch kein Unterschied vor; hier wie dort treten Begründungen (kurze) manchmal hinzu, manchmal fehlen sie. Die Erweiterung der Aufforderung zum Hören ist genau — z.T. wörtlich — so wie in Prov 1–9; hier liegt Abhängigkeit vor. In manchen Kapiteln sind die Mahnungen aneinandergereiht ganz oder fast ohne Erweiterungen, so in 13; 20; 21; 23. Im 6. Kap. zieht sich die Mahnung, den Grenzstein nicht zu verrücken durch das ganze Kapitel mit Erweiterungen dazwischen. Mehrfach begegnet als Erweiterung die Schilderung des Bösen und das Schicksal des Bösen (ähnlich den Prov) in Kap. 2; 5; 6 (zehn Zeilen!); 11 (Folgen des Begehrens der Habe von Untergebenen); das Reden des „Heissen" wird breit geschildert; im 7. Kap. wird die Mahnung: „Hänge das Herz nicht an die Schätze" in zehn Zeilen damit begründet, wie leicht die Schätze verschwinden können; sie verschwinden über Nacht und sind morgens nicht mehr da; die Erde hat sie verschlungen, „sie haben sich selbst ein Loch gemacht" oder sie „haben sich Flügel gemacht wie Gänse und sind zum Himmel geflogen" (genauso in einem sumerischen Spruch!); hier ist die Schilderung humorvoll.

Diese Erweiterung von Mahnungen zu kleinen Schilderungen entsprechen exakt den Erweiterungen von Mahnungen zu kleinen Gedichten in den Proverbien. Beides weist auf den Übergang von der mündlichen zur schriftlichen Tradition der Sprüche.

Häufiger als in den Prov. wird bei den Begründungen von Gott geredet: „Setze dich in die Arme Gottes, dann wird dein Schweigen sie zu Fall bringen!" „Gott liebt die, die sich der Schwachen annehmen, ihm widerstehen die falschen Worte." „Gott gibt die ma'at, wenn er will," „das ist deinem Gott ein Abscheu" wie Prov (s.S. 41).
Dazu die Gegensatzsprüche s.u.

Andere Formen, die neben den Mahnungen vorkommen:

Eine häufige Form sind die *Komparativsprüche* „besser als..." Mehrfach schließt ein Kapitel mit ihnen ab.

6. Kap.	Besser ist Armut aus der Hand Gottes als Schätze im Vorratshaus. (17,1 und 15,12!) Besser sind Brote, wenn dein Herz vorzüglich ist, als Reichtum mit Kummer, (vgl. Prov)
13. Kap.	Besser als Menschenfreund gelobt zu werden, als Reichtum im Speicher!
21. Kap.	Besser ist ein Mann, dessen Nachricht in seinem Leib bleibt als der, der sie zum Schaden sagt.

Bei den Komparativsprüchen ist die Übereinstimmung mit denen in den Proverbien ganz erstaunlich. Sie reicht tief in das Menschenverständnis. Die Komparativsprüche begegnen in Ägypten, Mesopotanien, Israel und in Zentralafrika.

Gegensatzsprüche

4. Kap.	Der Hitzige ist wie ein Baum, der im Innern wächst... Der Schweiger ist wie ein Baum, der im Sonnenlicht wächst... (vgl. Ps 1).

Gegensatz Gott — Mensch

18. Kap.	Ein Ding sind die Worte (= Gedanken), die der Mensch sagt, ein ander Ding ist, was der Gott tut Die Zunge des Menschen ist das Steuerruder des Schiffes, doch der Allherr ist sein Pilot.
20. Kap.	Gott gibt dir ma'at wenn er will.
21. Kap.	Sage nicht... denn wahrlich, du kennst nicht die Pläne Gottes!
25. Kap.	Verlache nicht einen Blinden...

Von Aussageworten sind nur Komparativsprüche und Gegensatzsprüche und nur wenige genannt, die in Amenemope begegnen. Aussageprüche und

Imperativsprüche sind also noch voneinander geschieden, so wie in Prov 22-24 und in den Sprüchen vieler anderer Völker (auch bei den Batak, s.S. 159).

Die nicht sehr häufigen Vergleiche in Amenemope stehen fast nur in den Aussageworten wie in den Proverbien.

Das Reden von Gott findet sich in zwei Zusammenhängen: als Begründung bei Mahnungen, vor allem zum Schutz von Schwachen; genau so in den Proverbien (Gott hat auch ihn geschaffen). Ebenso bei den Gegensatzsprüchen, die die Möglichkeiten des Menschen und die Gottes gegenüberstellen, in den Proverbien die Sprüche, die auf die Grenzen des Menschen im Wirken und im Wissen Gottes weisen.

VI. Die Instruktionen des Onch-Sheshonqy[104]

Die besondere Bedeutung der Instruktion des Onch-Sheshonqy liegt darin, daß sie, obwohl eine späte Schrift, einen frühen Entwicklungsstand zeigt; so hat es schon der erste Übersetzer, S.R. Glanwille, gesehen. Die Formen zeigen ein weniger entwickeltes Stadium der Spruchsammlungen. Ein Prinzip der Anordnung ist nicht zu erkennen im Gegensatz zu den sonstigen ägyptischen Weisheitsschriften. In einigen Punkten zeigt die Sammlung der Proverbien ein entwickelteres Stadium als das der Sammlung Onch-Sheshonqy.

Von besonderem Interesse ist dabei die Rahmenerzählung. Sie erzählt, der Verfasser der Instruktion habe sie im Gefängnis geschrieben, in das er gekommen war, weil er in Hofintrigen, die auf einen Anschlag auf den Pharao zielten, verwickelt war. Dort habe er sie geschrieben als Unterweisung für seinen Sohn, Stück für Stück auf Scherben, wie die einzelnen Sprüche dem Verfasser einfielen. — Diese Rahmenerzählung läßt sich leicht entschlüsseln. Sie hat die Funktion, sie den anderen ägyptischen Weisheitsschriften dadurch anzugleichen, daß sie einem Beamten am Hof des Pharao zugeschrieben wird. Die Andersartigkeit wird durch die Erzählung damit begründet, daß der Verfasser die Sprüche so, wie sie ihm ins Gedächtnis kamen, auf einzelne Tonscherben schrieb: eine gute Erklärung für die frühe Form, in der die Sprüche ohne Zusammenhang einzeln aneinandergereiht sind (wie in Prov 10–31), wobei manchmal kleine Gruppen von Sprüchen, die inhaltlich oder formal zusammenpaßten, vorkamen (auch das wie in den Prov). Der Gattung der Unterweisung wurde die Sammlung dadurch zugeordnet, daß der im Gefängnis sitzende Hofbeamte sie für die Erziehung seines Sohnes schrieb. Zweierlei geht aus dieser Rahmenerzählung hervor: Einmal, daß die Tradenten der Sammlung O. sich ihrer frühen Entstehung bewußt waren, und zwar beim Übergang von der mündlichen zur schriftlichen Tradition, außerdem, daß sie sie in ihrer ursprünglichen, von den späteren Weisheitsschriften sich unterscheidenden Form bewahren wollten. Damit ist erklärt, daß eine besonders nahe Beziehung zwischen der Sammlung O. (5. Jh.) und den Proverbien des Alten Testaments besteht: sie gehören überlieferungsgeschichtlich etwa dem gleichen Stadium an.

Die Sammlung des O. (seit 1896 im britischen Museum) ist sehr umfangreich. Sie enthält 27 1/2 Kolumnen, die fast vollständig erhalten sind, etwa 550 Sprüche. Sie sind überwiegend einzeilig, einige zweizeilig. Ihre Grundgliederung ist die in Indikativ- und Imperativ-Sprüche. Die Formen zeigen auch im einzelnen eine weniger entwickelte Gestalt. Der Übergang von Einzelsprüchen zu deren Einschmelzen in größere (diskursive) Zusammenhänge wie in den späteren ägyptischen Weisheitsschriften ist hier noch nicht vollzogen.

Die Sprüche der Sammlung des O. zeigen einen ländlichen Hintergrund, ein Leben in Natur und Landschaft. Es ist nicht die Welt der Hofbeamten und der Schreiber in ihren Schulen; der Hof und seine Beamten kommen nur in der Rahmenerzählung vor. Die Arbeit des Bauern steht wie in den Proverbien im Vordergrund wie etwa in Sprüchen zu Tages- und Jahreszeiten: „Wer im Sommer nicht Holz sammelt, wird es im Winter nicht warm haben". Wird von den Söhnen gesprochen, dann auch von ihrer ländlichen Beschäftigung. Tiere, zahme und wilde, begegnen häufig in den Sprüchen, auch in Vergleichen; darin stehen diese Sprüche den afrikanischen nahe, auch darin, daß verschiedene Getreidearten begegnen. Diese Nähe zum Landleben betont schon der Übersetzer S.R. Glanwille.

Die Gruppen von Sprüchen erinnern immer wieder an ähnliche oder gleiche Gruppen in den Proverbien. Eine Tendenz zu Sonderung der beiden Grundformen zeigt sich daran, daß Aussage und Mahnworte manchmal durcheinander stehen, manchmal auch gesondert, so daß eine Kolumne nur aus Aussage- oder Mahnworten besteht.

Komparativsprüche („besser als..."") begegnen nicht nur in den gleichen Formen wie in den Proverbien, sie spiegeln auch mehrmals die gleiche Einstellung: eine Tendenz zum Sich-Bescheiden mit dem Geringeren: „Besser ist es, in deinem kleinen Haus zu wohnen, als..."

Indikativ-Sprüche, Aussagen

Eine kleine Reihe in fünf Sprüchen beginnt: „Es ist ein Segen für..."
Ein Segen für ein Gebiet ist ein Herrscher, der Gerechtigkeit übt.
Ein Segen für einen Haushalt ist eine kluge Frau.

Beobachtungen am Menschen

Die Persönlichkeit eines Menschen zeigt sich in seinem Gesicht.
Ein Dieb stiehlt in der Nacht; am Tag wird er ertappt.
Einer sät, der andere erntet.
Wenn du hundert Leuten eine Freundlichkeit erweist und nur einer dankt dir, dann ist doch ein Teil nicht umsonst.

Gegensatzsprüche

Ein kleiner Mann, der sich arrogant benimmt, wird sehr verachtet; ein großer Mann, der sich bescheiden benimmt, wird respektiert.
Das Zischen einer Schlange bedeutet mehr als das Blöken eines Esels.

Vergleiche

Eine gute Frau von edlem Charakter
ist wie ein Brot, das zur Zeit des Hungers kommt (mehr als 50 Sprüche haben
die Frau zum Thema).

Mahnungen

Jung und alt, Vater und Mutter

Sag nicht „Junger Mann' zu einem, der erwachsen ist!
Diene deinem Vater und deiner Mutter, daß es dir wohl ergehe!
Erweise deinem Vater und deiner Mutter Achtung!
Vernachlässige nicht den Dienst bei deinem Meister!
Verachte nicht einen alten Mann in deinem Herzen!
Diene einem Weisen, daß er dir dienen möge!
Erweise dem König Respekt
und benimm dich in seiner Gegenwart so, wie es sich gebührt!

Mahnungen zur Besonnenheit

Sprich nicht hastig, daß du Anstoß erregst!
Mach keine unmäßigen Ausgaben, bevor du ein Vorratshaus errichtet hast!
Lieber schweigen als eine hastige Zunge!
Sag nicht das erste beste, was dir gerade in den Sinn kommt!

Mahnungen zum Verhalten

Fürchte dich nicht, etwas zu tun, was zu tun du berechtigt bist!
Sprich zu jedermann die Wahrheit!
Wenn dein Feind dich anfleht, verbirg dich nicht!
Ärgere dich nicht über einen Toren!
Laß deine gute Tat den erreichen, der sie nötig hat!

Beziehung zur Gottheit

Diene deinem Gott, daß er dich schütze!
Bring Opfer und Libationen Gott dar, laß die Gottesfurcht in deinem Her-
zen groß sein!
Bete nicht zu Gott und mißachte (dabei) was er sagt!
Lege das, was dich beschäftigt, in die Hände Gottes!

Tue eine gute Tat und wirf sie in den Fluß;
wenn er austrocknet, wirst du sie wiederfinden!

Aussagen

Jede gute Tat ist von der Hand Gottes.
Alle haben einen Teil des Schicksals von Gott.
Nichts geschieht, was Gott nicht geboten hätte.
Anders sind die Lenkungen Gottes, anders die Gedanken der Menschen.
Wenn eine Frau mit ihrem Mann in Frieden lebt, so ist das der Wille Gottes.
Gott sieht in das Herz.

Zusammenfassung

Zur Form: Im ganzen der ägyptischen Weisheitsschriften zeigt die Sammlung des O., daß die ursprüngliche Form des Weisheitswortes der einlinige Spruch war. Die Sprüche sind gegliedert in Indikativ- und Imperativ-Sprüche. Überdies zeigen sie viele Einzelzüge, in denen sie mit Sprüchen anderer Sammlungen übereinstimmen.

Zum Inhalt: Die Sprüche reden vom Menschen als Menschen, ohne Sonderungen. Es ist ein humaner Geist, von dem diese Sprüche bestimmt sind, der sich sowohl in den Aussage- wie den Mahnworten ausspricht. Die meisten dieser Sprüche könnten ebenso in Prov 10–31 stehen, sogar auch zur „Feindesliebe" wird gemahnt, und die Gruppen der Sprüche sind die gleichen wie in den Proverbien des Alten Testaments. Auch von Gott reden die Sprüche ebenso, ohne Sonderungen; daß Gott in das Herz der Menschen sieht und daß die Lenkungen Gottes anders sind als die Gedanken der Menschen, sagen auch die Sprüche des alten Israel.[105]

VII. Abschluß

Zum Vergleich herangezogen wurden drei sumerische Texte und zwei ägyptische, dazu afrikanische Sprüche und Sprüche der Batak auf Sumatra.

Zu den Formen

Die früheste Form des jeweilig vorliegenden Ganzen ist die Sammlung aneinandergereihter Einzelsprüche; die früheste Form der Texteinheit der kurze Spruch, meist einzeilig, seltener zweizeilig, ursprünglich die einzige Form des (Weisheits)-Spruches, sie hat universale Bedeutung.

Die Sprüche in allen verglichenen Texten haben zwei Grundformen: Indikativ- und Imperativsprüche, Aussagen und Mahnungen. Der Vergleich mit den fünf außerbiblischen Spruchsammlungen bzw. Weisheitsschriften ergibt darüber hinaus: Bei den überlieferungsgeschichtlich frühen Sprüchen überwiegen die Aussageworte, bei den jüngeren die Imperativworte, insbesondere Amenemope und Prov 1–9.

Aus dem Vergleich ergibt sich, daß überall der Phase der Sammlungen und schriftlichen Tradition der Sprüche eine Phase der mündlichen Entstehung und der mündlichen Tradition (d.h. ihrer Anwendung im Leben der Gruppe) vorausgegangen ist. Das ist der Fall bei den schriftlosen Völkern in Afrika, auf Sumatra u.a. Es ist noch eindeutig zu erkennen bei den sumerischen Sprüchen, bei der ägyptischen Sammlung des O., in den Proverbien und in Spuren auch bei Amenemope (A. Alt). Keiner der verglichenen Texte ist von vornherein schriftlich entstanden. Man kann aber deutlich erkennen, daß einige der Texte der mündlichen Entstehung noch nahestehen, wie die Sammlung des O.; andere, wie Amenemope, weiter von ihr entfernt sind. Außerdem lassen die Texte erkennen, daß auch dort, wo schon kleine oder größere Sammlungen bestanden, das mündliche Tradieren weiterging, wie sich das besonders bei Qohelet zeigt.

Der Vergleich, soweit er die Sprüche der vorschriftlichen und der schriftlichen Phase umfaßt, ergibt weiter, daß die Sprüche die Höhe ihrer Bedeutung für die Gemeinschaft in der vorliterarischen Phase hatten, die Phase der Sammlungen dagegen den Charakter der Nachgeschichte hat. Für die Geschichte der Gattung Spruch ist der wichtigste Wendepunkt der Übergang von der vorschriftlichen zur schriftlichen Phase. Die gedanklich zusammenhängenden, über den kurzen Satz hinaus erweiterten Texte, besonders die Lehrgedichte, gehören erst der schriftlichen Phase an und sind daher eo ipso als später anzusehen.[106]

Innerhalb der Aussagesätze ermöglicht der Vergleich eine weitere traditionsgeschichtliche Unterscheidung. In den afrikanischen und in den sumerischen Sprüchen hat der Aussagespruch oft noch keine fest geprägte Form; oft ist er ein einfacher Aussagesatz, der Erzählung nahe. Erst in einer späteren Schicht erhält er eine feste, ausgeprägte Form.

Zum Inhalt

In der mündlichen Phase ist der Inhalt von der Funktion des Spruches in seiner Anwendung bestimmt; es ist ursprünglich meist eine soziale Funktion. In der schriftlichen Phase löst die Funktion sich vom Spruch ab, der damit seinen ursprünglichen Kontext verliert.

Zu der Reichhaltigkeit gehören auch die Vergleiche in ihrer Fülle, in den afrikanischen Sprüchen besonders Tiervergleiche, die zugleich etwas vom Menschen sagen.

Die Sprüche haben auch die Funktion der Unterhaltung, die Kunst des kultivierten Gesprächs, an dem auch der Humor Anteil hat. (Weisheit — Witz).

Die Gruppen, Arten, Bereiche der Sprüche sind einander erstaunlich ähnlich; bedingt durch die Ähnlichkeit der Lebensweise und der Kulturstufe. Komparativsprüche, Sprüche des Wertens „besser als..." gibt es auch bei allen, weil dieses abwägende Werten bei allen zum Miteinanderleben gehört, ebenso wie die Sprüche der Beobachtung und Erfahrung.

Imperativsprüche gibt es bei allen, aber die Mahnungen können sehr verschieden sein. Bei allen sind von allgemeinen Mahnungen solche zu unterscheiden, die den spezifischen Charakter der Lehre haben, so die Einleitung der Lehre des Amenemope und Prov 1–9.

Eine auffallende Besonderheit weist das Reden von Gott auf. Von Gott wird nur gesagt, was er im Alltag für den Menschen bedeutet; alles spezifisch Theologische fehlt. Das Reden von Gott hat einen humanen Charakter.

VIII. Nachtrag

Erst nach Abschluß der Arbeit erhielt ich L. Naré, Proverbs salomoniens et proverbs mossi, einen Vergleich zwischen den Sprüchen des Proverbienbuches und den Sprüchen der mossi (Westafrika), Sprüche in der Sprache des Verfassers. Diese Untersuchung bestätigt die große Nähe eines Teiles der Proverbien zu den Sprüchen der vorschriftlichen Phase eines afrikanischen Volkes. In der Conclusion générale, S. 303–306 sagt er: In Form und Inhalt gibt es eine Fülle von Entsprechungen, in der Form noch stärker als im Inhalt. Hier wie dort sind die Sprüche der unmittelbare Reflex des natürlichen und sozialen Milieus, und das Milieu ist hier und da ähnlich (Ackerbaukultur). Es sind vielfach die gleichen Themen: der Tadel des Faulen und des Lügners, die schwatzhafte Frau, der tyrannische König (Chef). Hier wie dort die Beobachtung natürlicher und menschlicher Phänomene, die hier wie dort einen ähnlichen Ausdruck finden. Tiefsinnige Sprüche finden sich ebenfalls hier wie dort, beide „condamnent le mal sous toutes ses formes et encouragent au bien; comme les proverbes bibliques ils reconnaissent Dieu non seulement comme le Créateur de l'univers, mais encore comme le sauvegard du pouvre et la garantie suprême de l'ordre moral".

Der Verfasser zieht einen sehr beachtenswerten Schluß daraus: „De ce point de vue, la sagesse biblique semble se construire sur le terrain d'une sagesse humaine commune..."

Anmerkungen

1 So oder ähnlich sagen es viele Auslegungen; hierin gibt es keine Kontroversen.

2 Deswegen wird im allgemeinen der Versuch, Weisheit, sofern damit Texte gemeint sind, umfassend zu definieren, gar nicht erst unternommen.

3 So die Definition von Lord Russel: „The wisdom of many, the wit of one" (erwähnt bei B.M. Thompson, 1974).

4 Daß in den Hochkulturen ein Spätstadium des Sprichworts vorliegt, zeigt sich daran, daß es fast nur noch eingearbeitet in größere Einheiten vorkommt.

5 Mit Recht weist R.E, Murphy (1978) auf das Anwachsen der Forschung von dem Überblick W. Baumgartners (1933 und 1951) an bis in die letzten Jahre. Das zeigt auch schon der vorangehende Überblick von J.L. Crenshaw (1976). Von Weisheit und Weisheits-Literatur in diesem Sinn wird erst seit J. Meinhold (1908) gesprochen.

Weitere neuere Forschungsübersichten, überwiegend zu Ausschnitten der Forschung, E. Gerstenberger (1969), J.L. Crenshaw (1976), B. Gemser (1976), R.E, Murphy (1976; 1978), M. Gilbert (1979), C.R. Fontaine (1982), P. Doll (1985). B. Gemser (1976) und O. Kaiser (Einl. 1984) heben besonders die Wandlung von J. Fichtner und dem frühen Aufsatz von W. Zimmerli (1933) hervor zu der neueren Sicht bei H. Gese und G. von Rad, in der die „Ordnung" eine für die Weisheit bestimmende Bedeutung erhielt. — Mit einem kurzen Ausschnitt aus der Forschungsgeschichte verbunden, in denen es besonders um die Frage der Entstehung der Weisheit und ihr Verhältnis zu den Volkssprichworten geht: F.W. Golka, C.R. Fontaine, P. Doll. In Vorbereitung C. Westermann, Forschungsgeschichte zur Weisheit, 1950–1990.

5a Herrn Professor Dr. Assmann danke ich für wertvolle Hinweise zur Bedeutung des äg. ma'at (Brief vom 10. VII. 88).

6 Vgl. André Jolles, S. 155: „Jede Erfahrung wird jedesmals selbständig begriffen."

7 So besonders W. Zimmerli.

8 C. Westermann, Ausgewählte Psalmen, 1984, S. 186ff.; G. von Rad, 1970: „...das einfache Staunen über Tatsächliches und Gegensätzliches; in ihm ereignet sich Erkenntnis".

9 Bei primitiven Völkern sind die Sprüche, die von Tieren sprechen, besonders häufig, auch in den frühen sumerischen, vgl. den Anhang.

10 Der Text ist unsicher. Eine andere Übersetzung (Rothstein: „Arglistig mehr als alles ist das Herz (und bösartig ist es); wer aber kennt es aus"?).

11 Paradoxe begegnen auch in afrikanischen Sprüchen, vgl. den Anhang; z.B. S. 155. „Manches Schweigen hat eine mächtige Stimme".

12 Übersetzung W. McKane, 1970, S. 253: „Ruthless anger and floodwaters of rage, but who can stand before jealousy?"

13 Der Spruch hat die Form einer Gegenüberstellung; die Form bewirkt, daß der Hörer dem Spruch nachdenkend gegenübersteht. Eben dies ist mit polarer Entsprechung gemeint.

14 Zu Prediger 3 siehe den Schluß.

15 Beachtet man allein diese Entsprechung — zu der viele andere hinzukommen —, begreift man nicht mehr das Urteil von H.D. Preuss (1985), daß das Buch der Proverbien nicht in den Kanon passe.

16 Das meint die Bemerkung von Beardslee (1970, S. 65): „A proverb is a story".

17 Viele Ausleger haben gesehen: ein Spruch kann eine Dichtung sein als eine in sich selbständig abgeschlossene Einheit. Hat man das erkannt, dann erweisen sich die vielen Versuche, aus mehreren Sprüchen einen Zusammenhang zu bilden, als verfehlt.

18 Wenn C.R. Fontaine und C. Westermann von der sozialen Funktion der Sprüche reden, so vermag dieser Spruch 15,30, der die Beobachtung mit dem Wirken dieses Wortes in einer Gemeinschaft verbindet, als ein Musterbeispiel dafür dienen.

19 W. McKane, (1979): „Speech is seen as an action, which has constructive and destructive possibilities".

20 Zu diesem Abschnitt besonders W. Bühlmann, Vom rechten Reden und Schweigen, Studien zu Prov 10–31, OBO 12, 1976.

21 Siehe oben S. 11.

22 Auch hier zeigt sich deutlich die soziale Funktion der Sprüche.

23 Ausführlicher hierzu C. Westermann, Das Schöne im Alten Testament, ThB 73, 1964, S. 119–137.

24 Einen Stand der Schreiber, der sich über andere Berufe, besonders Arbeit mit den Händen, erhaben fühlt und auf sie herabsieht wie in der ägyptischen Satire ANET 1969, 432–434, hat es im alten Israel nicht gegeben.

25 Die Sprüche vom Faulen und Fleißigen beweisen, daß die Sprüche es mit einem anderen Lebensbereich zu tun haben als Gesetze, in Israel wie auch sonst. Wenn es keine Gesetze gegen die Faulheit gibt, ist das darin begründet, daß der Gegensatz zwischen faul und fleißig sich von selbst regelt in dem hier gemeinten Lebensbereich. Die übermäßige Faulheit wird in Grenzen gehalten einmal durch ihre Folgen, zugleich aber auch durch den Spott, der den Faulen „herabsetzt". Das reicht aus.

26 Auch die Behauptung, es gehe in diesen Sprüchen um eine Ordnung, die zwischen den Armen und den Reichen herrschen solle, trifft hier absolut nicht zu.

27 „er wird ihm seine Guttat vergelten": das ist Volksweisheit, Sie hat sich in der Wendung „Vergelt's Gott!" oder „um einen Gotteslohn" bis in die Gegenwart erhalten.

28 Von Parallelismus kann man eigentlich nur bei diesen künstlichen Bildungen reden, nicht aber bei Gegensatzsprüchen wie 22,2. Hier besteht ja der Spruch als solcher aus einem Gegensatz; zweigliedrig ist er, weil er einen Gegensatz ausdrückt. Dies als „antithetischen Parallismus" zu bezeichnen, ist unangemessen. Diese Bezeichnung trifft nur dort zu, wo in einer mehrere Verse umfassenden Dichtung eine Zeile durch einen Gegensatz gebildet wird wie z.B. Ps 16: „Denn Jahwe kennt den Weg der Gerechten, — aber der Gottlosen Weg vergeht".

29 Wenn H.D. Preuss (1987) S. 41 sagt: „Die Bildungsweisheit... gehört zu den Besitzenden... so wird immer wieder der Vorzug des Reichtums herausgestellt", so ist die Spruchgruppe von Armen und Reichen verkannt. Wenn 18,23 gesagt wird: „Der Arme braucht Worte des Flehens, mit Härte aber antwortet der Reiche", wird damit für die Reichen Stellung genommen? Zutreffend ist die Spruchgruppe arm — reich dargestellt bei P. Doll, 1985, S. 16–29.

30 Wenn J.L. Crenshaw (1974) und W.H. Schmidt (1979) eine Entstehung der Sprüche in der Familie vermuten, so liegen keine Anhaltspunkte dafür vor, daß das für die Sprüche im ganzen zutrifft. Wohl aber hat eine bestimmte Gruppe der Mahnworte ihren Ursprung mit Sicherheit in der Familie: die Mahnung der Eltern an die Kinder beim Abschied, bei deren Fortgehen. Dazu Näheres bei der

Behandlung der Mahnworte. Dieser Sitz im Leben einer Gruppe der Mahnworte ist auch aus den Sprüchen der Batak zu erkennen (im Anhang).

31 Wenn gerade beim Handel und beim Gerichtswesen auf das Wirken Gottes hingewiesen wird, wie bei den Sprüchen von Armen und Reichen, so ist das die gleiche Auffassung vom Wirken Gottes wie bei den Propheten. Gott steht auf der Seite der Geringen und der Benachteiligten.

32 Diese Gruppe von Sprüchen zeigt deutlich, daß die Bezeichnung „Intellectual Tradition" (R.N. Whybray, 1974) für die Spruchweisheit ungeeignet ist.

33 Diese Gruppe verrät darin politische Weisheit, daß der König hier nicht absolut gewertet wird; anerkannt wird er nur in seiner Funktion, seinem gerechten Wirken. Pracht und Glanz des Königtums werden niemals erwähnt.

34 König und Königtum erhielten insbesondere in der Wendung „Königtum Gottes" in späten Schichten des Alten Testaments eine hohe Wertung, die im Neuen Testament noch verstärkt wurde. Das Reden vom König in den Sprüchen ist weit von solcher Erhöhung entfernt; in ihnen wird nüchtern und streng funktional vom König geredet, manchmal auch kritisch.

35 J.M. Thompson (1974, S. 67): „There is a democratic spirit in the book of proverbs".

36 Es ist wohl nicht zufällig, daß solche den Boten lobenden Sprüche sich auch in den frühen sumerischen Sprüchen finden.

37 Ähnlich auch G. von Rad, 1970, S. 131–150.

38 So auch G. von Rad.

39 Hierzu J. Blenkinsopp, Wisdom and Law in the Old Testament, 1983.

40 B. Gemser übersetzt 26,28: „Falsche Zunge haßt ihren ‚Besitzer' und glatter Mund bereitet Sturz", wahrscheinlich besser. Bei diesem Spruch kann man von einem Tat-Folge-Denken reden.

41 In den Charakterisierungen wird nicht versucht, die Übeltäter, als auch die Falschen, aus der Gesellschaft zu entfernen. Das wäre Illusion. Die Charakterisierungen sagen, wie es wirklich ist.

42 Es ist die besondere Weisheit dieser Sprüche, die vom Streitsüchtigen handeln, daß sie nicht plump mahnen, Streit zu unterlassen und friedlich zu sein, sondern auf das menschliche Phänomen aufmerksam machen, daß es einen Trieb im Menschen gibt, der den Streit will, der ihn provoziert.

43 Dieser Spruch ist das Leitwort des Romans „Grete Minde" von Theodor Fontane.

44 Dies ist einer der Sprüche, über die man eine Weile nachdenken muß, um sie zu verstehen. Der zweite Teil umgreift zwei Stadien: ein Frommer hat sich als solcher bewährt; in einer entscheidenden Situation aber hat er Angst vor dem, der einen Schaden zu stiften im Begriff ist. — Er wird verglichen mit einem dem entsprechenden Versagen im Bereich des Geschaffenen, das auch in zwei Akten dargestellt wird. Ein Quell gibt dem Durstigen Leben; aber wenn es darauf ankommt, ist der Quell getrübt. Man muß den einzelnen Spruch sich aussprechen lassen.

45 „Das Hüpfen der Beine beim Krüppel": damit wird der Behinderte nicht verhöhnt, vielmehr wird dem Toren gesagt, was er aus sich selbst gemacht hat.

46 Der Spruch gehört auch zu der Gruppe des verfehlten Wortes; es geht in diesem Zerrbild um die Kultur der Sprache.

47 Die Erzählung von Nabal und Abigail 1. Sam 25 setzt den Gegensatzspruch der Tor — der Weise voraus.

48 Das, wovon die Sprüche reden, spielt sich in einer Stadt ab; daß dies ihr Horizont ist, wird hier einmal ausgesprochen.

49 Weisheit und Torheit kommen auch in der Wirtschaft vor; Bewahrung und Vergeudung gehören dazu.

50 Zur Weisheit gehört eine kritische Sicht der Mitmenschen; der Leichtgläubige ist töricht.

51 Das Verachten einer Tat oder eines Menschen wird nicht verwehrt; es kommt darauf an, wie man darauf reagiert.

52 Hier treffen wir wieder das Achten auf die Kultur des Gesprächs.

53 Der Spruch ist eine Variante des Satzes: „Die Furcht Jahwes ist der Anfang der Weisheit".

54 Auch diese Gruppe von Sprüchen zeigt, daß die Bezeichnung „Intellecutal Tradition" nicht zutrifft.

55 Wahrscheinlich ist eine frühere Sammlung durch solche Übergangssprüche erweitert worden.

56 O.R. Johnson (1955) hat nachgewiesen, daß die Grundbedeutung von *māshāl* Vergleich ist.

57 Man kann die Probe aufs Exempel machen, indem man die Vergleiche im Buch Ezechiel denen in den Proverbien gegenüberstellt.

58 Hier ist ein bei den Sprüchen häufiges Stilmittel gebraucht: die Übertreibung. Hierzu ausführlich Beardslee (1970).

59 Das Fragen nach gut und böse führt hier nicht zu einer prinzipiellen Wertelehre, wie das G. von Rad mehrfach bedauernd bemerkt, besonders S. 110: „Eine Quintessenz der Ethik Israels findet sich nicht, sie ist prinzipienlos". — Der Spruch der Bewertung bezieht die jeweilige Situation ein; der ein- für allemal, prinzipiell festgelegte Wert hat darin seine Schwäche, daß er von der Situation abstrahiert.

60 H.J. Hermisson (1968) nennt S. 160 als Sprüche der Steigerung 11,31; 15,11; 19,10.

61 G. Vanoni, Biblische Notizen 35, 1986, W. Richter z. 60. Geburtstag, S.102, gekürzt, Quellenangaben dort.

62 Sie werden allgemein Zahlensprüche genannt; es sind aber Gedichte, eine Weiterentwicklung des Spruches.

63 H.W. Wolff, Amos' geistige Heimat (1964), S. 24–30, wo er den Zahlenspruch im ganzen behandelt.

64 Hier zeigt sich wieder eine Nähe der Sprüche zu Gen 1–11; das nahe Zusammengehören von Mensch und Tier bei der Menschenschöpfung Gen 2, 19–20!

65 Dazu Bibl. Kommentar, Genesis I (1974), S. 8–23.

66 Der Gebrauch von 'ašrē im Alten Testament, ThB 55 (1974), 191–195.

67 Diese Gegensatzsprüche der Gerechte — der Frevler gehören zur späteren Weisheit; die Form des Spruches ist in ihnen geliehen.

68 So sieht es auch R.B.V. Scott (1972), S. 161.

69 Auf die Diskussion, die sich hier anschloß, brauche ich nicht einzugehen.

70 Daher kann es keine Toleranz geben; es ist wohl kein Zufall, daß G. von Rad keinen einzigen dieser Sprüche zitiert.

71 Ausführlich dazu W. McKane, Komm., S. 400 ff. Ringgren nimmt an, es sei ein unschuldig Verurteilter gemeint.

72 Damit fällt die Annahme von C. Kayatz, die ägyptischen Texte seien schon in der Frühzeit in Israel übernommen worden.

73 Vor allem Jesus Sirach.

74 So auch mit anderen W. McKane.

75 Bei den Mahnungen ist zu beachten, daß sowohl der Begriff des Vorbildes wie auch Mahnungen zu überragenden Leistungen fehlen. Sie sind eher griechischem Denken gemäß: „Immer der Beste zu sein und hervorzuragen vor andern".

76 Instruktion des Onchsheshonqy; darauf macht W. McKane in seinem Kommentar aufmerksam.

77 Wenn in der Lehre, insbesondere der Mahnung des Lehrers die Erziehung der Eltern weitergeführt wird, wobei der Lehrer die Autorität der Eltern beansprucht, setzt dies voraus, daß es Mahnungen der Eltern vorher schon gab. Das beweist Tob 4, aber auch die Mahnworte der Batak (siehe Anhang). Dann ist für das Mahnwort, wie es in Prov 22–24 begegnet, die Vorgeschichte eines mündlichen Mahnwortes anzunehmen, dessen Subjekt Vater und Mutter waren. Insoweit ist etwas Richtiges an der Vermutung Crenshaws und W.H. Schmidts, daß die Sprüche, d.h. nur die Mahnworte, eine Wurzel in der Familie hatten.

78 Auch bei Spottworten begegnet die Erweiterung eines Spruches zu einem Gedicht: 1. Sam 17,44; Jes 23,16.

79 Diese Wendung des Predigers: „Ich sah, daß..." bestätigt, daß die Beobachtungssprüche in den Prov eine eigene Gruppe von Sprüchen bilden.

80 Damit bestätigt der Prediger, daß die Gegensatzsprüche der Gerechte — der Frevler in den Proverbien sekundär, ein späterer Nachtrag sind. Dasselbe gilt für das Fehlen der Erziehungsweisheit beim Prediger.

81 Es ergibt sich, daß die Weisheit des Predigers der Spruchweisheit Prov 10–31 entschieden näher steht als der Lehrweisheit Prov 1–9.

82 Es sind Ri 8,2; 8,21; 1. Sam 16,7; 1. Sam 24,14; 1. Kön 20,11.

83 Hierzu die Rezension des Buches von C.R. Fontaine durch F.W. Golka in Bibl. Orientalis 1984, 162–164.

84 J.P.M. van der Ploeg, Le psalm 119 et la sagesse (1979) bezeichnet Ps 119 als „un contique sur la tōrāh"; der Psalm ist sui generis.

85 J. Luyten, Psalm 73 and Wisdom (1979) gibt zunächst eine gute Zusammenfassung der bisherigen Arbeiten zu den Weisheitspsalmen, er fragt dann nach den weisheitlichen Formelementen in Ps 73, S. 64–72. Er arbeitet, Pardue folgend, die weisheitlichen Elemente in dem Psalm sorgfältig heraus, betont die Nähe zum Hiobbuch, ordnet ihn aber nicht einer Gruppe „Weisheitspsalmen" ein; „Ps 73 has a charadter of its own". Die Ich-Rede ist dem Prediger ähnlich, aber näher ist der Ps 73 dem Hiobbuch. Er ist wesentlich Reflexion, die das Motiv der Gerechte — der Frevler und ihr Geschick voraussetzt.

86 Die Aufforderung zum Hören 34,2 setzt die Lehrgedichte in Prov 1–9 voraus. In Hiob 34,2 redet ein Weiser die Weisen an, das zeigt ein spätes Stadium.

87 Ein Übergang läßt sich auch feststellen in den Sprüchen zur Erziehung, zum Lob der Weisheit, in einzelnen Sprüchen der Tor — der Weise, in einzelnen Komparativsprüchen. In ihnen allen geht es um die abstrakte Weisheit.

88 R. Bultmann, Geschichte der synoptischen Tradition, 1921, [4]1970, S. 73–113.

89 Eines von vielen Beispielen, die zeigen, wie notwendig es ist, die Spruchweisheit und die Lehrweisheit zu unterscheiden.

90 Frühjüdische Weisheitstraditionen, 1979, S. 157–173.

91 Dieser Spruch gehört zu der Gruppe: Gott, Schöpfer des Menschen.

92 Darum ist es ein Irrweg, diese Sprüche in den synoptischen Evangelien „christologisch" oder „eschatologisch" auslegen zu wollen.

93 Es ist erstaunlich, daß sich die Versuche zu einer biblischen Theologie meines Wissens mit diesem Tatbestand noch nicht beschäftigt haben.

94 Use of the Proverbs in the Synoptic Gospels. Interpr. 24, 1970, S. 62–73.

95 S. 65.

96 S. 71.

97 Wieder abgedruckt in ThB 55, 1974, S. 149–161.

98 Jetzt auch F. W. Golka, 1989, S. 149–165.

99 Zu den Sprichworten insgesamt verweise ich auf W. Mieder und Alan Dundes, The Wisdom of Many, Essays on the Proverb, New York 1981.

99a Für Hinweise zur Literatur, afrikanische Sprüche betreffend, danke ich der Bibliothek der Basler Mission.

100 In dem „Wörterbuch der Ewe-Sprache" meines Vaters, D. Westermann, 1954, sind die meisten Texte zu den einzelnen Vokabeln Sprichwörter.

101 Beispiele für Königssprüche dort; dazu F. W. Golka, 1989.

102 Dazu C. R. Fontaine, 1982.

103 Weisheitliche Mahnsprüche und prophetische Mahnrede im Alten Testament auf dem Hintergrund der Mahnungen im Leben der Tobabatak auf Sumatra, Diss. Mainz 1967. Für den Hinweis auf diese Dissertation danke ich Prof. Dr. H. W. Wolff.

104 Nach B. Gemser, The Instruction of Onch-Sheshonqy and Biblical Wisdom Literature, SAJW, hrsg. v. Crenshaw, 1976, 102–128.

105 Zu Onch-Sheshonqy jetzt H. Brunner, Altägyptische Weisheit…, 1988, S. 257 ff.

106 Anders Chr. Kayatz, 1969.

Literatur

in Auswahl, nach der Zeitfolge geordnet

1910 — 1940

1908	J. Meinhold, Die Weisheit Israels in Spruch, Sage u. Dichtung
1913	O. Eißfeldt, Der Maschal im Alten Testament, BZAW 24.
1921	R. Bultmann, Die Geschichte der synopt. Tradition, [2]1970
1923	D. Steuernagel, Die Sprüche, HSAT, Einleitung
1930	J. Hempel, Althebräische Literatur, Sprüche, S. 44–55
1930	A. Jolles, Einfache Formen, Der Spruch [2]1956
1933	H. Gunkel/J. Begrich, Einleitung in die Psalmen, Weisheitsdichtung
1933	W. Baumgartner, Die israelitische Weisheits-Literatur, ThR 5, 259–300
1933	W. Zimmerli, Zur Struktur der alttestamentlichen Weisheit, ZAW 51, 177–204

1933   J. Fichtner, Die altorientalische Weisheit in ihrer israelitisch-jüdischen Aus-
       prägung
1936   J. Schmidt, Studien zur Stilistik der alttestamentlichen Spruchliteratur
1939f. R. Gordis, Quotations in Wisdom-literature, JQuR 30, 123–147

                                      1950 — 1960

1950   ³1969 Ancient Near Eastern Texts; ed. Pritchard
1951   A. Alt, Die Weisheit Salomos, ThLZ 76, 133–144
1953   L. Köhler, Der hebräische Mensch
1955   M. Noth/D.W. Thomas (Hrsg.) Wisdom in Israel and in the Ancient Near
       East
       A. Alt, Zur literarischen Analyse der Weisheit des Amenemope, 16–25
       P. de Boer, The Counsellor, 42–71
       A.R. Johnson, Māšāl, 162–169
       J. Lindblom, Wisdom in the OT-prophets, 192–204
       S. Mowinckel, Psalms and wisdom, 205–224
       N.W. Porteous, Royal wisdom, 247–261
       R.B.Y. Scott, Solomon and the beginning of wisdom in Israel, 262–279
1957   G. von Rad, Theologie des Alten Testaments, I, II, ⁶1969
1958   H. Gese, Lehre und Wirklichkeit der Weisheit

                                      1960 — 1970

1960   J.L. Crenshaw, Method on determining wisdom influence upon historical
       literature, JBL 88, 129–142
1960   B. Gemser, The Instruction of Onch-Sheshonqy and biblical wisdom litera-
       ture, VT Suppl. 7, 102–128
1961   R.B.Y. Scott, Folk Proverb of the Ancient Near East, Royal Society of
       Canada, Vol. 15, 47–56
1960   P. Humbert, Le substantif tō 'ēbā... dans L'AT, ZÀW, 72, 217–237
1962   U. Skladny, Die ältesten Spruchsammlungen in Israel
1962   R.E. Murphy, A Consideration of the Classification „Wisdompsalms", VT
       Suppl 9, 156–167
1963   W. Zimmerli, Ort und Grenze der Weisheit im Rahmen der alttestament-
       lichen Theologie, ThB 19, 300–315
1964   H.W. Wolff, Amos geistige Heimat, WMANT 18
1965   E. Gerstenberger, Wesen und Herkunft des apodiktischen Rechts, WMANT
       20
1964   C. Westermann, Grundformen prophetischer Rede,⁵1978, S. 70–91
1965   R.N. Whybray, Wisdom in Proverbs, Studies in Bibl. Theol. 45
1965   R.E. Murphy, die Weisheitsliteratur des Alten Testaments, Concil, 855–862
1966   H.H. Schmid, Wesen und Geschichte der Weisheit, BZAW 101
1968   H.J. Hermisson, Studien zur israelitischen Spruchweisheit, WMANT 28
1968   Chr. Kayatz, Studien zu Proverbien 1–9, WMANT 22
1969   Dies., Einführung in die alttestamentliche Weisheit, Bibl. Stud. 55
1969   E. Gerstenberger, Zur alttestamentlichen Weisheit, VuF, 28–45
1969   J.L. Crenshaw, Method in Determining wisdom-influence... JBL 129–142

1970 — 1980

1970   G. von Rad, Weisheit in Israel, [3]1985
1970   W. A. Beardslee, Use of Proverb in the Synoptic Gospels, Interpr. 24
1970   R. Finnegan, Oral Literature in Africa, Proverbs, 389–425
1971   C. Westermann, Weisheit im Sprichwort, 1974 ThB 55, 149–161
1971   R. B. Y. Scott, The Way of wisdom in the OT
1972   B. Lang, Die weisheitliche Lehrrede, Stuttg. Bibelstudien 54
1974   J. L. Crenshaw, Wisdom, in OT-Form-Criticism 1974, ch. IV
1974   R. N. Whybray, The Intellectual Tradition in the OT, BZAW 135
1974   J. M. Thompson, The form and function of proverbs in Ancient Israel
1975   R. E. Murphy, Wisdom and Yahwism, FS McKenzie, 117–126
1976   W. Bühlmann, Vom rechten Reden und Schweigen, Prov 10–31
1976   J. L. Crenshaw (Hrsg.), Studies in Ancient Israel Wisdom (SAJW)
        J. L. Crenshaw, Prolegomenon, 1–35
        G. Fohrer, Sophia, 63–83
        E. Würthwein, Egyptian wisdon and the OT, 113–133
        B. Gemser, The Instruction of Onch-Sheshonqy, 134–160
        Ders., The spiritual structure of Bibl aphor. wisdom, 134–160
        J. F. Priest, Where is wisdom to be placed?, 281–288
        J. L. Crenshaw, Popular Questioning of the justice of God, 380–395
1977   In der Festschrift W. Zimmerli, 1977
        C. A. Keller, Zum sog. Vergeltungsglauben im Proverbienbuch, 223–238
        R. Rendtorff, Geschichtliches und weisheitliches Denken im Alten Testament, 344–353
1977   H. P. Müller, Die weisheitliche Lehrerzählung im Alten Testament, WO 9, 77–98
1978   Israelite Wisdom, FS S. Terrien, hrsg. v. J. Gammie u. a.
        R. E. Murphy, Wisdom Theses and Hypotheses, 35–42
        H. J. Hermisson, Observations on the Creation-theology in wisdom, 43–57
        W. L. Humphreys, The. . . wise courtier in the Prov, 177–190
1978   W. Mieder (Hrsg.), Ergebnisse der Sprichwortforschung
1979   La Sagesse de lAT, hrsg. v. M. Gilbert, Louvain
        H. Cazelles, Les nouvelles études sur Sumer and Mari, 17–27
        C. Brekelmans, Wisdom influence in Deuteronomy, 28–38
        J. Luyten, Psalm 73 and wisdom, 55–81
        J. P. M. van der Ploeg, Le ps 119 et la, sagesse, 82–87
        J. L. Crenshaw, Questons, dictons et épreuves impossibles, 96–111
        R. N. Whybray, Yahweh-Sayings. . . in Prov 10–22, 153–165
        W. McKane, Functions of Language and objections of discourse, 166–185
        B. Lang, Schule und Unterricht im alten Israel, 186–201
        J. Marbök, Sir 38f., der schriftgelehrte Weise, 293–316
1979   M. Küchler, Frühjüdische Weisheitstraditionen, Orbis Biblicus et Orientalis
1979   W. H. Schmidt, Einführung in das Alte Testament. Die Spruchweisheit, 320–326

1980 — 1989

1981   R.E. Murphy, Hebrew Wisdom, JAOS 101, 1, 21–34
1981   J.L. Crenshaw, OT-wisdom, An introduction
1982   C.R. Fontaine, Traditional Sayings in the OT
        (dazu Rezension F. Golka, Bibl. Or. 1984, 162–166)
1983   R. Rendtorff, Das Alte Testament. Eine Einführung, 114–118
1983   J. Blenkinsopp, Wisdom and law in the OT, Oxf. Univ. Press (Rezension
        J.G. Williams)
1983   F. Golka, Die israelitische Weisheitsschule oder..., VT 33, 257–270
1984   O. Kaiser, Einleitung in das Alte Testament, 366–382
1984   O. Plöger, Sprüche Salomos, BK VII, Einleitung
1985   R.E. Murphy, Wisdom and Creation, JBL 104, 1, 3–11
1985   P. Doll, Menschenschöpfung und Weltschöpfung in der alttestamentlichen
        Weisheit, Stuttg. Bibelstudien 117
1986   G. Vanoni, Volkssprichwort und Jahweethos (zu Prov 15, 16), BN (Bibl.
        Notizen) München, 73–108
1986   F.W. Golka, Die Köngs- und Hofsprüche und der Ursprung der israeliti-
        schen Weisheit, VT 36, 13–36
1986   E. Kutsch, Weisheitsspruch und Prophetenwort (zu Jes 9,22f.), FS E. Kutsch,
        198–215
1986   L. Naré, Proverbes salomoniens et proverbes mossi (zu Prov 25–29)
1987   H.D. Preuß, Einführung in die alttestamentliche Weisheit
1987   E. Murphy, Die Weisheit des Alten Testaments, Word and World 3
1988   T. Hildebrandt, Compositional Units in Prov 10–29, JBL 197, 207–224
1988   R.C. van Leeuwen, Context and Meaning in Prov 25–27, JBL Diss. Series 96
1989   F.W. Golka, Die Flecken des Leoparden, FS C. Westermann, 149–165

Claus Westermann

Prophetische Heilsworte im Alten Testament

(Forschungen zur Religion und Literatur des Alten und Neuen Testaments, Bd. 145). 1987. 219 Seiten, kartoniert und Leinen

Eine umfassende Untersuchung der prophetischen Heilsworte nach ihren Formen und ihrem Inhalt.

Das Buch Jesaja

Kap. 40–66. (Das Alte Testament Deutsch, Bd. 19). 5. Auflage 1986. 344 Seiten, kartoniert und Leinen

„Einleitend wird zunächst jeweils über Deutero- und Triterojesaja gehandelt und dann im Anschluß an die Übersetzung Abschnitt für Abschnitt ihre Botschaft erläutert. Formgeschichtliche Überlegungen werden für die Exegese fruchtbar gemacht, so daß die Predigt der Propheten anschaulich und plastisch hervortritt und der theologische Gehalt ihres Wortes – gerade auch im Gegenüber zum Neuen Testament – sichtbar wird." *Das Neueste*

Lob und Klage in den Psalmen

6. Auflage von „Das Loben Gottes in den Psalmen" 1983. 212 Seiten, kartoniert

„Die hier vereinigten Untersuchungen zu den Psalmen haben seit dem ersten Erscheinen nichts an Bedeutsamkeit und Aktualität verloren. Wer sich mit der Frage nach den Psalmengattungen beschäftigt, wird an Westermann nicht vorbeikommen." *Theologische Revue*

Ausgewählte Psalmen

1984. 210 Seiten, kartoniert

„Es geht Claus Westermann nicht um einen Beitrag zur wissenschaftlichen Fachdiskussion, sondern er will die Psalmen zum Reden bringen. Das glückt ihm aufs beste." *Kirchl. Amtsblatt Westfalen*

Theologie des Alten Testaments in Grundzügen

(Grundrisse zum Alten Testament, Bd. 6). 2. Auflage 1985. IV, 222 Seiten, kartoniert

„Der Verfasser legt eine beachtenswerte Theologie des Alten Testaments vor, die von einem völlig anderen Ansatzpunkt, einem gattungs- bzw. formgeschichtlichen, ausgeht. Es gelingt ihm so, das Alte Testament in faszinierender Weise neu aufzuschließen." *Bibel und Kirche*

Die Verheißungen an die Väter

Studien zur Vätergeschichte. (Forschungen zur Religion und Literatur des Alten und Neuen Testaments, Bd. 116). 1976. 171 Seiten, kartoniert und Leinen

Die Verheißungen an die Väter werden in dieser Arbeit als ein selbständiger, wesentlicher Bestandteil der Väterüberlieferungen je für sich und in ihrem Verhältnis zueinander untersucht. Jede einzelne der in den Vätergeschichten begegnenden Verheißungen (des Sohnes, neuen Lebensraumes, des Beistandes, des Landbesitzes, der Mehrung, des Segens, des Bundes) hat ihren eigenen Ort, ihre eigene Funktion und Geschichte.

Vandenhoeck & Ruprecht · Göttingen und Zürich